D0801268

Chuck Palahniuk

Choke

*Traduit de l'américain
par Freddy Michalski*

Denoël

Titre original :

CHOKE

© *2001, by Chuck Palahniuk.*
Éditeur original : Jonathan Cape, Random House.
© *Éditions Denoël, 2002, pour la traduction française.*

Chuck Palahniuk est diplômé de l'université de l'Oregon. Il vit aux environs de Portland entouré de ses chiens et est l'auteur de *Fight Club*, roman culte récompensé en 1999 par la Pacific Northwest Booksellers Association et adapté au cinéma. Son deuxième roman, *Survivant*, lui aussi publié dans la collection La Noire, le confirme comme l'un des écrivains de fiction les plus originaux du moment. Son univers bien singulier à valeur de fable moderne et son humour sauvage, parfois glacé, font de ses romans des livres totalement imprévisibles et inoubliables. Ses derniers titres, *Berceuse* et *Journal intime*, sont disponibles dans la collection La Noire.

Pour Lump
À jamais

To choke : bloquer la respiration par serrage ou obstruction de la trachée*.

* Avertissement du traducteur.

1.

Si vous avez l'intention de lire ceci, n'en faites rien, ne vous donnez pas cette peine.

Au bout de quelques pages, vous n'aurez plus aucune envie de vous trouver là où vous serez. Alors oubliez. Allez-vous-en, tant que vous êtes encore intact, en un seul morceau.

Soyez votre propre sauveur.

Il doit bien y avoir mieux à la télévision. Ou alors, dans la mesure où vous disposez de tellement de temps libre, vous pourriez peut-être prendre des cours du soir. Devenir médecin. Vous pourriez faire quelque chose de votre vie. Vous offrir une sortie, aller au restaurant. Vous teindre les cheveux.

Vous ne rajeunissez pas.

Au départ, vous allez faire la gueule devant ce qui se passe ici. Ensuite, ça ne fait qu'empirer.

Ce à quoi vous avez droit, ici, c'est à une histoire stupide à propos d'un petit garçon stupide. Une histoire vraie de la vraie vie concernant des individus que jamais vous ne voudriez rencontrer. Imaginez ce petit hystéro criard, qui vous arrive à la taille, avec ses petits cheveux bien chiches, très proprement coiffés, et une raie sur le côté. Imaginez-le, ce petit merdeux, tellement déjà dans la norme, sur de vieilles photos de classe avec déjà quelques dents de lait tombées et ses premières dents définitives qui poussent de travers. Imaginez-le vêtu d'un chandail ridicule à rayures bleues et jaunes, un cadeau d'anniversaire, qui avait jadis été son pull préféré. Même à un si jeune âge, imaginez-le en train de se les ronger, ses ongles de tête de gland. Ses chaussures préférées ? Des Keds. Sa nourriture préférée ? Des corn-dogs, des putains de saucisses en pain de maïs.

Imaginez un quelconque petit merdaillon tout chétif qui n'a pas mis sa ceinture de sécurité et qui roule dans un autocar scolaire volé avec Man-man au volant, après le dîner. Sauf qu'il y a une voiture de police garée devant leur motel, alors la Man-man se contente de passer à toute blinde devant le bâtiment, à cent ou cent dix à l'heure.

Ceci est l'histoire d'une stupide petite fouine qui, aucun doute là-dessus, était à peu de chose près le plus chialeur et le plus débile de tous les petits cafteurs à avoir jamais vu le jour.

Petit con sur pattes.

« Il va falloir qu'on se dépêche », dit la Man-man.

Et ils remontent la colline par une route étroite, les roues arrière chassant sur la chaussée glacée de droite et de gauche. À la lueur des phares, la neige apparaît bleue, et s'étend depuis le bas-côté de la route jusque dans la forêt obscure.

Imaginez-vous que tout cela est sa faute, à lui. Petit pedzouille.

La Man-man arrête le bus un peu en retrait, au pied d'une falaise rocheuse, de manière que les phares illuminent la paroi blanche de leur éclat brutal, et elle dit : « On ne va pas aller plus loin », et ses paroles jaillissent en nuages blancs bouillonnants qui prouvent à quel point ses poumons ont du coffre.

Puis la Man-man met le frein à main et déclare : « Tu peux sortir, mais laisse ton manteau dans le car. »

Imaginez ce stupide chiard qui laisse la Man-man le placer debout devant le bus scolaire. Ce petit Benedict Arnold[1] bidon se contente de rester planté là, à la lueur féroce des phares, et il laisse faire la Man-man qui lui ôte son chandail préféré en le lui passant par la tête. Ce petit geignard tout maigrelet se contente de rester là, comme une statue dans la neige, à moitié nu, pendant que le moteur du bus tourne à plein régime, son grondement renvoyé en échos par la falaise, et la Man-man disparaît quelque part derrière lui dans la nuit et le froid. Il est aveuglé par les phares, et le bruit du moteur couvre le craquement des branches qui frottent l'une contre l'autre sous les rafales de vent. L'air est trop froid pour qu'on en aspire plus d'une bouchée à la fois, aussi ce petit résidu de muqueuse essaie-t-il de respirer deux fois plus vite.

Il ne s'enfuit pas. Il ne fait rien.

Derrière lui, quelque part, la Man-man dit : « Maintenant, tu fais ce que tu veux, mais surtout, tu ne te retournes pas. »

La Man-man lui raconte comme quoi, jadis, dans la Grèce antique, vivait une belle jeune femme, une fille de potier.

---

1. 1741-1801. Général américain de la Révolution, devenu traître.

C'est toujours la même chose, comme à chaque fois qu'elle sort de prison et revient le réclamer, le gamin et la Man-man ont changé de motel toutes les nuits. À chaque repas, ils mangent fast-food et toute la journée, tous les jours, ils roulent. Aujourd'hui, pour déjeuner, la gamin a essayé de manger son hot-dog en pain de maïs encore tout brûlant, et c'est tout juste s'il ne l'a pas englouti d'une traite, mais la nourriture a fait fausse route, elle s'est coincée dans sa gorge, et il n'arrivait plus à respirer ni à parler jusqu'à ce que la Man-man débarque au pas de charge de son côté de la table.

Et deux bras se sont saisis de lui par-derrière, le décollant du sol, et la Man-man a murmuré : « Respire ! Respire, nom de Dieu ! »

Après ça, le gamin s'est retrouvé en pleurs, et toute la clientèle du restaurant a fait foule autour de lui.

À cet instant, il lui a semblé que c'était le monde tout entier qui se souciait de ce qui lui arrivait. Tous ces gens étaient en train de le serrer contre eux en lui caressant les cheveux. Tous autant qu'ils étaient, ils lui demandaient s'il allait bien.

Et cette impression que l'instant allait durer à jamais. Qu'il fallait mettre sa vie en danger pour recevoir de l'amour. Et que c'est jusqu'au bord de la mort qu'il fallait avancer si on voulait jamais être sauvé.

« Okay. Là », a dit la Man-man en lui essuyant la bouche. « Maintenant, je t'ai donné la vie. »

La minute suivante, la serveuse le reconnaissait d'après sa photographie sur une vieille brique de lait, et, conséquence, juste après ça, la Man-man ramène l'abominable petit chialoteur à leur chambre d'hôtel à cent dix à l'heure.

Sur le chemin du retour, ils avaient quitté la grand-route pour aller acheter une bombe de peinture noire.

Mais après toute cette précipitation, toutes ces allées et venues, l'endroit où ils sont arrivés, c'est au milieu de nulle part au beau milieu de la nuit.

Et maintenant, quelque part dans son dos, ce stupide loupiot entend le cliquetis de la bombe de peinture que la Man-man est en train d'agiter, avec la bille d'acier qui cogne le métal d'un bout à l'autre du conteneur, et la Man-man raconte, comme quoi la fille dans la Grèce antique était amoureuse d'un jeune homme.

« Mais le jeune homme venait d'un autre pays et il a été obligé de repartir », dit la Man-man.

On entend un sifflement et le gamin sent une odeur de peinture en bombe. Le moteur du car change de rythme, il cogne, il tourne plus vite, le bruit est plus fort, et le véhicule oscille un peu d'un pneu sur l'autre.

Et donc la dernière nuit que la fille et son amant allaient passer ensemble, dit la Man-man, la fille arrive avec une lampe qu'elle dispose de manière à projeter l'ombre de son amant sur le mur.

La bombe de peinture siffle, s'arrête, reprend. Un sifflement bref d'abord, après ça, un sifflement plus long.

Et la Man-man raconte comment la fille a tracé le contour de l'ombre de son amant afin de garder à jamais une trace indélébile de son apparence, un document de ce moment précis, le dernier moment qu'ils passeraient ensemble.

Notre petit chialeur de service se contente, lui, de regarder droit dans les phares. Il a les yeux qui pleurent, mais quand il les ferme, il continue à voir leur lumière qui brille, rouge, qui transperce ses paupières, sa propre chair, son propre sang.

Et la Man-man raconte comment, le lendemain, l'amant de la fille n'était plus là, mais son ombre était restée.

L'espace d'une seconde, d'une petite seconde, le gamin se retourne vers l'endroit où la Man-man trace le contour de sa stupide silhouette sur la paroi de la falaise, sauf que le môme est tellement loin que son ombre projetée dépasse la mère d'une tête. Ses bras maigrelets apparaissent rondelets. Les deux moignons de ses jambes courtes, longues. Ses épaules pincées comme une épingle à linge s'étalent bien larges.

Et la Man-man lui dit : « Ne regarde pas. Ne bouge pas un muscle, sinon tu vas démolir tout mon travail. »

Et le minable petit morveux se retourne face aux phares.

La bombe de peinture siffle et la Man-man dit qu'avant les Grecs, l'art n'existait pas, nulle part. C'est ainsi qu'a été inventée la technique de la peinture. Elle raconte comment le père de la fille s'est servi du contour de la silhouette sur le mur pour modeler dans l'argile une version du jeune homme, et c'est ainsi qu'a été inventée la sculpture.

Sérieusement, cette fois, la Man-man lui a dit : « Le bonheur n'est jamais à l'origine de l'art. »

Voici le lieu où les symboles sont nés.

Le gamin est planté là, frissonnant dans l'éclat brutal, essayant de ne pas bouger, et la Man-man continue son ouvrage, en racontant à l'énorme silhouette comment, un jour, celle-ci enseignera aux gens tout ce qu'elle lui aura enseigné. Un jour, la silhouette sera médecin et sauvera des gens. Leur rendra le bonheur. Ou chose encore meilleure que le bonheur : la paix.

Elle sera respectée.

Un jour.

Et tout cela se passe même après que les cloches de Pâques se sont révélées être un mensonge. Bien après le Père Noël et la Petite Souris des dents de lait, saint Christophe et la physique newtonienne, après le modèle de l'atome selon Niels Bohr, eh bien, après tout ça, ce gamin stupide, mais alors stupide, continuait à croire la Man-man.

Un jour, quand il sera adulte, dit la Man-man en s'adressant à l'ombre sur la paroi, le gamin reviendra ici et il verra qu'il aura grandi pour coïncider très précisément avec le contour qu'elle lui aura fabriqué cette nuit.

Les bras du gamin tremblent de froid.

Et la Man-man dit : « Maîtrise-toi, nom de Dieu. Ne bouge pas, sinon, tu vas tout bousiller. »

Et le gamin a essayé de se sentir plus au chaud, mais les phares avaient beau briller avec éclat, ils n'envoyaient pas de chaleur.

« Il faut que je fasse un contour précis, a dit la Man-man. Si tu trembles, tu vas te retrouver tout flou. »

Ce n'est que des années plus tard, quand ce stupide petit loser en a eu terminé de son premier cycle en fac avec mention et s'est cassé le cul pour entrer à la faculté de médecine de l'université de Californie du Sud — arrivé à l'âge de vingt-quatre ans et dans sa deuxième année de médecine, quand le diagnostic concernant sa mère est tombé et qu'il a été nommé son tuteur légal —, ce n'est que des années plus tard que la lumière s'est enfin éclairée dans la cervelle de ce petit larbin : on a beau grandir en devenant fort, riche et intelligent, ce ne sera toujours que la première moitié de l'histoire de sa vie.

Le gamin a maintenant les oreilles qui pèlent de froid. Il a la tête qui tourne, il est en hyperventilation. Sa petite poitrine de balance cafardeuse n'est plus que fossettes de chair de poule. Il a les tétons tout crispés au point de ressembler à deux gros boutons durs, et ce petit tas d'éjaculat se dit : *mais c'est vrai que je mérite tout ça.*

Et la Man-man dit : « Essaie au moins de te tenir droit. »

Le gamin redresse les épaules et s'imagine que les phares sont un peloton d'exécution. Il mérite une pneumonie. Il mérite la tuberculose.

Voir aussi : Hypothermie.

Voir aussi : Fièvre typhoïde.

Et la Man-man dit : « Après ce soir, je ne serai plus là pour te casser les pieds. »

Le moteur du bus tourne au ralenti en lâchant une longue tornade de fumée bleue.

Et la Man-man dit : « Alors ne bouge pas, et ne m'oblige pas à te donner une fessée. »

Et aussi sûr que l'enfer brûle, ce petit chieur a mérité une fessée. Il a mérité tout ce qui lui arrivait. C'est lui, le petit bouseux de mes deux, la tête pleine d'illusions, qui croyait vraiment que l'avenir allait être meilleur. Simplement si on travaillait assez dur. Si on apprenait suffisamment. Courait assez vite.

Tout allait tourner à la perfection, et la vie aurait un vrai sens.

Le vent souffle en rafales et des flocons de neige tombent en pluie des arbres, chacun d'eux venant lui piquer les joues et les oreilles. De la neige, encore plus de neige, fond entre les lacets de ses chaussures.

« Tu verras, dit la Man-man. Ça vaut le coup d'avoir souffert un peu. »

Tout ceci serait une histoire qu'il pourrait raconter à son fils. Un jour.

La fille de l'Antiquité, lui dit la Man-man, elle n'a plus jamais revu son amant.

Et le gamin est assez stupide pour penser qu'une image, une sculpture, une histoire pourraient, d'une manière ou d'une autre, remplacer quelqu'un qu'on aime.

Et la Man-man dit : « Tu as tellement à attendre de la vie. »

C'est dur à avaler, mais c'est bien lui, le stupide, paresseux, ridicule petit garçon resté là, planté, debout, tremblant, les yeux plissés face à l'éclat brutal des phares et au grondement du moteur, qui croyait que l'avenir serait tellement magnifique. Imaginez quelqu'un qui grandit avec un niveau de stupidité tel qu'il ne sait même pas que l'espoir n'est qu'une phase de la croissance : on la dépasse bien vite. Qui croit qu'on peut faire quelque chose, n'importe quoi, qui va durer toujours.

On se sent stupide soi-même rien qu'à se le rappeler, ce truc-là : c'est un miracle que ce mec ait vécu aussi longtemps.

Et donc, si vous avez l'intention de lire ça, n'en faites rien.

Il ne s'agit pas ici de quelqu'un de brave, gentil, charitable. Non. Ce n'est pas quelqu'un dont vous allez tomber amoureux.

Rien que pour que vous soyez au courant, une bonne fois, ce que vous êtes en train de lire, c'est l'histoire intégrale, et sans concessions, d'un drogué. Parce que, dans la plupart des programmes de traitement en douze étapes, la quatrième desdites étapes vous fait faire l'inventaire de votre existence. Le moindre petit moment minable, merdique, lèche-cul de votre petite vie, vous devez vous procurer un calepin et le noter. Faire l'inventaire complet de vos crimes. De cette façon, le moindre de vos péchés vous est directement accessible. Ensuite, vous devez remettre de l'ordre dans tout ça. Réparer la machine. Cela vaut pour les alcooliques, les drogués à la dope, les obèses boulimiques, tout autant que pour les sexooliques, les drogués du sexe.

De cette façon, vous pouvez revenir en arrière et passer en revue les pires moments de votre existence, à tout instant.

Parce que, censément, ceux qui oublient leur passé sont condamnés à le répéter.

Ainsi donc, si vous êtes en train de lire ceci, pour vous dire la vérité, ce ne sont pas vos oignons. Mais alors, vraiment pas.

Ce stupide petit garçon, par cette nuit froide, tout ce qui suit va juste devenir un peu plus le genre de petites merdes complètement stupides auxquelles on pense pendant le sexe, afin de s'empêcher de lâcher son jus. Si on est un mec.

C'est lui, le petit lèche-cul faiblard dont la Man-man disait : « Tiens juste un petit moment de plus, fais encore un petit effort de plus, et tout ira bien. »

Ha.

La Man-man qui disait : « Un jour, ceci sera la récompense de tous nos efforts, je te le promets. »

Et ce petit tas de sperme ambulant, ce stupide stupide petit connard, il est resté là, planté sur place, tremblant de la tête aux pieds, à moitié nu dans la neige, et il croyait en toute sincérité que quelqu'un pouvait même promettre une chose aussi impossible.

Et donc, si vous pensez que tout ceci sera votre planche de salut...

Si vous pensez qu'il existe quelque chose qui puisse être une planche de salut...

S'il vous plaît, considérez qu'il s'agit ici de votre dernier avertissement.

2.

Il fait nuit et il commence à pleuvoir quand j'arrive à l'église, et Nico est là, pelotonnée sur elle-même pour se protéger du froid en attendant que quelqu'un déverrouille la porte latérale.

« Garde-moi ça un moment », dit-elle, et elle me tend une boule de soie toute tiède.

« Rien que pour une ou deux heures, dit-elle. Je n'ai pas de poches. »

Elle porte une veste en imitation daim de couleur orange avec un col en fourrure d'un orange vif. Le bas de sa robe à fleurs pendouille et dépasse. Pas de collants. Elle gravit les marches jusqu'à la porte de l'église d'un pas prudent, les pieds en canard dans leurs talons aiguilles noirs.

Ce qu'elle me tend est tiède et moite.

C'est sa culotte. Et elle sourit.

Derrière les portes en verre, une femme pousse une serpillière sur le sol. Nico frappe à la vitre, puis indique sa montre-bracelet. La femme colle le balai-serpillière dans son seau. Elle récupère la serpillière et l'essore. Elle appuie le manche à balai près de l'embrasure de la porte puis extrait un trousseau de clés de la poche de son tablier. Tout en s'affairant à déverrouiller la porte, la femme crie à travers le verre.

« Ce soir, votre groupe est en salle 234. La salle de catéchisme. »

À ce stade, les gens sont plus nombreux dans le parking. Ils sont quelques-uns à remonter l'escalier, ils disent « salut », et je planque la culotte de Nico dans ma poche. Derrière moi, d'autres personnes se dépêchent de gravir les dernières marches pour attraper la porte avant qu'elle se referme. Croyez-le ou non, tous ceux qui sont ici ce soir, vous les connaissez.

Ces gens-là sont des légendes vivantes. Tous autant qu'ils sont, ces hommes et ces femmes, jusqu'au dernier, il y a des années que vous en entendez parler.

Dans les années cinquante, un fabricant d'aspirateurs de premier plan a essayé d'améliorer un peu son modèle. En lui adjoignant une hélice rotative, une lame affilée comme un rasoir et montée à quelques centimètres de l'embouchure du tuyau de l'appareil. Le flux d'air aspiré faisait tournoyer l'hélice, et la lame déchiquetait en miettes moutons, bouts de ficelle, ou poils de chat ou de chien susceptibles de boucher le conduit.

En tout cas, c'était ça, l'intention première.

Ce qui est arrivé, c'est que, parmi tous les mecs qui sont ici, ce soir, il y en a plein qui se sont précipités aux urgences de l'hôpital, la queue tailladée en morceaux.

En tout cas, c'est ça, le mythe.

Cette vieille légende urbaine à propos de la fête surprise pour la belle ménagère, avec tous ses amis et sa famille, cachés dans une pièce, qui, lorsqu'ils ont jailli de là en hurlant « Joyeux Anniversaire », ont trouvé la jolie jeune dame étendue sur le canapé en train de se faire lécher l'entrejambe couvert de beurre de cacahuète par le chien de la maison.

Eh bien, cette jeune femme, elle existe.

La femme de légende qui taille des pipes au volant, sauf que le mec perd le contrôle du véhicule et freine de manière si brutale que la femme lui sectionne la moitié de la queue, eh bien, oui, ces deux-là, je les connais.

Ces hommes et ces femmes, ils sont tous ici.

Ces gens sont la raison pour laquelle toutes les salles d'urgence sont équipées d'une perceuse avec foret diamant. Afin de pouvoir percer le fond épais des culots de bouteilles, champagne ou soda. Afin de détendre l'effet de compression.

Ce sont là les gens qui débarquent dans la nuit, d'un pas mal assuré, en racontant qu'ils ont trébuché et sont tombés sur une courgette, une ampoule électrique, une poupée Barbie, des boules de billard, une gerbille qui se débat encore.

À voir aussi : La queue de billard.

À voir aussi : Le hamster-nounours.

Ils ont glissé dans la douche et sont tombés, en plein dans le mille, sur un flacon de shampooing bien lubrifié. Ils sont toujours attaqués par un ou plusieurs inconnus qui les agressent à coups de bougie, de battes de base-ball et d'œufs cuits durs, de lampes-torches et de tournevis qu'il faut ensuite extraire. Ce sont là les mecs qui se sont retrouvés coincés sur le robinet d'arrivée d'eau dans leur jacuzzi à bulles.

À mi-chemin du couloir qui conduit à la salle 234, Nico me colle contre le mur. Elle attend que les nouveaux arrivants passent leur chemin et dit : « Je connais un coin où on peut se mettre. »

Tous les autres se dirigent vers la salle de catéchisme pastel, et Nico sourit après leur passage. Elle tortille un doigt tout contre son oreille, signe voulant dire cinglé en langage international, et elle dit : « Paumés. »

Elle me tire en direction inverse, vers un panneau marqué Dames.

Parmi les individus qui sont réunis dans la salle 234 se trouve le responsable de santé bidon du comté qui soumet les gamines de quatorze ans à des quiz téléphoniques sur le thème de l'apparence de leur vagin.

Voici la meneuse de claque qui se fait faire un lavage d'estomac, et on y retrouve quoi ? Une bonne livre de sperme. Elle s'appelle LouAnn.

Le mec au cinéma qui a passé la queue par un trou dans le fond de la boîte de pop-corn, vous pouvez l'appeler Steve, et aujourd'hui il s'est collé devant une table marquée de taches de peinture, ses miches de pauvre mec tout désolé coincées dans un petit fauteuil de gamin réservé au catéchisme des petits.

Tous ces gens dont vous croyez qu'ils ne sont que de grosses plaisanteries. Allez-y, vous pouvez rigoler, vous exploser votre putain de sous-ventrière avec votre putain de rigolade.

Ces gens sont des compulsifs sexuels.

Tous ces gens dont vous pensiez qu'ils n'étaient que des légendes urbaines, eh bien, ils sont humains. Des pieds à la tête. Ne manque rien. Avec nom et visage. Boulot et famille. Diplômes universitaires et casier judiciaire.

Nico me tire dans les toilettes pour femmes, et me fait étendre sur le carrelage froid avant de s'accroupir au-dessus de mes hanches, en me l'extrayant du pan-talon. De son autre main, Nico prend ma nuque de sa paume en coupe et attire mon visage bouche ouverte vers le sien. Sa langue bataille contre ma langue, et elle mouille la tête de ma trique du gras de son pouce. Elle repousse mon jean et dégage mes hanches. Elle soulève l'ourlet de sa robe avec une petite révérence, les yeux fermés, la tête un peu reje-tée en arrière. Sans ménagement, elle colle son pubis contre mon pubis et me dit quelque chose au creux du cou.

Je dis : « Dieu que tu es belle », parce que, pour les quelques minutes à venir, je le peux encore.

Et Nico se redresse pour me regarder et lâche : « C'est censé vouloir dire quoi ? »

Et moi, je réponds : « Je ne sais pas. » Je réponds : « Rien du tout. » Je réponds : « Aucune importance. »

Le carrelage sent le désinfecté et j'ai la sensation d'un truc rugueux sous les fesses. Les murs remontent jusqu'à un plafond de dalles d'isolation acoustique et des ouïes d'aération avec leurs fourrures de poussière et de crasse. Il y a cette odeur de sang qui vient de la boîte en métal rouillé, destinée aux serviettes hygiéniques souillées.

« Ton formulaire de remise en liberté », je dis. Je claque des doigts. « Est-ce que tu l'as apporté ? »

Nico soulève un peu les hanches et retombe, se soulève à nouveau et s'installe, bien en place. La tête toujours rejetée en arrière, les paupières toujours fer-mées, elle passe les doigts à l'intérieur du décolleté de sa robe et en sort un morceau de papier bleu plié en carré qu'elle laisse tomber sur ma poitrine.

Je dis : « C'est bien, petite », et je sors le stylo que je porte agrafé à ma poche de chemise.

Se soulevant à chaque fois un peu plus haut, Nico remonte les hanches et se rassied brutalement. Avec un petit effet giratoire d'avant en arrière. Une main en appui sur le dessus de chaque cuisse, elle se relève d'une poussée puis retombe.

« Un tour du monde, je lui dis. Un tour du monde, Nico. »

Elle ouvre les yeux peut-être jusqu'à mi-paupières et me regarde d'en haut, et moi, je lui fais le geste de touiller avec mon stylo, comme on touillerait une tasse de café. Même à travers mes vêtements, j'ai le quadrillage du carrelage qui s'imprime dans mon dos.

« Un tour du monde, je lui dis. Fais ça pour moi, ma belle. »

Et Nico ferme les yeux et, des deux mains, rassemble sa jupe à l'entour de sa taille. Elle fait reposer tout son poids sur mes hanches et passe un pied au-dessus de mon ventre. Elle déplace l'autre pied en arc de cercle de manière à toujours être sur moi, mais cette fois face à mes pieds.

« Bien », je lui dis, et je déplie le papier bleu.

Je l'étale bien à plat sur son dos rond fléchi et je signe de mon nom au bas de la feuille, sous le mot *répondant*. À travers sa robe, on sent la sangle épaisse de son soutien-gorge, élastique, avec cinq ou six petits crochets métalliques. On sent les côtes sous une épaisse couche de muscles.

Juste en cet instant, au bout du couloir, dans la salle 234, se trouve la petite amie du cousin de votre meilleur ami, cette fille qui a failli mourir en se défonçant sur le levier de vitesses d'une Ford Pinto, après avoir avalé de la cantharide. Elle s'appelle Mandy.

Il y a aussi le mec qui s'est introduit dans une clinique, en blouse blanche, pour faire des examens du bassin.

Il y a aussi le mec qui ne manque jamais de s'allonger dans sa chambre de motel, nu, sur les couvertures, sa trique matinale bien dégagée, en faisant semblant de dormir, jusqu'à l'arrivée de la fille de ménage.

À en croire la rumeur, tous ces amis d'amis d'amis d'amis... ils sont tous ici.

L'homme que la trayeuse automatique a handicapé, il s'appelle Howard.

La fille pendue toute nue à la barre du rideau de douche, à moitié morte par asphyxie autoérotique, c'est Paula. Et c'est une sexoolique.

Salut, Paula.

Parlez-moi de vos tripoteurs de métro. De vos exhibitionnistes derrière leur imper.

Des hommes qui installent des caméras sous le rebord d'une cuvette dans les toilettes pour femmes.

Du mec qui colle son sperme sur les rabats des enveloppes de dépôt aux caisses automatiques des banques.

Tous les voyeurs. Les nymphos. Les vieux sales. Les traîne-guêtres des toilettes. Les peloteurs.

Tous ces croque-mitaines sexuels, hommes et femmes, contre lesquels votre maman vous avait prévenus. Tous ces récits édifiants servis comme avertissements et qui vous fichaient la trouille.

Nous sommes tous ici. Vivants et pas bien du tout.

Ici, c'est l'univers à douze étapes de l'addiction sexuelle. Du comportement sexuel compulsif. Tous

28

les soirs de la semaine, tout ce monde se réunit dans l'arrière-salle de quelque église. Dans la salle de conférence de quelque maison pour tous. Tous les soirs, partout, dans toutes les villes. Vous avez même des réunions virtuelles sur Internet.

Mon meilleur ami, Denny, je l'ai rencontré à une réunion de sexooliques. Denny en était arrivé à la nécessité de se masturber quinze fois par jour rien que pour tenir le coup. Maintenant, c'est tout juste s'il pouvait encore serrer le poing, et il se faisait du souci sur les éventuels effets secondaires de la vaseline à long terme.

Il avait envisagé de changer et de passer à une lotion, mais tout ce qui était susceptible de ramollir la peau a paru aller à l'inverse de l'effet recherché.

Denny et tous ces hommes et femmes que vous croyez tellement horribles ou drôles ou pathétiques, eh bien, c'est ici l'endroit où ils se lâchent. C'est ici que nous venons tous pour nous épancher.

Il y a ici des prostituées et des criminels sexuels avec une perme de sortie de trois heures, loin de leur prison à sécurité minimale, coude à coude avec des femmes qui aiment la baise à la chaîne et des hommes qui taillent des pipes dans les magasins de livres pour adultes. La racoleuse retrouve ici le miché. L'agresseur sexuel fait face au sexuellement agressé.

Nico relève son gros cul blanc presque jusqu'au sommet de ma pine et se laisse retomber. Elle monte, et elle redescend. À faire galoper sa viande sur toute la longueur de mon membre. À pistonner jusqu'au point haut avant de se re-claquer. À se repousser ainsi, en appui sur mes cuisses, les muscles de ses bras grossissent à vue d'œil. Mes cuisses sous chacune de ses mains deviennent gourdes et blanches.

« Maintenant que nous avons fait connaissance, dis-je. Nico ? Diras-tu que je te plaisais bien ? »

Elle se retourne pour me regarder par-dessus son épaule.

« Quand tu seras médecin, tu pourras rédiger des ordonnances pour n'importe quoi, je me trompe ? »

Ça, c'est si je retourne jamais à la fac de médecine. Ne jamais sous-estimer le pouvoir d'un diplôme de médecin pour tirer son coup. Je remonte les mains, bien ouvertes l'une et l'autre, contre la peau lisse et tendue de chaque dessous de cuisse. Pour l'aider à se soulever, je me dis, et elle entrecroise ses doigts doux et frais aux miens.

Emmanchée serré à l'entour de ma queue, sans se retourner, elle dit : « Mes amis me parient du pognon que tu es déjà marié. »

Je tiens son cul blanc et lisse dans mes mains.

« Combien ? » dis-je.

Je réponds à Nico que ses amis pourraient peut-être avoir raison.

La vérité, c'est que tout fils unique élevé par une maman célibataire peut être considéré comme pratiquement marié. Je ne sais pas, mais jusqu'à ce que votre maman meure, on dirait que toutes les autres femmes de votre existence ne peuvent pas être beaucoup plus que vos maîtresses, un point, c'est tout.

Dans l'histoire œdipienne moderne, c'est la mère qui tue le père et qui ensuite prend le fils.

Et on ne peut pas vraiment dire qu'on puisse divorcer de sa mère.

Ou la tuer.

Et Nico dit : « Qu'est-ce que tu veux dire par *toutes les autres femmes* ? Seigneur, nous parlons de quel nombre, là ? »

Elle dit : « Je suis heureuse qu'on ait utilisé la capote. »

Pour une liste complète de mes partenaires sexuelles, il faudrait que je consulte ma quatrième étape. Le calepin de mon inventaire moral. L'histoire intégrale et sans concession de mon addiction.

C'est-à-dire si jamais je retourne là-bas et que je la termine, cette foutue étape.

Pour tous les gens présents dans la salle 234, s'investir dans les douze étapes d'une réunion de sexooliques est un moyen précieux pour comprendre et se remettre de... enfin, vous voyez l'idée générale.

Pour moi, c'est un séminaire absolument super sur toutes les manières de. Des tuyaux. Des techniques. Des stratégies pour parvenir à tirer sa crampe dont vous n'avez pas idée, même en rêve. Des contacts de personne à personne. Quand ils racontent leur histoire, ces dépendants absolus sont brillants, mais putain qu'ils sont brillants ! Sans compter les taulardes de sortie pour leurs trois heures de thérapie par le verbe destinée aux dépendants sexuels.

Nico comprise.

Le mercredi soir, égale Nico. Le vendredi soir, égale Tanya. Le dimanche, Leeza. La sueur de Leeza est jaune de nicotine. On peut presque faire le tour de sa taille à deux mains tellement elle a les abdos durs comme la pierre à cause de ses quintes de toux. Tanya apporte toujours en douce un petit joujou sexuel en caoutchouc, habituellement un gode ou un chapelet de boules de geisha en latex. Le genre d'équivalent sexuel du petit cadeau dans une boîte de céréales.

Cette vieille règle selon laquelle une chose de beauté est une joie pour toujours[1], eh bien, selon mon expérience personnelle, même la chose de beauté la plus absolue n'est une joie que pendant trois heures, maxi. Après ça, la nana voudra vous parler de ses traumatismes d'enfance. Une part du plaisir à rencontrer des taulardes, c'est que c'est tellement agréable de consulter sa montre en sachant qu'à une demi-heure de là elles seront à nouveau derrière les barreaux.

C'est une histoire modèle Cendrillon, sauf qu'à minuit Cendrillon se transforme en évadée.

Ce n'est pas que je ne les aime pas, ces femmes. Je les aime à peu près autant qu'on aimerait la photo trois plis au milieu d'une revue, une vidéo de baise, un site web pour adultes, et y a pas à se tromper, pour un sexoolique, ça peut faire des tonnes d'amour. Et faut pas croire non plus que l'amour de Nico pour ma petite personne aille bien loin.

Ce n'est pas tant une relation amoureuse qu'une belle occasion. Quand vous collez vingt sexooliques autour d'une table, soir après soir, ne venez pas dire ensuite que vous êtes surpris.

En plus de ça, les livres sur les sexooliques, sur la manière pour eux de reprendre leur existence en main, des livres qu'ils vendent ici, c'est toutes les façons possibles et imaginables dont vous avez tou-

---

1. Référence au poète anglais John Keats (1795-1821) et au premier vers de son poème *Endymion* (1818). « A thing of beauty is a joy forever. »

jours voulu tirer votre coup alors que vous ne saviez pas comment. Naturellement, tout cela est destiné à vous aider à prendre conscience du fait que vous êtes un camé du sexe. Et ça vous est offert sur le modèle d'une liste à cocher du genre : si vous vous comportez en usant d'une ou de plusieurs des pratiques décrites ci-dessous, il se peut que vous soyez sexoolique. Et leurs petits tuyaux incluent :

Découpez-vous la doublure de votre slip/maillot de bain de manière à rendre vos parties génitales bien visibles ?

Laissez-vous votre braguette ou votre chemisier ouverts en faisant semblant de mener une conversation derrière les cloisons vitrées d'une cabine téléphonique de sorte que vos vêtements laissent voir béant que vous ne portez pas de dessous ?

Faites-vous du jogging sans soutien-gorge afin d'attirer des partenaires sexuels potentiels ?

Ma réponse à tout ce qui précède est : *Eh bien, maintenant, c'est ce que je fais !*

En outre, le fait d'être pervers n'est pas votre faute. Un comportement sexuel compulsif ne se limite pas toujours à se faire sucer la bite. C'est une maladie. C'est une addiction physique qui attend juste que le *Manuel statistique de diagnostic* lui donne un code référencé afin que le traitement puisse être facturé à votre assurance médicale.

L'histoire veut que même Bill Wilson, fondateur des Alcooliques Anonymes, n'arrivait pas à maîtriser l'animal qu'il avait en lui et qu'il a passé une vie de sobriété à tromper son épouse, dévoré par la culpabilité.

Ce qu'on dit, c'est que les drogués du sexe deviennent dépendants d'une chimie de l'organisme créée par du sexe perpétuel. Les orgasmes inondent le corps d'endorphines qui tuent la douleur et vous tranquillisent. Les drogués du sexe sont en fait drogués aux endorphines, pas au sexe. Les drogués du sexe ont des niveaux moins élevés d'oxydase monoamine naturelle. Les drogués du sexe sont en recherche incessante de peptide de phényl-éthylamine susceptible d'être déclenchée par le danger, un coup de foudre, le risque ou la peur.

Pour un drogué du sexe, vos doudounes, votre queue, votre clito, langue ou trou du cul, c'est une dose d'héroïne, toujours là, toujours prête à servir. Nico et moi, nous nous aimons autant que le premier camé venu aime sa dose.

Nico se laisse retomber avec force, faisant ployer ma queue contre la paroi antérieure de ses intérieurs, en usant de deux doigts mouillés sur sa propre personne.

Je dis : « Et si cette femme de ménage entre ici ? »

Et Nico me touille à l'intérieur d'elle en disant : « Oh ouais, qu'est-ce que ce serait chaud ! »

Moi, je ne peux pas m'imaginer quel genre de grosse empreinte de popotin bien luisante nous allons finir par patiner au creux du carrelage ciré. Une rangée de lavabos nous surveille de haut. Les lumières fluorescentes tremblotent, et, réfléchie dans les tuyaux chromés sous chaque lavabo, on voit la gorge de Nico comme un long tube rectiligne, sa tête rejetée en arrière, son souffle haletant projeté au plafond. Ses gros seins sous imprimé à fleurs. Sa langue pend d'un côté de sa bouche. Le jus qui sort d'elle pourrait vous ébouillanter.

Pour m'empêcher de lâcher tout, je dis : « Qu'est-ce que tu es allée raconter à tes vieux à propos de nous deux ? »

Et Nico dit : « Ils veulent faire ta connaissance. »

Je pense alors à la chose parfaite à ajouter, mais ça n'a pas vraiment d'importance. On peut dire n'importe quoi ici. Lavements, orgies, animaux, confessez jusqu'à la dernière obscénité, et personne n'est jamais surpris.

Dans la salle 234, tout le monde compare ses récits de campagne. Chacun prend son tour. C'est la première partie de la réunion, la partie enregistrement.

Après ça, ils lisent les textes du jour, les trucs des prières, ils discutent du sujet de la soirée. Chacun va travailler à l'une des douze étapes. La première étape consiste à reconnaître son impuissance. Vous êtes sous dépendance, et vous ne parvenez pas à arrêter. La première étape, c'est de raconter votre histoire, avec les pires détails. Vos bassesses les plus basses.

Le problème avec le sexe, c'est que c'est la même chose qu'avec n'importe quelle addiction. Vous êtes toujours en instance de guérison. Vous rechutez toujours. Vous passez à l'acte. Jusqu'à ce que vous trouviez un motif de vous battre pour, vous vous contentez de trouver à vous battre contre. Tous ces gens qui disent qu'ils veulent une vie libérée de toute compulsion sexuelle, je veux dire, oubliez ce qu'ils racontent. Je veux dire par là, qu'est-ce qui pourrait bien être meilleur que le sexe ?

Il est certain que la pipe la plus mal taillée est meilleure que, disons, sentir la plus superbe des roses... contempler le plus splendide des couchers de soleil. D'entendre des enfants rire.

Je pense que jamais je ne verrai un poème aussi adorable qu'un orgasme qui jaillit brûlant et vous crispe les miches en vous délavant les tripes comme un bon coup d'arrosage au tuyau.

Peindre un tableau, composer un opéra, c'est uniquement des choses qui se font dans l'attente, avant de trouver le prochain bon coup qui veut bien de vous.

À la minute où se pointe quelque chose de mieux que le sexe, appelez-moi. Laissez-moi un message urgent.

Aucun des mecs rassemblés dans la salle 234 n'est Roméo, Casanova ou Don Juan. Et les femmes ne sont ni des Mata Hari ni des Salomé. Ces gens, vous leur serrez la main tous les jours. Ni laids ni beaux. Vous vous retrouvez à côté de ces légendes vivantes dans l'ascenseur. Ils vous servent le café. Ces créatures mythologiques arrachent les talons des billets d'entrée. Ils vous encaissent votre chèque de paie. Ils vous posent l'hostie sur la langue.

Dans les toilettes pour femmes, à l'intérieur de Nico, je croise les mains derrière la nuque.

Pendant les instants qui suivent jusqu'à je ne sais pas quand, je n'ai pas de problème sur cette terre. Pas de mère. Pas de factures de médecin. Pas de boulot merdique dans un musée. Pas de meilleur ami chtarbé. Rien.

Je ne sens rien.

Pour faire durer, pour ne pas tout lâcher, je dis au dos fleuri de Nico combien elle est belle, combien elle est douce et combien j'ai besoin d'elle. De sa peau. De ses cheveux. Pour faire durer. Parce que c'est là le seul moment où je peux le dire. Parce que à l'instant même où tout sera terminé, nous nous haïrons. À l'instant où nous nous retrouverons en sueur et tout frissonnants de froid sur le sol des toilettes, à la seconde qui suivra l'instant où nous aurons joui, nous ne voudrons même plus nous regarder.

La seule personne que nous haïrons plus que l'autre sera nous-même.

Ce sont là les seules petites minutes durant lesquelles je peux être humain.

Pendant ces minutes-là, rien que ces minutes-là, je ne me sens pas seul.

Et Nico la cavale, me chevauchant sur toute ma longueur, me dit : « Alors, quand est-ce que tu me présentes à ta maman ? »

Et : « Jamais, je lui dis. Ce n'est pas possible, je veux dire. »

Et Nico, son corps crispé tout entier, qui me poignarde de ses intérieurs bouillants et moites, elle me dit : « Elle est en prison, chez les cinglés, ou quoi ? »

Ouais, pour une bonne partie de sa vie.

Demandez à n'importe quel mec de vous parler de sa maman pendant le sexe : on peut retarder la grande décharge à tout jamais.

Et Nico dit : « Alors, est-ce qu'elle est morte aujourd'hui ? »

Et je dis : « En quelque sorte. »

3.

C'est fini, mais quand je vais rendre visite à ma maman, je ne fais même plus semblant d'être moi-même.

Bon Dieu, je ne fais même plus semblant de me connaître aussi bien que ça.

Fini, ça.

Ma maman, c'est à croire que la seule chose qui l'occupe aujourd'hui, c'est de perdre du poids. Ce qui reste d'elle est tellement mince, elle ne doit plus être qu'une marionnette. Une variété d'effet spécial. Il ne reste tout bonnement plus assez de sa peau jaune pour contenir une vraie personne. Ses frêles bras de marionnette sont toujours en suspens au-dessus des couvertures, toujours à picorer de petites bouloches. Sa tête rétrécie finit par s'effondrer autour de la paille qu'elle tient à la bouche. Jadis, quand j'arrivais en tant que moi-même, en tant que Victor, son fils, Victor Mancini, au cours de ces visites-là, il ne s'écoulait jamais dix minutes avant qu'elle sonne l'infirmière et me dise qu'elle était simplement trop fatiguée.

Et alors, une semaine, ma maman croit que je suis un quelconque avocat commis d'office qui l'avait représentée une ou deux fois par le passé. Fred Hastings. Son visage s'éclaire quand elle me voit et elle se laisse aller contre sa pile d'oreillers en secouant un peu la tête avant de me dire : « Oh, Fred ! »

Elle dit : « Mes empreintes étaient partout sur toutes ces boîtes de teinture pour cheveux. Malgré l'imprudence manifeste de mon acte, un risque inutile, aussi clair que deux et deux font quatre, c'était malgré tout une action sociopolitique brillante. »

Je lui dis que ce n'était pas du tout l'impression que ça faisait sur la caméra de sécurité du magasin.

En plus, il ne fallait pas oublier l'accusation de kidnapping. Tout était sur bande vidéo.

Et elle rit, c'est vrai qu'elle rit, avant de dire : « Fred, vous vous êtes montré tellement stupide à vouloir me sauver. »

Elle continue dans la même veine pendant une demi-heure, à parler essentiellement de cette autre erreur, cet accident avec la teinture à cheveux. Ensuite, elle me demande de lui rapporter un journal du foyer.

Dans le couloir, à l'extérieur de sa chambre, il y a un médecin, une femme en blouse blanche qui tient un porte-bloc. Elle a, à ce qu'il semble, de longs cheveux sombres torsadés en forme de petit cerveau noir sur l'arrière de la tête. Elle ne porte pas de maquillage, de sorte que son visage ressemble simplement à de la peau. Une paire de lunettes à monture noire, pliées, dépasse de sa poche de poitrine.

S'occupe-t-elle de Mme Mancini ? je demande.

La doctoresse consulte son porte-bloc. Elle déplie ses lunettes, les met, et regarde à nouveau, tout ce temps en répétant : « Mme Mancini, Mme Mancini, Mme Mancini... »

Elle ne cesse de faire cliqueter un stylo-bille dans sa main.

Je demande : « Pourquoi perd-elle du poids ? »

La peau visible sur le crâne, là où les cheveux se partagent, la peau au-dessus et derrière les oreilles de la doctoresse est aussi transparente et blanche que ce à quoi sa peau doit ressembler sous son bikini. Si seulement les femmes savaient comment leurs oreilles se présentent aux regards, cette crête de chair ferme, ce petit capuchon sombre au sommet, tous ces contours lisses qui se lovent et vous entraînent vers les ténèbres resserrées tout à l'intérieur, eh bien, beaucoup plus nombreuses seraient les femmes à laisser leur chevelure retomber librement.

« Mme Mancini, dit-elle, a besoin d'une sonde pour s'alimenter. Elle perçoit la sensation de faim, mais elle a oublié ce que cette sensation signifie. En conséquence de quoi elle ne mange pas. »

Je dis : « Combien va coûter la sonde ? »

Une infirmière dans le couloir appelle.

« Paige ? »

La doctoresse me regarde, moi avec mes hauts-de-chausses et mon gilet, perruque poudrée et chaussures à grosses boucles, et elle dit : « Vous êtes censé être quoi ? »

L'infirmière appelle : « Mlle Marshall ? »

Mon boulot, c'est trop difficile à expliquer ici.

« Il se trouve que je suis la cheville ouvrière de l'Amérique coloniale à ses tout débuts.

— Ce qui signifie ? demande-t-elle.

— Serviteur irlandais sous contrat d'apprentissage. »

Elle se contente de me regarder en hochant la tête. Avant de consulter sa feuille de soins sur le porte-bloc.

« Soit on lui place un tube dans l'estomac, dit-elle, soit elle se laisse mourir de faim. »

J'essaie de percer les intérieurs secrets et ténébreux de son oreille, et je lui demande s'il serait éventuellement concevable d'envisager quelques solutions de rechange.

Dans le couloir, l'infirmière se plante, mains aux hanches, et crie : « Mlle Marshall ! »

Et la doctoresse tressaille. Elle lève l'index pour me faire taire et dit : « Écoutez. »

Elle dit : « Il faut vraiment que je termine mon tour de visites. Nous discuterons de cela plus longuement lors de votre prochain passage parmi nous. »

Sur ce, elle tourne les talons et parcourt les dix à douze pas la séparant de l'infirmière qui attend toujours, avant de dire : « *Infirmière* Gilman ! »

Elle dit, d'une voix précipitée, avec les mots qui se bousculent : « Vous pourriez au moins avoir la correction de m'appeler *Dr Marshall*.

— En particulier devant un *visiteur*.

— *En particulier* si vous continuez à crier comme vous le faites sur toute la longueur du couloir. C'est un minimum de courtoisie, *infirmière* Gilman, mais je pense que je l'ai mérité, et je pense que si vous vous mettez à avoir vous aussi une attitude professionnelle, vous vous apercevrez que tout le monde autour de vous se montrera beaucoup plus coopératif... »

Quand je reviens avec mon journal, ma maman dort. Ses affreuses mains jaunes sont croisées sur sa poitrine, un bracelet d'hôpital en plastique scellé autour d'un poignet.

4.

À l'instant où Denny se plie en deux, sa perruque se détache et dégringole dans la boue et le crottin de cheval, et il y a deux cents touristes japonais qui gloussent et font presse pour avoir son crâne rasé sur bande vidéo.

J'y vais de mon « désolé », et je ramasse la perruque. Elle n'est plus très blanche et elle sent mauvais dans la mesure, aucun doute là-dessus, où il y a bien un million de chiens et de poulets qui se soulagent la vessie ici tous les jours.

Comme il est plié en deux, sa lavallière lui pend dans la figure et l'aveugle. « Coco, dit Denny, dis-moi ce qui se passe. »

Me voici, moi, cheville ouvrière de l'Amérique coloniale à ses tout débuts.

Les conneries débiles qu'on peut faire pour le fric.

Depuis le bord de la place carrée, Sa Seigneurie Charlie, le gouverneur de la colonie, nous observe, debout, les bras croisés, les pieds plantés à environ trois mètres d'écart. Les laitières transportent des seaux de lait. Les cordonniers martèlent les chaussures. Le forgeron tape sur le même morceau de métal en faisant semblant comme tous les autres de ne pas regarder Denny, plié en deux au milieu de la place carrée, qui se fait une nouvelle fois clouer au pilori.

« Ils m'ont chopé en train de mâcher du chewing-gum, Coco », dit Denny à mes pieds.

Comme il est plié à angle droit, son nez se met à dégouliner, et il renifle.

« Naturellement, dit-il et renifle-t-il, Sa Seigneurie va manger le morceau cette fois au conseil des échevins. »

La moitié supérieure du pilori en bois bascule et se referme pour le maintenir au niveau du cou, et je l'abaisse délicatement en veillant à ne pas lui pincer la peau.

Je dis : « Désolé, Coco, faut que ce soit fait dans les règles. »

Ensuite, je m'occupe du cadenas. Et finalement, j'extrais un morceau de chiffon de ma poche de gilet.

Une petite goutte de morve transparente pendouille au bout du nez de Denny, et donc je colle le chiffon tout contre et je dis : « Souffle, Coco. »

Denny me souffle un long mollard qui lui secoue les fosses nasales et que je sens s'éclater dans le bout de toile.

Le chiffon est plutôt pas mal dégueu et déjà plein, mais tout ce que je pourrais lui proposer en contre-partie se limite à des lingettes pour le visage, toutes propres, et je serais le suivant sur la liste pour infraction à la discipline. Il y a une quantité à peu près innombrable de manières de foirer, ici.

Sur l'arrière de sa tête, quelqu'un lui a feutré : « Suce-moi », à l'encre rouge, aussi je secoue sa perruque emmerdaillée et essaie d'en couvrir l'inscription, sauf que la perruque en question est détrempée et pleine d'une eau marron dégueu qui lui dégouline sur les côtés rasés de son crâne pour finir par dégoutter du bout de son nez.

« Je suis banni, à coup sûr », dit-il et renifle-t-il.

Denny a froid, il se met à trembler et dit : « Coco, je sens comme de l'air... je crois que ma chemise est sortie de mes hauts-de-chausses dans le dos. »

Il a raison, et les touristes lui mitraillent la raie des fesses sous tous les angles. Le gouverneur de la colonie reluque tout ça sans en perdre une miette, et les touristes continuent à caméscoper alors que je me saisis de la culotte de Denny à la taille et que je la remonte bien à sa place.

Denny dit : « Ce qui est bien dans le fait d'être au pilori, c'est que j'ai réussi à rester sobre pendant trois semaines. »

Il dit : « Au moins comme ça, je ne peux pas aller aux cabinets toutes les demi-heures et, tu sais, palucher Popaul. »

Et je dis : « Fais gaffe à ces trucs de continence, Coco. Tu risques d'exploser. »

Je prends sa main gauche et je la verrouille en position, puis sa main droite. Denny a passé tellement de temps cet été au pilori qu'il a des anneaux blancs autour des poignets et du cou, là où il ne reçoit jamais le soleil.

« Lundi, fit-il. J'ai oublié. J'ai mis mon bracelet-montre. »

La perruque glisse encore une fois et atterrit comme une gifle mouillée dans la boue. Sa lavallière trempée de morve et de merde lui bat au visage. Tous les Japonais gloussent comme s'il s'agissait entre nous d'un gag longuement répété.

Le gouverneur de la colonie ne nous quitte pas des yeux, Denny et moi, toujours à l'affût du plus petit détail anachronique, historiquement parlant, afin de pouvoir faire pression sur le conseil des échevins et nous bannir dans le monde sauvage, nous virer, tout simplement, un coup de botte dans le train, au-delà de la porte de la ville et laisser ainsi les sauvages cribler de flèches et massacrer nos miches au chômage.

« Mardi, dit Denny à mes chaussures, Sa Seigneurie a vu que j'avais du beurre de cacao sur les lèvres. »

Chaque fois que je ramasse cette stupide perruque, elle pèse un peu plus. Cette fois-ci, je la claque un bon coup contre le bord de ma chaussure avant de l'étaler sur le « Suce-moi ».

« Ce matin », dit et renifle Denny.

Il crache un peu de bouillasse marron qui lui est entrée dans la bouche.

« Avant le déjeuner, Gente Dame Landson m'a surpris en train de fumer une cigarette derrière la salle de réunion. Et après ça, alors que je suis ici, plié à l'équerre, y a un minot, un petit merdaillon de cours moyen qui me chope la perruque et qui m'écrit cette saloperie sur la tête. »

À l'aide de mon chiffon à morve, j'essuie la plus grosse partie du foutoir qu'il a sur les yeux et la bouche.

Quelques poulets, noir et blanc, des poulets sans yeux, ou avec une seule patte, ces poulets difformes s'approchent pour picorer les boucles luisantes de mes chaussures. Le forgeron continue à taper sur son bout de métal, deux coups rapides puis trois coups lents, encore et encore, dont tout le monde sait que c'est la ligne de basse d'une vieille chanson de Radiohead qu'il aime bien. Bien entendu, il est complètement dans les vapes, déchiré à l'ecstasy.

Une petite laitière que je connais, prénommée Ursula, accroche mon regard, et j'agite le poing devant mon bas-ventre, signe voulant dire branlette en langage universel. Rougissant sous son chapeau blanc amidonné, Ursula sort une main toute pâlotte de la poche de son tablier et m'offre un doigt d'honneur. Ensuite, elle part branler quelques vaches qui ont bien de la chance, tout l'après-midi. Il y a ça, et puis je sais que le policier du roi la tripote parce qu'un jour il m'a laissé sentir ses doigts.

Même ici, même avec tout ce crottin, on sent la fumée de joint qu'elle dégage comme un brouillard.

Traire les vaches, baratter la crème, il n'y a pas à se tromper, on sait que les laitières doivent être très douées pour la veuve poignet.

« Gente Dame Landson est une salope, j'apprends à Denny. Le mec qui fait le pasteur me dit qu'elle lui a refilé un herpès pas piqué des hannetons. »

Ouais, c'est une Yankee au sang bleu de neuf à dix-sept heures, mais derrière son dos, tout le monde sait qu'elle est allée au lycée de Springburg où l'équipe de football tout entière la connaissait sous le sobriquet de « Miss Lamprini, la Poire vaginale ».

Cette fois-ci, la perruque dégueu reste en place. Le gouverneur de la colonie arrête de nous reluquer de son œil noir et entre à l'intérieur de la maison de l'Octroi. Les touristes poursuivent leur visite vers d'autres occasions de photos. Il se met à pleuvoir.

« C'est bon, Coco, dit Denny. T'es pas obligé de rester là. »

Y a pas à dire, c'est rien de plus qu'une nouvelle journée merdique au dix-huitième siècle.

Vous avez une boucle d'oreille, vous allez en prison. Vous vous teignez les cheveux. Vous vous faites percer le nez. Vous mettez du déodorant. Allez directement en prison. Ne passez pas par la case départ. En ramassant que dalle au passage.

Sa Seigneurie le Gouverneur fait ployer l'échine à Denny au moins deux fois par semaine. Pour avoir chiqué du tabac, mis de l'eau de toilette, s'être rasé le crâne.

Personne, dans les années 1730, ne portait de barbiche, dira Sa Gouvernance à Denny en lui faisant la leçon.

Et Denny ne manquera pas de lui rétorquer aussi sec : « Peut-être que si. Les colons vraiment cool. »

Et retour de Denny au pilori.

La plaisanterie qui nous lie tous les deux, c'est que Denny et moi sommes codépendants depuis 1734. C'est vrai qu'on remonte à si loin dans le passé. Depuis notre rencontre lors d'une réunion de sexooliques. Denny m'a montré une petite annonce dans un journal, et nous nous sommes présentés tous les deux à l'entretien pour le même poste.

Par pure curiosité, lors de l'entretien, j'ai demandé s'ils avaient déjà engagé la pute du village.

Le conseil des échevins se contente de me regarder. Le comité de recrutement, même là où personne ne peut le voir *de visu*, les six vieux mecs qui le composent portent tous des fausses perruques coloniales. Ils rédigent tout à l'encre avec des plumes d'oiseau.

Celui du milieu, le gouverneur de la colonie, soupire. Il se recule sur son siège pour pouvoir me voir à travers ses lunettes à monture métallique.

« Dunsboro la Coloniale, dit-il, n'a pas de pute de village. »

Alors je dis : « Et un idiot du village ? »

Le gouverneur secoue la tête, non.

« Un pickpocket ? »

Non.

Un bourreau ?

Certainement pas.

C'est là le pire problème des musées d'histoire vivante. Ils laissent toujours le meilleur de côté. Comme le typhus. Et l'opium. Et les lettres écarlates. Et les pécheurs traités comme des pestiférés. Et les sorcières qu'on brûle.

« Vous avez été prévenu, dit le gouverneur, que tous les aspects de votre comportement et de votre apparence doivent correspondre exactement à la période d'histoire officielle qui est la nôtre. »

Mon boulot, c'est que je suis censé être un serviteur irlandais sous contrat. Pour six dollars l'heure, c'est d'un réalisme incroyable.

La première semaine que j'ai passée ici, une fille s'est fait jeter pour avoir fredonné une chanson de Erasure en barattant son beurre. C'est exactement comme : ouais, Erasure, c'est déjà de l'histoire ancienne, mais c'est pas suffisamment historique. Même un truc aussi antique que les Beach Boys peut vous attirer des ennuis. À croire que ces mecs ne pensent pas un instant que leurs perruques poudrées, culottes et chaussures à boucles puissent être *rétro*.

Sa Seigneurie, elle interdit les tatouages. Les anneaux de nez doivent rester dans votre casier pendant que vous travaillez. Vous ne pouvez pas mâcher de chewing-gum. Vous ne pouvez pas siffloter de chanson des Beatles.

« La moindre infraction au personnage que vous incarnez, dit-il, et vous serez puni. »

Puni ?

« Vous serez libre de partir, dit-il. Ou vous pouvez passer deux heures au pilori. »

Le pilori ?

« Sur la place publique du village », dit-il.

Il parle de bondage. De sadisme. De jeu de rôles et d'humiliation publique. Le gouverneur en personne, il vous oblige à porter des bas et des hauts-de-chausses courts et serrés en lainage, sans dessous, et il appelle ça authentique. C'est bien lui qui veut voir les femmes pliées à l'équerre au pilori uniquement parce qu'elles ont mis du vernis à ongles. C'est soit ça, ou alors, vous vous retrouvez viré, sans allocation chômage, rien. Et pour couronner le tout, de mauvaises références. Et pour sûr que personne n'a envie de voir figurer sur son CV qu'il a été un fabricant de chandelles merdique.

Étant mecs, célibataires, âgés de vingt-cinq ans, au dix-huitième siècle, les choix qui s'offraient à nous étaient plutôt limités. Apprenti. Valet de pied. Fossoyeur. Tonnelier, enfin, quelque chose de ce tonneau-là. Cureur de chaussures, pareil, même tonneau. Ramoneur. Fermier. À la minute où ils ont parlé de crieur, Denny a dit : « Ouais. Okay. Ça, je peux le faire. C'est vrai, j'ai passé la moitié de ma vie à crier et à chialer. »

Sa Seigneurie regarde Denny et dit : « Ces lunettes que vous avez sur le nez, en avez-vous besoin ?

— Uniquement pour voir », répond Denny.

J'ai accepté le boulot parce qu'il y a bien pire que de travailler avec votre meilleur ami.

Meilleur ami comme qui dirait.

Malgré tout, on pourrait croire que ce serait plus drôle que ça n'est, un boulot marrant en compagnie de tous ces gus modèle troupe d'art dramatique amateur et théâtre municipal. Mais pas cette chiourme de régressions à l'état primitif. Cette clique de puritains hypocrites.

Si seulement. Si seulement le conseil des échevins de cette bonne vieille ville du temps jadis savait que Maîtresse Plain, la couturière, est une fêlée de la piquouze. Le meunier se cuisine des cristaux de méthédrine. L'aubergiste fourgue de l'acide aux cargaisons d'adolescents morts d'ennui qui débarquent par bus entiers, traînés là lors de voyages scolaires organisés. Ces gamins s'asseyent, absolument fascinés, et ils regardent de tous leurs yeux Maîtresse Halloway qui carde la laine et la file en écheveaux, tout en leur offrant un cours sur la reproduction des moutons en dégustant des galettes de maïs au haschich. Tous ces gens-là, le potier sous méthadone, le souffleur de verre sous Percodan[1], et le bijoutier qui s'enfile ses Vicodin[1], ils ont trouvé leur petite niche. Le garçon d'écurie qui cache ses écouteurs sous un tricorne, il est branché au Spécial K[2] et il tressaute

1. Analgésiques.
2. Argot des rues pour le Bêta-kétamine, puissant tranquillisant utilisé lors des raves.

au rythme de sa petite rave très personnelle, tous ces clowns, c'est rien qu'une troupe de hippies cramés qui refourguent leurs conneries agraires, mais bon, d'accord, c'est qu'une opinion, et c'est la mienne.

Même le fermier Reldon possède son petit carré d'herbe de première, derrière les maïs, les haricots grimpants et le tas d'ordures. Sauf qu'il appelle ça du chanvre.

La seule petite chose à être drôle à Dunsboro la Coloniale, c'est peut-être qu'elle est trop authentique, mais pour toutes les mauvaises raisons. Toute cette clique de paumés et de fêlés de la casquette qui se planquent ici parce qu'ils sont incapables de faire leur trou dans le monde de la vraie vie, avec un vrai boulot — n'est-ce pas cette raison-là qui nous a fait quitter l'Angleterre en tout premier lieu ? Afin d'établir notre propre réalité de substitution. Les Pères pèlerins n'étaient-ils pas les déjantés de leur époque, pour tout dire ? Il est certain qu'au lieu de simplement vouloir croire en une forme différente de l'amour de Dieu, les perdants avec lesquels je travaille veulent finir sauvés par l'exercice de comportements compulsifs obsessionnels.

Ou bien par le biais de petits jeux de pouvoir ou d'humiliation. Témoin Sa Seigneurie Charlie derrière ses rideaux en dentelle : rien d'autre qu'un ex-étudiant raté, option art dramatique. Ici, c'est lui la loi, à surveiller celui ou celle qui se retrouve à l'équerre au pilori, en tiraillant sur la laisse de son chien d'une main gantée de blanc. Il est sûr que ce n'est pas une chose qu'on vous enseigne en cours d'histoire, mais à l'époque des colonies, l'individu qui se retrouvait cloué au pilori, abandonné de tous, la nuit, n'était rien d'autre qu'un gibier facile que tout un chacun pouvait se farcir à loisir. Homme ou femme, quiconque se retrouvait plié en eux, la tête dans les bois, n'avait aucun moyen de savoir qui était en train de le ramoner par-derrière, et c'est là la seule et unique raison pour laquelle personne ne voulait jamais finir là à moins d'avoir un membre de sa famille ou un ami qui restait sur place tout le temps à surveiller les arrières du piloré. Pour le protéger. Pour veiller sur ses miches, au sens propre.

« Coco, dit Denny. C'est ma culotte. Encore une fois. »

Et donc je la lui remonte.

La pluie a mouillé la chemise de Denny, qui colle à son dos maigre comme une deuxième peau, de sorte que les os de ses épaules et la crête de son échine sont visibles, plus blancs encore que le coton non javellisé. La boue remonte sur le dessus de ses sabots en bois et se déverse à l'intérieur. Même avec mon chapeau sur la tête, ma veste est trempée, et, à cause de l'humidité, coquette et ses deux copines, toutes ratatinées à l'entre-deux de mes hauts-de-chausses en laine, commencent à me démanger. Même les poulets difformes ont fermé leur caquet pour se trouver un coin au sec.

« Coco », dit Denny, et il renifle. « Sérieux, t'es pas obligé de rester. »

Des souvenirs qui me restent du cours de diagnostic clinique, si je ne me trompe, la pâleur de Denny pourrait signifier des tumeurs au foie.

Voir aussi : Leucémie.

Voir aussi : Œdème pulmonaire.

La pluie tombe plus fort, les nuages tellement sombres que les lampes commencent à s'allumer à l'intérieur des maisons. La fumée qui sort des cheminées descend et se pose sur nous. Les touristes vont tous se retrouver dans la taverne à boire de la bière blonde australienne dans des chopes en étain fabriquées en Indonésie. Dans la boutique du menuisier, l'ébéniste sera en train de sniffer de la colle, un sac en papier sur le nez, en compagnie du forgeron et de la sage-femme, pendant que celle-ci délirera sur le rôle vedette qu'elle veut tenir dans le groupe qu'ils rêvent tous de former mais ne feront jamais.

Nous sommes tous pris au piège. C'est toujours 1734. Tous autant que nous sommes, nous sommes coincés dans la même capsule temporelle, cette même capsule que celle des programmes télévisés où les mêmes individus se retrouvent échoués sur la même île déserte trente saisons durant, sans jamais vieillir ni s'échapper. Simplement le maquillage devient plus épais. D'une certaine façon, un peu sinistre, qui fait froid dans le dos, ces shows sont peut-être un peu trop authentiques.

D'une certaine façon un peu sinistre, qui fait froid dans le dos, je peux me voir, moi, debout, là, pour le restant de mon existence. L'idée est réconfortante, Denny et moi en train de nous plaindre des mêmes conneries, à jamais. En convalescence, à jamais. Bien sûr que je monte la garde, mais s'il faut vraiment de l'authenticité garantie, je préfère voir Denny cloué au pilori que de le laisser accepter le bannissement en me laissant à la traîne tout seul.

Je suis moins un bon ami que le docteur qui veut vous remettre l'échine en place toutes les semaines.

Ou le fourgue qui vous vend de l'héroïne.

« Parasite » n'est pas vraiment le mot qui convienne, mais c'est le premier qui vient à l'esprit.

La perruque de Denny redégringole par terre, en faisant flop. Les mots « Suce-moi » saignent de rouge sous la pluie et coulent roses derrière ses oreilles bleuies par le froid, et dégoulinent roses autour de ses yeux et sur ses joues, et dégouttent roses dans la boue.

Tout ce qu'on entend, c'est la pluie, l'eau qui tombe et frappe les flaques, les toits en chaume, nous-mêmes, une érosion en marche.

Je suis moins un bon ami que le sauveur qui veut que vous l'adoriez à jamais.

Denny éternue, une nouvelle fois, et libère, au sortir de ses narines, un long serpentin de morve jaunâtre qui atterrit sur la perruque dans la boue, et il dit : « Coco, ne me remets pas cette carpette dégueulasse sur la tête, tu veux bien ? »

Et il renifle. Puis tousse, et ses lunettes glissent de sa figure pour tomber dans le foutoir.

Décharge nasale signifie Rubéole.

Voir aussi : Coqueluche.

Voir aussi : Pneumonie.

Ses lunettes me rappellent le Dr Marshall, et je raconte à Denny comme quoi il y a une nouvelle fille dans ma vie, une doctoresse, une vraie de vrai, et c'est du sérieux, elle vaut le coup de queue.

Et Denny dit : « T'en es toujours à ta quatrième étape ? T'as pas avancé ? T'as besoin d'un coup de main pour t'aider à te souvenir des trucs que tu dois noter dans ton calepin ? »

L'histoire intégrale et sans concessions de mon addiction sexuelle. Oh, ouais, ça ! Jusqu'au plus petit détail le plus minable, merdique et lèche-cul.

Et je dis : « Tout en modération, Coco. Même la convalescence. Pas d'excès. »

Je suis moins un bon ami que le parent qui ne veut jamais que vous grandissiez vraiment.

Et le nez face au sol, Denny dit : « Ça aide de se souvenir de la première fois. Pour tout. »

Il dit : « La première fois où je me suis branlé, j'ai cru que c'était moi qui inventais la branlette. J'ai baissé les yeux sur ma main toute gluante de foutre et j'ai pensé en moi-même : *Ça, c'est un truc qui me rendra riche.* »

La première fois pour tout. L'inventaire incomplet de mes crimes. Rien qu'un nouvel incomplet, un de plus, dans ma vie pleine d'incomplets.

Et toujours le nez face au sol, aveugle à tout le reste du monde, la boue exceptée, Denny dit : « Coco, t'es toujours là ? »

Et je lui recolle le bout de chiffon sur le nez en lui disant : « Souffle. »

5.

L'éclairage qu'utilisait le photographe était brutal et projetait des ombres déplaisantes sur le mur en parpaings derrière eux. Rien qu'un mur peint, dans un sous-sol de maison. Le singe avait l'air fatigué, avec la pelade. Le mec était pâle, avec un physique minable, une bouée à la taille, mais il était là, décontracté, plié en deux et penché en avant, les mains en appui sur les genoux, son sac à lard tout pendant, le visage tourné vers l'arrière, par-dessus l'épaule, qui regardait l'appareil avec un sourire.

« Sourire aux anges » n'est pas vraiment l'expression qui convienne, mais c'est la première qui vient à l'esprit.

Ce que le petit garçon a aimé au premier abord dans la pornographie, ce n'était pas le côté sexe. Ce n'était pas les clichés de beaux individus en train de se bourrer la viande, la tête rejetée en arrière, un orgasme bidon sur le visage. Pas au premier abord. Il avait trouvé ces photos sur l'Internet avant même de savoir ce qu'était le sexe. L'Internet existait dans toutes les bibliothèques. L'Internet existait dans toutes les écoles.

De la même manière qu'on peut se déplacer de ville en ville et toujours retrouver une église catholique, avec la même messe dite partout, peu importait la famille d'accueil qui recevait le gamin, il pouvait toujours trouver l'Internet. La vérité, c'est que si le Christ avait ri sur la croix, ou craché sur les Romains, s'il ne s'était pas simplement contenté de souffrir, il est certain que le gamin aurait aimé l'église beaucoup plus.

Les choses étant ce qu'elles étaient, son site web favori était plutôt pas sexy pour deux sous, en tout état de cause, pour lui. On pouvait y entrer, et on y trouvait une douzaine de photographies de ce mec, et de lui seul, ce gros tas déguisé en Tarzan, avec un orang-outan stupide dressé à fourrer ce qui ressemblait à des châtaignes grillées dans le cul du gars.

Le cache-sexe du mec, deux pans de tissu imprimé léopard, est relevé d'un côté, la ceinture élastique comme une bouée lui cisaillant le lard de la taille.

Le singe est accroupi, fin prêt, avec la châtaigne suivante.

Il n'y a rien de sexy là-dedans. Et pourtant, le compteur du site affichait un nombre de visiteurs supérieur à un demi-million.

« Pèlerinage » n'est pas vraiment le mot qui convienne, mais c'est le premier qui vient à l'esprit.

Le gamin ne comprenait rien au singe et aux châtaignes, mais il admirait le mec, en quelque sorte. Le gamin était stupide, mais il savait que c'était là quelque chose qui dépassait son entendement, et de loin. La vérité, c'est que la plupart des gens ne voudraient même pas qu'un singe les voie nus. Ils seraient terrifiés de ne pas savoir exactement à quoi leur trou du cul pouvait ressembler, s'il allait apparaître trop rouge ou trop fripé. La plupart des gens ne se trouveraient jamais assez de cran pour se plier en deux, cul en l'air, devant un singe, et encore moins devant un singe, un appareil photo et des projecteurs, et même qu'alors, il faudrait qu'ils se tapent un million de milliards d'abdos, de visites régulières à la cabine de bronzage, et une séance chez le coiffeur. Sans compter qu'après ça ils passeraient des heures penchés en avant face à un miroir, à essayer de déterminer leur profil le plus avantageux.

Et même qu'après ça, rien qu'à cause des châtaignes, il faudrait rester, comment dire, décontracté.

La simple pensée de passer des auditions devant des singes était déjà en soi une idée terrifiante, avec l'éventualité de se voir refuser singe après singe. Naturellement, suffit de donner assez d'argent à un pékin quelconque, et il vous fourrera tous les trous que vous voudrez, ou alors il prendra des photos. Mais un singe. Un singe, ça va être honnête.

Votre seul espoir serait de réserver ce même orangoutan, puisque, de toute évidence, il n'avait pas l'air trop pointilleux sur ses choix. Ou alors, c'est qu'il avait été exceptionnellement bien entraîné.

À savoir que tout cela passerait comme une lettre à la poste si vous étiez beau et sexy.

Que dans un monde où tout un chacun devait avoir l'air tout joli tout le temps, ce mec-ci ne l'était pas. Le singe non plus. Et ce qu'ils faisaient non plus.

Que ce n'est pas le côté sexe de la pornographie qui a accroché le petit garçon. C'est la confiance. Le courage. L'absence complète de honte. Le sentiment de bien-être et d'authentique honnêteté. L'outrecuidance sans fard et sans reproche d'être ainsi capable de se planter sur place et de dire au monde : *Ouais, c'est bien comme ça que je choisis de passer un après-midi de liberté. À prendre la pose avec un singe qui me fourre des châtaignes dans le cul.*

Et vraiment, je me fiche bien de mon look. Ou de ce que vous pensez.

Alors faites avec.

Il agressait le monde en s'agressant lui-même.

Et même si le mec ne prenait pas son pied à chaque instant, sa capacité à sourire, à aller jusqu'au bout en faisant semblant, ça n'en serait que d'autant plus admirable.

De même, tous les films porno impliquent une douzaine de personnes hors champ de la caméra, qui tricotent, mangent des sandwiches, consultent leur montre, tandis que d'autres personnes, nues celles-là, s'activent en plein sexe à quelques dizaines de centimètres...

Pour le stupide petit garçon, ç'a été l'illumination. Se retrouver à ce niveau de bien-être et de confiance personnelle en ce bas monde, ce serait le Nirvana.

« Liberté » n'est pas vraiment le mot qui convienne, mais c'est le premier qui vient à l'esprit.

C'est le genre de fierté et d'assurance en soi que le petit garçon voulait avoir. Un jour.

Si c'était lui sur ces photos avec le singe, il pourrait les regarder tous les jours et se dire : *Si j'ai pu faire ça, je pourrai tout faire.* Peu importait ce qui restait à affronter, si vous étiez capable de sourire et de rigoler pendant qu'un singe vous enfilait à coups de châtaignes dans un sous-sol en béton humide et que quelqu'un prenait des photos, eh bien, tout le reste ne serait plus qu'une partie de plaisir, qui se réglerait les doigts dans le nez.

Même l'enfer.

De plus en plus, pour le petit gamin, c'était ça, l'idée...

À savoir que si un nombre suffisant de gens vous regardaient, vous n'auriez plus jamais besoin de l'attention de quiconque.

À savoir que, si un jour vous vous faisiez choper, et qu'on vous exposait à la lumière pour vous mettre à nu, vous ne seriez plus jamais capable de vous cacher à nouveau. Il n'y aurait plus de différence entre votre vie privée et votre existence publique.

Que, si vous étiez capable d'acquérir suffisamment de richesses, d'accomplir suffisamment de choses, plus jamais vous ne voudriez aller plus loin.

Que, si vous pouviez manger ou dormir tout votre saoul, plus jamais vous n'auriez de besoins.

Que, si suffisamment de monde vous aimait, vous cesseriez d'avoir besoin d'amour.

Que vous puissiez jamais être assez intelligent.

Que vous puissiez jamais avoir assez de sexe.

C'était là tous les nouveaux objectifs que le petit garçon s'était fixés. Les illusions qu'il aurait pour le restant de ses jours, C'était là toutes les promesses qu'il voyait dans le sourire du gros mec.

Et donc, après cela, chaque fois qu'il avait la trouille, qu'il était triste, qu'il se sentait seul, chaque fois qu'il se réveillait en pleine panique dans une nouvelle famille de placement, le cœur battant la chamade, le lit mouillé, chaque jour de nouvelle rentrée dans une nouvelle école d'un nouveau quartier, chaque fois que la Man-man revenait le réclamer, dans une chambre de motel moite, dans une voiture de location, le gamin pensait à ces mêmes douze photos du gros lard plié en deux. Le singe et les châtaignes. Et ce petit connard stupide était calmé aussi sec. Ça lui montrait à quel point on pouvait devenir brave, fort et heureux.

Ça lui montrait à quel point la torture est torture, et l'humiliation est humiliation, uniquement quand on choisit de souffrir.

« Sauveur » n'est pas vraiment le mot qui convienne, mais c'est le premier qui vient à l'esprit.

Et c'est drôle, ce qui se passe : quand quelqu'un vous sauve, la première chose que vous voulez faire, c'est de sauver d'autres gens. Tous les autres. Tout le monde.

Le gamin n'a jamais su le nom de cet homme. Mais il n'a jamais oublié ce sourire.

« Héros » n'est pas vraiment le mot qui convienne, mais c'est le premier qui vient à l'esprit.

6.

Lors de ma visite suivante à ma maman, je suis toujours Fred Hastings, son bon vieil avocat commis d'office, et elle n'arrête pas de me japper dessus tout l'après-midi. Jusqu'à ce que je lui dise que je ne suis toujours pas marié, et elle me répond que c'est une honte. Ensuite, elle allume la télévision, un feuilleton à rallonge quelconque, vous savez, ces trucs où de vrais individus de la vraie vie prétendent être des individus bidon avec des problèmes fabriqués de toutes pièces sous les regards attentifs de vrais individus de la vraie vie qui essaient d'oublier leurs vrais problèmes de la vraie vie.

La visite suivante, je suis toujours Fred, mais je suis marié, et j'ai trois enfants. C'est mieux, mais trois enfants... Trois, c'est trop. Les gens devraient s'arrêter à deux, dit-elle.

La visite suivante, j'en ai deux.

À chaque visite, il y a de moins en moins de ma maman sous la couverture.

D'une autre manière, il y a de moins en moins de Victor Mancini assis dans le fauteuil à côté du lit.

Le lendemain, je suis redevenu moi-même mais

quelques minutes sont à peine écoulées que ma maman sonne l'infirmière pour que celle-ci me raccompagne jusqu'à la sortie. Nous restons assis sans échanger une parole jusqu'à ce que je prenne mon manteau, et alors elle dit : « Victor ? »

Elle dit : « Il faut que je t'avoue quelque chose. »

Elle est en train de rouler une boulette de poils de couverture entre les doigts, elle la roule, de plus en plus petit, de plus en plus serré, et quand finalement elle relève les yeux, elle dit : « Fred Hastings est venu. Tu te souviens de Fred, n'est-ce pas ? »

Ouais, je m'en souviens.

Aujourd'hui, il a une épouse et deux enfants parfaits. Ce fut un tel plaisir, dit ma maman, de voir que tout réussit dans la vie à un aussi chic type.

« Je lui ai dit d'acheter de la terre, dit ma maman, ils n'en produisent plus aujourd'hui. »

Je lui demande ce qu'elle entend par « ils », et elle appuie à nouveau sur le bouton d'appel de l'infirmière.

En sortant, je trouve le Dr Marshall qui attend dans le couloir. Elle est debout juste devant la porte de ma maman, elle feuillette des notes sur son porte-bloc, et elle relève la tête, les yeux en amande derrière ses verres épais. D'une main, elle clique et déclique un stylo-bille, vite.

« Monsieur Mancini ? » dit-elle.

Elle replie ses lunettes, les met dans la poche de poitrine de sa blouse de laborantine, et dit : « Il est important que nous discutions du cas de votre mère. »

L'intubation stomacale.

« Vous avez demandé s'il existait d'autres solutions », dit-elle.

64

Depuis le poste des infirmières dans le couloir, trois employées de l'hôpital nous observent, les têtes collées l'une à l'autre, en conciliabule. La prénommée Dina s'écrie : « Faut-il que nous fassions les chaperons pour vous deux ? »

Et le Dr Marshall dit : « Occupez-vous de vos affaires, s'il vous plaît. »

À moi, elle chuchote : « Ces petits hôpitaux ! Le personnel se croit encore en terminale au lycée. »

Dina, je me la suis faite.

Voir aussi : Clare, Infirmière diplômée.

Voir aussi : Pearl, Aide-soignante.

La magie du sexe, c'est l'appropriation sans le fardeau de la possession. Peu importe le nombre de femmes que vous ramenez à la maison, il n'y a jamais de problème de stockage.

Au Dr Marshall, à ses oreilles et à ses mains nerveuses, je dis : « Je ne veux pas qu'on la nourrisse de force. »

Sous l'œil des infirmières qui nous surveillent toujours, le Dr Marshall place une main en coupe à l'arrière de mon bras et elle m'éloigne, en disant : « J'ai parlé à votre mère. C'est une sacrée femme. Ses actions politiques. Toutes ses manifestations. Vous devez vraiment l'aimer beaucoup. »

Et je dis : « Eh bien, je n'irais pas jusque-là. »

Nous nous arrêtons et le Dr Marshall chuchote, de sorte que je me trouve obligé de me rapprocher pour entendre. Trop près. Les infirmières qui observent toujours. Et son souffle sur ma poitrine, elle dit : « Et si nous pouvions complètement remettre à neuf l'esprit de votre mère ? »

Cliquant et décliquant son stylo, elle dit : « Et si

nous pouvions lui faire retrouver la femme forte, intelligente, vibrante, qu'elle a été jadis ? »

Ma mère, comme elle a été jadis.

« C'est possible », dit le Dr Marshall.

Et, sans réfléchir à l'effet que mes paroles peuvent avoir, je dis : « Dieu m'en préserve. »

Ensuite, vite, très vite, j'ajoute que ce n'est probablement pas une aussi belle idée que ça.

Et dans le couloir, les infirmières rient, la main repliée masquant la bouche. Et même à cette distance, on entend Dina qui dit : « Ce serait bien fait pour lui. »

Lors de ma visite suivante, je suis toujours Fred Hastings et mes deux gamins n'ont que des A à l'école. Cette semaine-là, Mme Hastings repeint notre salle à manger en vert.

« Le bleu est préférable, dit ma maman, pour les pièces destinées à recevoir de la nourriture sous quelque forme que ce soit. »

Après cela, la salle à manger est bleue. Nous habitons dans East Pine Street. Nous sommes catholiques. Nous épargnons à la City First Federal. Nous roulons en Chrysler.

Tout cela à la suggestion de ma maman.

La semaine suivante, je commence à noter des choses, en détail, de manière à ne pas oublier celui que je suis censé être d'une semaine sur l'autre. Les Hastings se rendent toujours en voiture à Robson Lake pour leurs vacances, j'écris. Nous pêchons la truite arc-en-ciel. Nous voulons que les Packers gagnent. Jamais nous ne mangeons d'huîtres. Nous achetions de la terre. Tous les samedis, je commence par m'asseoir dans le foyer et étudier mes notes pendant que l'infirmière va voir si ma maman est réveillée.

Chaque fois que je franchis le seuil de sa chambre, et que je me présente comme étant Fred Hastings, elle pointe la télécommande et éteint la télévision.

« Autour d'une maison, les buis, c'est bien, me dit-elle, mais des troènes, ce serait mieux. »

Et je note.

Les gens vraiment dignes d'intérêt boivent du scotch, dit-elle. Nettoyez vos gouttières en octobre, puis une nouvelle fois en novembre, dit-elle. Enveloppez le filtre à air de votre voiture de papier hygiénique, il durera plus longtemps. Taillez les arbres à feuilles persistantes uniquement après les premières gelées. Et c'est le frêne qui donne le meilleur bois à brûler.

Je note tout. Je fais l'inventaire de ce qui reste d'elle, les taches, les rides, la peau bouffie ou vide, l'épiderme qui se desquame ou qui se couvre de rougeurs, et je note de petits pense-bêtes rien que pour moi.

Tous les jours : porter un écran total.

Masquer les cheveux gris.

Ne pas devenir fou à lier.

Manger moins de gras et de sucres.

Faire plus d'abdos.

Ne pas commencer à oublier des trucs.

Couper les poils aux oreilles.

Prendre du calcium.

Émulsion hydratante. Tous les jours.

Figer le temps une bonne fois pour toutes pour rester au même endroit à jamais.

Ne pas devenir foutrement vieux.

Elle dit : « Avez-vous des nouvelles de mon fils, Victor ? Vous vous souvenez de lui ? »

Je m'arrête. Je sens mon cœur qui se serre, mais j'ai oublié ce que cette sensation signifie.

Victor, dit ma maman, ne vient jamais lui rendre visite, et quand il vient, il n'écoute jamais. Victor est toujours très occupé et distrait, et il s'en fiche. Il a laissé tomber la fac et ses études de médecine, et il transforme sa vie en grand foutoir.

Elle pinçote les peluches de sa couverture.

« Il a un boulot quelconque payé au salaire minimum, il fait le guide touristique ou quelque chose », dit-elle.

Elle soupire, et ses abominables mains jaunes trouvent la télécommande.

Je demande : est-ce que Victor ne prend pas soin d'elle ? Est-ce qu'il n'a pas le droit de vivre sa vie ? Je dis : peut-être que Victor est tellement occupé qu'il travaille tous les soirs, à se tuer littéralement au boulot rien que pour payer les factures de son assistance médicale permanente. Soit trois plaques par mois, rien que pour pouvoir survivre. Peut-être que c'est pour ça que Victor a abandonné les études. J'ajoute, rien que pour le plaisir de la contredire, que Victor se casse peut-être le cul pour faire au mieux.

Je dis : « Peut-être que Victor en fait bien plus que ce qu'on veut bien lui reconnaître. »

Et ma maman sourit, et dit : « Oh, Fred, vous continuez toujours à défendre les coupables au-delà de toute rémission. »

Ma maman allume la télévision, et une femme superbe, en robe du soir étincelante, frappe une autre superbe femme d'un coup de bouteille sur la tête. Et la bouteille ne bouleverse même pas un cheveu de sa coiffure. Mais elle la rend amnésique.

Peut-être que Victor se débat comme un beau diable avec ses problèmes, je dis.

La première superbe femme reprogramme la superbe amnésique en lui faisant croire qu'elle n'est plus qu'une tueuse-robot aux ordres de la superbe numéro un, prête à exaucer le moindre de ses désirs. La tueuse-robot accepte sa nouvelle identité avec une telle aisance qu'on ne peut s'empêcher de s'interroger : est-ce que son amnésie est feinte ? Ne cherchait-elle pas depuis toujours une bonne raison pour s'offrir une petite virée de massacres ?

Et quand je parle à ma maman, assis qu'on est là tous les deux à regarder la télé, toute ma colère, tout mon ressentiment fichent le camp, comme un pipi de chat.

Ma mère me servait jadis des œufs brouillés pleins d'écailles sombres dues au revêtement antiadhésif de la poêle. Elle faisait la cuisine dans des marmites en aluminium, et on buvait de la limonade dans des gobelets en aluminium tourné en mordillant le rebord tendre et froid. On utilisait du déodorant corporel fabriqué à partir de sels d'aluminium. Il existe donc au moins un million de raisons qui expliquent qu'on en soit arrivés là.

Pendant une pub, ma mère me demande de citer ne serait-ce qu'une chose positive dans la vie personnelle de Victor. Pour s'amuser, il faisait quoi ? Où se voyait-il d'ici un an ? D'ici un mois ? Une semaine ?

À ce stade, je n'en ai aucune idée.

« Et plus précisément, dit-elle, qu'est-ce que vous voulez dire, nom d'un chien, quand vous m'annoncez que Victor se tue tous les soirs ? »

7.

Après le départ du serveur, j'enfourche la moitié de mon entrecôte et je m'apprête à fourrer le morceau tout entier dans ma bouche, quand Denny dit : « Coco. »

Il dit : « Ne fais pas ça ici. »

Tous les gens autour de nous, sur leur trente et un, qui mangent. Aux bougies. Des verres en cristal sur la table. Et aussi toute la gamme des fourchettes à usage spécifique. Personne ne soupçonne rien.

Mes lèvres se gercent rien qu'à essayer d'enfourner le morceau de steak, toute cette viande salée, juteuse, persillée, avec poivre au moulin. Ma langue se rétracte pour faire de la place, et la salive commence à sourdre et à baigner ma bouche. Jus chaud et bave me dégoulinent sur le menton.

Les gens qui disent que la viande rouge finira par nous tuer, ils ne savent pas de quoi ils parlent.

Denny jette un œil rapide alentour et dit, entre ses dents serrées, il dit : « T'as les yeux plus gros que le ventre, mon ami. »

Il secoue la tête et dit : « Coco, tu ne peux pas duper les gens et les obliger à t'aimer. »

Tout à côté de nous, un couple marié, avec alliance et cheveux gris. Ils mangent sans relever le nez de leur assiette, tête baissée, parce qu'ils lisent un programme pour la même pièce ou le même concert. Quand le verre à vin de la femme est vide, c'est elle qui prend la bouteille pour se resservir. Elle ne remplit pas celui de son mari. Le mari porte au poignet une grosse montre en or.

Denny me voit qui observe le vieux couple et dit : « Je vais les prévenir. Je le jure. »

Il surveille, au cas où des serveurs nous auraient reconnus. Et il me fusille du regard avec les dents du bas qui ressortent.

La bouchée de viande est tellement énorme que mes mâchoires n'arrivent pas à entrer en contact. J'ai des joues de hamster. Mes lèvres se plissent en essayant de se refermer, et je suis obligé de respirer par le nez pendant que je tente de mastiquer.

Les serveurs en veste noire, chacun avec sa petite serviette toute proprette pliée sur le bras. La musique des violons. L'argenterie et la porcelaine. Ce n'est pas vraiment le genre d'endroit qu'on choisit pour faire ça, d'habitude, mais on commence à être à court de restaurants. Dans une ville donnée, il n'y a qu'un nombre limité de lieux publics qui servent à manger, et il est certain que c'est le genre de petit numéro qu'on ne répète pas deux fois au même endroit.

Je bois un peu de vin.

À une autre table proche de la nôtre, un jeune couple se tient la main tout en mangeant.

Peut-être que ce sera eux, ce soir.

À une autre table, un homme en costume dîne, le regard vide, fixant un point dans l'espace.

Peut-être que ce sera lui, le héros, ce soir.

Je bois un peu de vin et je tente de déglutir, mais le steak, c'est trop. Il est coincé au fond de ma gorge. Je ne respire plus.

À l'instant qui suit, mes jambes se redressent d'un coup, à une vitesse telle que ma chaise vole derrière moi. Mes mains se mettent à agripper ma gorge. Je suis debout, bouche béante, et je regarde le plafond peint, les yeux révulsés au point qu'on ne voit plus que le blanc. Mon menton s'étire devant moi comme s'il voulait se séparer de mon visage.

La fourchette à la main, Denny tend le bras par-dessus la table et me pique mon brocoli, avant d'ajouter : « Coco, t'en fais beaucoup, beaucoup trop. »

Peut-être que ce sera le jeune chasseur, dix-huit ans tout au plus, ou le mec en veste de velours et chandail à col roulé, mais l'une de ces personnes veillera sur moi comme sur un trésor pour le restant de ses jours.

Déjà les clients sont à moitié levés de leur chaise.

Peut-être la femme avec le chouchou au poignet.

Peut-être l'homme au long cou et aux lunettes d'acier.

Ce mois-ci, j'ai reçu trois cartes d'anniversaire, et on n'est pas encore au 15. Le mois dernier, j'en ai eu quatre. Le mois d'avant, c'est six cartes d'anniversaire que j'ai reçues. La plupart de ceux qui me les ont envoyées, je ne me souviens même pas d'eux. Dieu les bénisse, eux, ils ne m'oublieront jamais.

Comme je ne respire plus, les veines de mon cou se gonflent. Mon visage vire au rouge, il brûle. La sueur commence à perler à mon front. La sueur me colle la chemise par plaques dans mon dos. De mes deux mains, serrées autour du cou, je tiens bon, en langage universel, signe de quelqu'un qui étouffe à mort. Encore aujourd'hui, je reçois des cartes d'anniversaire de gens qui ne parlent pas anglais.

Les toutes premières secondes, tout le monde cherche tout le monde du regard, espérant qu'un autre qu'eux va s'avancer et devenir le héros.

Denny se penche au-dessus de la table et pique la moitié restante de mon steak.

Les mains toujours nouées serrées autour du cou, je chancelle jusqu'à lui pour lui coller un coup de pied dans la jambe.

Mes mains arrachent ma cravate.

J'ouvre sauvagement mon col et le bouton de ma chemise vole.

Et Denny dit : « Hé, Coco, tu m'as fait mal. »

Le chasseur reste bien en arrière. Pas un geste héroïque à espérer de sa part.

Le violoniste et le sommelier sont cou à cou et se dirigent vers moi.

D'une autre direction, une femme en courte robe noire fend la foule. Elle vient à ma rescousse.

D'une autre direction encore, un homme se débarrasse de sa veste et charge. Ailleurs, une femme hurle.

Ça ne prend jamais très longtemps. Toute l'aventure dure une minute, deux maxi. C'est une bonne chose parce que c'est à peu près le temps pendant lequel je suis capable de retenir ma respiration, la bouche pleine de nourriture.

Mon premier choix se porterait sur l'homme déjà d'un certain âge avec la grosse montre en or au poignet, quelqu'un grâce à qui la journée n'aura pas été perdue, et qui paiera l'addition du dîner. Mon choix personnel, c'est la petite robe noire. Et pour quelle raison ? Parce qu'elle a de beaux nénés.

Même si nous devons payer notre repas, je me dis qu'il faut accepter de dépenser de l'argent pour faire de l'argent.

Toujours en train de se bâfrer, Denny dit : « Pourquoi tu fais ça ? C'est tellement infantile. »

Je m'approche en chancelant et je lui donne un coup de pied, encore une fois.

Pourquoi je fais ça ? C'est pour remettre un peu d'aventure dans la vie des gens.

Pourquoi je fais ça ? C'est pour créer des héros. Mettre les gens à l'épreuve.

Telle mère, tel fils.

Pourquoi je fais ça ? C'est pour faire de l'argent.

Quelqu'un vous sauve la vie, et ce quelqu'un vous aimera pour toujours. Il s'agit de cette vieille coutume chinoise qui veut que si quelqu'un vous sauve la vie, il devient à jamais responsable de vous. Comme si vous deveniez son enfant. Pour le restant de leur existence, ces gens vont m'écrire. M'envoyer des cartes pour commémorer ce fameux jour. Des cartes d'anniversaire. Il est déprimant de constater le nombre de gens qui ont cette même idée. Ils vous appellent au téléphone. Pour savoir si vous vous sentez bien. Pour voir si vous avez besoin qu'on vous remonte le moral. Ou si vous avez besoin de fric.

Ce n'est pas que je dépense cet argent à téléphoner à des filles travaillant comme hôtesses d'accompagnement. Les frais de pension de ma maman au centre de soins St Anthony se montent à environ trois bâtons par mois. Tous ces Bons Samaritains me maintiennent en vie. Et moi, j'entretiens maman. C'est aussi simple que ça.

Vous gagnez du pouvoir en jouant au plus faible. Par simple opposition, grâce à vous, les gens se sentent tellement forts. Vous sauvez les gens en les laissant vous sauver.

Tout ce que vous avez à faire, c'est d'être fragile et reconnaissant. Alors, restez sous-fifre.

Les gens ont réellement besoin de ceux auxquels ils se sentent supérieurs. Alors restez celui qui se fait marcher dessus.

Les gens ont réellement besoin de ceux auxquels ils envoient un chèque pour Noël. Alors, restez pauvres.

« Charité » n'est pas vraiment le mot qui convienne, mais c'est le premier qui vient à l'esprit.

Vous êtes la preuve vivante de leur courage. La preuve qu'ils ont été les héros. La pièce à conviction de leur succès. Je fais ce que je fais parce que tout le monde veut sauver une vie sous le regard de cent personnes.

De la pointe affilée de son couteau à steak, Denny est occupé à faire des esquisses sur la nappe blanche, il dessine l'architecture de la salle, les corniches, les lambris, les frontons en arcs brisés au-dessus de chaque embrasure de porte, et tout ça en mastiquant toujours, la bouche pleine : il porte simplement l'assiette à la bouche et se contente d'enfourner la nourriture.

Pour exécuter une trachéotomie, vous trouvez le petit creux juste sous la pomme d'Adam, mais juste au-dessus du cartilage cricoïde. À l'aide d'un couteau à steak, effectuer une incision horizontale d'un bon centimètre, ensuite, pincer les lèvres de la plaie et insérer le doigt dans l'ouverture. Introduire alors un tube « trachéal », une paille à soda ou la moitié du corps d'un stylo-bille, c'est ce qui marche le mieux.

Je ne peux pas être un grand médecin qui sauve des centaines de patients, mais, de cette manière, je suis un grand patient qui crée des centaines de médecins potentiels.

Se rapprochant à vive allure, je vois un homme en smoking, qui se faufile entre les badauds, et qui court, armé d'un couteau à steak et d'un stylo-bille.

En vous étouffant, vous devenez leur propre légende, une légende que ces gens vont chérir et répéter jusqu'à leur mort. Ils croiront qu'ils vous ont donné la vie. Il se peut même que vous deveniez la seule et unique bonne action, le souvenir sur leur lit de mort, qui justifient leur existence tout entière.

Donc soyez la victime agressive, le grand perdant. Un échec professionnel.

Les gens accepteront de sauter dans un cerceau, si vous parvenez à les faire se sentir Dieu.

C'est le martyre de saint Moi.

Denny racle mon assiette jusqu'à la dernière miette pour la vider dans la sienne et il continue à se bâfrer de nourriture.

Le sommelier est là. La petite robe noire est là contre moi. L'homme à la grosse montre en or.

Encore une minute, et des bras vont m'encercler par-derrière. Un inconnu sera en train de me serrer très fort contre lui, les deux poings sous ma cage thoracique, et il me soufflera dans l'oreille : « Ne vous en faites pas. »

Vous soufflera dans l'oreille : « Tout va bien aller, vous verrez. »

Deux bras seront occupés à serrer, voire même à vous décoller du sol, et un inconnu murmurera : « Respirez ! Respirez, nom de Dieu ! »

Quelqu'un vous tapera dans le dos à la manière dont un médecin tape un bébé nouveau-né, et vous lâcherez tout, avec votre bouchée de steak mastiqué sur orbite. À la seconde suivante, vous vous serez tous les deux effondrés sur le parquet. Vous serez en pleine crise de sanglots quand quelqu'un vous dira que tout va bien. Vous êtes en vie. Ils vous ont sauvé. Vous avez failli mourir. Ils vous prendront la tête contre leur poitrine pour vous bercer, en disant : « Reculez, tout le monde ! Faites un peu de place ! Le spectacle est terminé. »

Vous êtes leur enfant. Déjà. Vous leur appartenez.

Ils porteront un verre d'eau à vos lèvres et diront : « Laissez-vous aller, c'est tout. Allons, allons, chut. C'est fini. »

Chut.

Pendant des années à venir, cette personne vous appellera au téléphone, elle écrira. Vous recevrez des cartes et peut-être des chèques.

Qui qu'elle soit, cette personne vous aimera.

Qui qu'elle soit, elle sera tellement fière. Même si, peut-être, votre propre famille ne l'est pas. Ces personnes seront fières de vous parce que vous leur donnez l'occasion d'être tellement fières d'elles-mêmes.

Vous avalerez une petite gorgée d'eau et vous tousserez afin que le héros puisse vous essuyer la bouche d'une serviette.

Faites tout ce qui est en votre pouvoir pour cimenter ce nouveau lien. Cette adoption. Rappelez-vous de ne pas lésiner sur les détails. Tachez leurs vêtements de morve afin qu'ils puissent en rire et vous pardonner. Accrochez-vous, serrez tout ce que vous pouvez. Et pleurez pour de vrai afin qu'ils puissent vous sécher vos larmes.

Pleurer, c'est pas un problème, tant que vous faites semblant.

Simplement, n'essayez pas de vous retenir. Lâchez tout. Ça va être la plus belle histoire de la vie de quelqu'un.

Ce qui est essentiel, à moins que vous ne vouliez porter une méchante cicatrice sur la trachée, c'est de vous dépêcher de respirer avant que quelqu'un s'approche de trop près, avec un couteau à steak, un canif, un cutter.

Autre détail à garder en mémoire, quand vous expulserez comme un boulet de canon votre bouchée de pâte mouillée, votre grosse boulette de bave et de viande morte, il faudra vous trouver placé bien face à Denny. Lui, il a des parents et des grands-parents, des oncles, des tantes, des cousins, à ne plus savoir qu'en foutre, un millier de personnes qui doivent lui sauver la peau chaque fois qu'il a foiré. C'est pour ça que Denny ne me comprendra jamais.

Dans le restaurant, les gens qui restent, tous les autres, clients et personnel, il peut arriver qu'ils se lèvent pour applaudir. Les gens pleureront de soulagement. Les gens sortiront de la cuisine comme à la parade. En moins de temps qu'il ne faut pour le dire, ils seront en train de se raconter toute l'histoire. Tout le monde offrira à boire au héros. Les yeux brillants de jus lacrymal.

Tous ils lui serreront la main.

Ils lui offriront des tapes dans le dos.

C'est tellement bien plus leur anniversaire que le vôtre, mais pour des années à venir, ces personnes vous enverront une carte d'anniversaire correspondant à ce jour-là ce mois-là. Elles deviendront encore un autre des membres de votre famille très très étendue.

Et Denny se contentera de secouer la tête pour demander la carte des desserts.

Voilà pourquoi je fais tout ça. Je me donne tant de mal. Pour mettre un brave inconnu en vitrine. Pour sauver rien qu'une personne, une de plus, de l'ennui. Ce n'est pas *uniquement* pour l'argent. Ce n'est pas *simplement* pour l'adoration.

Mais ça ne fait pas de mal, ni d'un côté ni de l'autre.

Tout ça est tellement facile. Ce n'est pas une question d'avoir belle allure, en tout cas pas en surface — mais c'est toujours vous le gagnant. Acceptez juste de vous faire briser et humilier. Et, pour toute votre vie, continuez juste à répéter aux gens : *Je suis désolé... Je suis désolé... Je suis désolé... Je suis désolé... Je suis désolé...*

8.

Eva me suit dans le couloir, les poches pleines de dinde rôtie. Dans ses chaussures, il y a du steak Salisbury[1] bien mastiqué. Son visage, ce foutoir de velours froissé tout poudreux qu'est aujourd'hui devenue sa peau, se résume à cent rides qui courent toutes autant qu'elles sont jusqu'à l'intérieur de sa bouche, et elle se traîne derrière moi, dans son fauteuil roulant, en répétant : « Eh, toi ! N'essaie pas de te sauver en me fuyant comme tu le fais. »

Les mains tissées de veines goitreuses, elle se propulse sur ses roues. Voûtée dans son fauteuil roulant, enceinte de sa propre rate énorme hypertrophiée, elle me colle aux talons, en répétant : « Tu m'as fait mal. »

En répétant : « Tu ne peux pas le nier. »

Avec son bavoir couleur nourriture, elle dit : « Tu m'as fait mal, et je vais le dire à Mère. »

Là où ils gardent ma maman, elle est obligée de porter un bracelet. Pas un bracelet genre bijou. Non. Il s'agit d'une bandelette de plastique épais scellée à

---

1. Viande hachée, présentée en forme de hamburger, cuisinée en sauce.

chaud autour de son poignet de sorte qu'elle ne peut plus jamais l'enlever. Impossible de le couper, non plus. Impossible de l'ouvrir en le faisant fondre avec une cigarette. Pour s'échapper de là, les gens ont déjà essayé.

Quand on porte ce bracelet, chaque fois qu'on se promène dans ces couloirs, on entend des pênes de serrure qui se verrouillent. Une pastille magnétique ou quelque chose, intégrée à l'épaisseur du plastique, déclenche un signal. Lequel empêche les portes de l'ascenseur de s'ouvrir pour qu'on puisse le prendre. Il verrouille pratiquement toutes les portes dès que l'on s'en approche. Impossible de quitter l'étage où on est affecté. Impossible d'aller dans la rue. On a le droit de se rendre dans le jardin ou au foyer ou à la chapelle ou dans la salle à manger, mais nulle part ailleurs en ce bas monde.

Si, d'une manière ou d'une autre, on franchit une porte ouvrant sur l'extérieur, ça ne rate pas : le bracelet déclenche une alarme.

Ici, c'est St Anthony. Les tapis, les rideaux, les lits, pratiquement tout est incombustible. À l'épreuve du feu. À l'épreuve des taches. Vous pouvez faire pratiquement n'importe quoi n'importe où, ils l'essuieront, tout simplement. C'est ce qu'ils appellent un centre de soins. Ce n'est pas très agréable de vous raconter tout ça. Ça vous gâche toute la surprise, je veux dire. Vous le verrez toujours assez tôt, vous pouvez y compter. À la condition que vous viviez trop longtemps.

Ou que vous rendiez tout bonnement les armes pour virer givré avant même le moment prévu.

Ma maman, Eva, et même vous, au bout du compte, tout le monde aura son bracelet.

Cet endroit, ce n'est pas ce qu'on appellerait un trou pourri. Un mouroir qui pue l'urine dès qu'on en franchit la porte. Quand même pas. Pas pour trois plaques par mois. Jadis, c'était un couvent, il y a un siècle de ça, et les nonnes avaient planté un superbe vieux jardin plein de roses, tout beau, tout entouré de murs, à l'épreuve de toutes les évasions.

Des caméras de sécurité vidéo vous surveillent sous tous les angles.

À la minute où vous franchissez la porte d'entrée, démarre une lente migration un peu effrayante des résidents qui se rapprochent doucement de vous. Tous les fauteuils roulants, tous ces gens avec cannes et déambulateurs, dès qu'ils voient un visiteur, faut qu'ils se rapprochent. Tout doux. À leur rythme.

La grande Mme Novak, l'œil toujours noir, est une déshabilleuse.

La femme qui occupe la chambre voisine de celle de ma maman est une écureuille.

Les déshabilleuses, ça vous enlève leurs vêtements à la première occasion. Ces personnes-là, les infirmières les habillent de ce qui paraît être à première vue un ensemble assorti chemise-pantalon, mais en fait, c'est une combinaison une pièce. La chemise est cousue à l'intérieur de la taille du pantalon. Les boutons de chemise comme la braguette sont factices. La seule manière de s'y introduire ou d'en sortir, c'est une longue fermeture à glissière dans le dos. Les gens qui sont ici sont âgés, avec des capacités motrices limitées, donc une déshabilleuse, même dans les cas de déshabillage agressif comme ils les appellent, est piégée à trois niveaux. Dans ses vêtements, dans son bracelet, dans son centre de soins.

Une écureuille, c'est quelqu'un qui mastique sa nourriture et qui oublie ce qui vient après dans l'ordre des événements. Elles oublient d'avaler. Alors elles recrachent chaque bouchée mastiquée dans la poche de leur costume. Ou dans leur sac à main. C'est moins mignon qu'il n'y paraît.

Mme Novak est la compagne de chambre de maman. L'écureuille, c'est Eva.

À St Anthony, le rez-de-chaussée est réservé aux gens qui oublient les noms, qui se baladent tout nus, et qui mettent leur nourriture mastiquée dans leurs poches, mais qui, sinon, sont plutôt encore en bon état, sans trop de dégâts. On trouve également ici quelques jeunes à la cervelle frite par les drogues ou complètement fumeux à cause de traumatismes crâniens majeurs. Ils marchent et ils parlent, même si ce n'est que du charabia, une salade décomposée faite de mots sans suite, un fil ininterrompu de paroles qui semblent totalement aléatoires.

« Figue gens route petite aube chantant corde violet voile parti », voilà comment ils causent.

Le premier étage est réservé aux patients alités. Le second, c'est là que les gens vont mourir.

Pour l'instant, maman est au rez-de-chaussée, mais personne ne reste là éternellement.

La manière dont Eva a atterri ici ? Eh bien, il y a des gens qui emmènent leurs parents vieillissants dans un lieu public et qui les y abandonnent sans pièces d'identité. Ce sont là de vieilles Dorothée ou des Erma âgées qui n'ont aucune idée de qui elles sont ni de où elles se trouvent. Les gens se disent que les autorités municipales, le gouvernement de l'État, quelqu'un, peu importe qui, va les récupérer. Du genre de ce que font les autorités gouvernementales avec les déchets.

Pareil que ce qui arrive quand vous larguez votre vieille bagnole en ôtant les plaques d'immatriculation et le décalco VIN[1] de sorte que la municipalité est obligée de la faire enlever.

Plaisanterie mise à part, on appelle ça le largage de mamie, et St Anthony est obligé de prendre un certain nombre de mamies larguées, de mômes des rues complètement frits à l'ecstasy ou de vieilles clodos à cabas complètement suicidaires. Sauf qu'ici, on ne les appelle pas *clodos à cabas*, pas plus qu'on appelle les filles des rues des *prosti-toées*. À mon humble avis, je dirais qu'une voiture a ralenti et on s'est contenté de virer Eva par la portière sans jamais verser la moindre larme. Le genre de truc que font les gens avec les animaux familiers qu'ils n'arrivent pas à dresser.

Avec Eva toujours en filature, j'arrive à la chambre de ma maman, et elle n'est pas là. Au lieu de maman, il y a son lit vide avec un grand creux humide qui fait poche dans le matelas détrempé d'urine. Je me dis que c'est l'heure de la douche. Une infirmière vous emmène par le couloir jusqu'à une grande pièce carrelée où on peut vous remettre fin propre au tuyau.

Ici, à St Anthony, le film *The Pajama Game* est diffusé tous les vendredis soir, et tous les vendredis, les mêmes patients, tous autant qu'ils sont, font foule afin de le voir pour la toute première fois.

1. Vehicle identification number.

Ici, ils ont des lotos, des ateliers de travail manuel, des jours de visite pour toutous et petites chattes.

Ils ont le Dr Paige Marshall. Où qu'elle ait pu disparaître.

Ils ont des bavoirs à l'épreuve du feu qui couvrent le patient depuis le cou jusqu'aux chevilles, de sorte qu'il ne s'enflamme pas quand il fume. Ils ont des posters de Norman Rockwell. Un coiffeur passe deux fois par semaine faire les cheveux. Ça coûte un supplément. L'incontinence coûte un supplément. Le nettoyage à sec coûte un supplément. Le contrôle de l'évacuation urinaire coûte un supplément. Les intubations stomacales.

Ils ont quotidiennement des cours sur la manière de nouer les lacets de chaussures, la manière de boutonner un bouton, presser un bouton-pression. Boucler une boucle. Quelqu'un viendra faire la démonstration du Velcro. Quelqu'un vous enseignera la manière de faire glisser les fermetures à glissière. Tous les matins, ils vous disent votre nom. On représente l'un à l'autre des amis qui se connaissent depuis plus de soixante ans. Tous les matins. Sans exception.

Il y a des médecins, des avocats, des capitaines d'industrie, qui, de jour en jour, sont de plus en plus incapables de maîtriser une fermeture à glissière. Il s'agit moins en ce cas d'enseignement que de prévention de dégâts éventuels. Autant essayer de mettre en peinture une maison en train de brûler.

Ici, à St Anthony, mardi égale steak Salisbury. Mercredi égale poulet aux champignons. Jeudi, c'est spaghettis. Vendredi, poisson au four. Samedi, bœuf en boîte. Dimanche, dinde rôtie.

Ils ont des puzzles à mille pièces à vous proposer pendant que vous vous battez contre la montre. Dans cet endroit, il n'y a pas un seul matelas sur lequel une douzaine de personnes ne soient déjà mortes.

Eva a poussé son fauteuil jusqu'à l'embrasure de la chambre de ma maman, et elle est assise là, toute pâle, toute flétrie, on croirait une momie que quelqu'un viendrait de déballer avant de lui mettre en place ses cheveux minces et graillonneux. Sa tête bleue bouclée n'arrête pas un instant de dodeliner en petits cercles lents et serrés comme un boxeur sur le ring.

« Ne t'approche pas de moi », me dit Eva chaque fois que je la regarde. « Le Dr Marshall ne te laissera pas me faire de mal », dit-elle.

Jusqu'au retour de l'infirmière, je ne fais rien, je m'assieds au bord du lit de ma maman et j'attends.

Ma maman a une de ces horloges dont chaque heure est marquée par le chant d'un oiseau différent. Préenregistré. Une heure, c'est le merle américain. Six, c'est le loriot du Nord.

Midi, c'est le pinson.

La mésange à tête noire signifie huit heures. La sittelle à gorge blanche signifie onze heures.

Vous saisissez l'idée.

Le problème, c'est que l'association d'oiseaux à des heures spécifiques peut se révéler une source de confusion. En particulier si vous êtes en plein air. Vous vous transformez, et vous changez de statut, passant d'observateur d'horloge à observateur d'oiseaux. Chaque fois que vous entendez les adorables trilles du moineau à gorge blanche, vous vous dites : *Il est déjà dix heures ?*

Eva avance un peu ses roues jusque dans la chambre de ma maman. « Tu m'as fait mal, me dit-elle. Et je ne l'ai jamais répété à Mère. »

Ah, ces vieux. Ces ruines d'humains.

Il est déjà mésange huppée et demie, et il faut que j'attrape mon bus pour être au boulot quand le geai bleu chantera.

Eva me prend pour son grand frère qui lui a chevillé le trou-trou il y a bien un siècle de ça. La compagne de chambre de ma maman, Mme Novak, avec ses abominables gros seins et oreilles qui pendouillent, elle croit que je suis son salopard d'associé qui l'a truandée sur un dépôt de brevet concernant le métier à tisser ou le stylo-plume, enfin, un truc de ce genre-là.

Ici, j'ai l'honneur et l'avantage d'être toutes sortes de choses pour toutes ces femmes.

« Tu m'as fait mal », dit Eva, et elle roulotte un peu plus près. « Et je ne l'ai jamais oublié. Pas une minute. »

Chaque fois que je viens en visite, y a un vieux raisin sec au bout du couloir avec des sourcils en forêt vierge : elle m'appelle Eichmann. Une autre femme, avec un tube à pisse en plastique transparent qui lui fait une boucle au sortir de son peignoir, elle m'accuse de lui avoir volé son chien, et elle veut le récupérer. Chaque fois que je passe à côté de cette autre vieille assise dans son fauteuil roulant, affalée en tas à l'intérieur d'une pile de chandails roses, elle me siffle et me persifle dessus : « Je t'ai vu », dit-elle, et elle me regarde d'un œil tout voilé. « La nuit de l'incendie, je t'ai vu avec eux. »

Vous ne pouvez pas gagner. Tous les hommes à avoir jamais traversé la vie d'Eva ont probablement été son grand frère sous une forme ou une autre. Qu'elle en ait conscience ou non, elle a passé toute son existence à attendre, en espérant que les hommes lui chevillent son trou-trou. Sans blague, mais c'est vrai, si momifiée qu'elle soit sous sa peau toute ridée, elle a toujours huit ans. Coincée. Bloquée. Arrêtée dans le cours du temps. Exactement comme Dunsboro la Coloniale avec son équipe de cramés du ciboulot, tout le monde à St Anthony est pris au piège de son passé.

Je ne suis pas une exception. Et ne croyez pas que vous en soyez une vous non plus.

Tout aussi coincée à demeure que Denny à son pilori, Eva s'est arrêtée dans son développement.

« Toi », dit Eva, et elle me poignarde d'un doigt tout tremblant. « Tu as fait du mal à mon zizi. »

Ah, ces vieux complètement bloqués à jamais.

« Oh, tu as dit que c'était juste un jeu entre nous deux », dit-elle en roulant de la tête tandis que sa voix se met à chantonner. « C'était juste notre jeu secret à tous les deux, mais ensuite tu as mis ton gros truc d'homme à l'intérieur de moi. »

Son petit doigt osseux, tout sculpté, poignarde l'air, direction mon bas-ventre.

Sans blague, mais c'est vrai, rien qu'à cette idée, il y a mon gros truc d'homme qui veut s'enfuir à toutes jambes en hurlant, bien loin de cette chambre.

Le problème, c'est qu'à St Anthony, partout ailleurs à St Anthony, c'est le même topo. Un autre vieux squelette croit que je lui ai emprunté cinq cents dollars. Une autre vieille tout avachie m'appelle le démon.

« Et tu m'as fait mal », dit Eva.

C'est dur de venir ici et de ne pas endosser la responsabilité de tous les crimes de l'histoire. Vous avez envie de hurler à toutes ces figures édentées : « Oui, c'est bien moi qui ai kidnappé le bébé Lindbergh. »

Le truc du *Titanic*, c'est moi aussi. J'ai bien fait ça.

Le fameux complot de l'assassinat de Kennedy, oui, c'était moi.

Le grand gadget de la Seconde Guerre mondiale, ce machin qu'on a fabriqué, la bombe atomique, eh bien, devinez quoi ? C'était mon œuvre.

Le virus du sida ? Désolé. Encore moi.

La manière correcte de traiter un cas comme celui d'Eva est de rediriger l'attention de la patiente. La distraire en parlant du déjeuner, du temps qu'il fait, de son nouveau style de coiffure qui lui va si bien. Ses capacités d'attention sont de l'ordre d'un tic-tac d'horloge, et ensuite vous pouvez la bousculer vers un sujet plus agréable.

Il est facile de deviner que c'est exactement de cette même manière que les hommes ont traité l'hostilité qu'Eva a manifestée toute sa vie. Simplement en distrayant la dame. Tenir bon. Éviter l'affrontement direct. Fuir.

Ça ressemble assez bien à la manière dont nous abattons la besogne de nos propres existences individuelles, en regardant la télévision. En fumant des merdes. En faisant de l'automédication. En détournant notre attention. En nous branlant. Déni et refus.

Avec son corps tout entier penché en avant, y a toujours la petite baguette de son doigt qui tremble en l'air dans ma direction.

Rien à foutre.

Elle est déjà en fiançailles bien avancées pour devenir la chère et tendre de M. Mort.

« Ouais, Eva, je lui dis. Je t'ai tringlée. » Et je bâille. « Ouêp. Chaque fois que j'en ai eu l'occase, je te l'ai fourré dedans et j'ai largué ma dose. »

Ils appellent ça du psychodrame. On pourrait tout bonnement qualifier ça d'une variante de largage de mamie.

Son petit doigt tout tordu s'alanguit, et elle se réinstalle entre les accoudoirs de son fauteuil.

« Ainsi donc, finalement, tu le reconnais, dit-elle.

— Bon Dieu que oui, je lui dis. Et tu vaux vraiment le coup de queue, petite sœur. »

Elle détourne le regard vers une tache blanche sur le linoléum et dit : « Après toutes ces années, il le reconnaît. »

Ils appellent ça du psychodrame à jeux de rôles, sauf qu'Eva ne sait pas que c'est pas pour de vrai.

Sa tête continue ses petits loopings en cercles resserrés, mais ses yeux reviennent se poser sur moi.

« Et tu ne regrettes toujours pas ? » dit-elle.

Eh bien, disons que si Jésus a pu mourir pour mes péchés, je suppose que moi, je peux en prendre en charge quelques-uns pour d'autres. Nous avons tous notre occasion de jouer au bouc émissaire. D'endosser la faute.

Le martyre de saint Moi.

Les péchés de tous les hommes de l'histoire qui me retombent en plein sur le dos.

« Eva, je lui dis. Ma poupée, ma douce, ma petite sœurette, l'amour de ma vie, bien sûr que je suis désolé. Je me suis conduit comme un porc. » Je consulte ma montre. « Mais tu étais tellement bandante que je pouvais pas me maîtriser. »

Comme si j'avais besoin de toutes ces conneries, en plus. Eva se contente de me fixer de tous ses gros yeux d'hyperthyroïdienne jusqu'à ce qu'une énorme larme jaillisse d'un œil et vienne trancher dans l'épaisseur de poudre qui couvre sa joue ridée.

Je roule les yeux au plafond et je lui dis : « Okay, d'accord, j'ai fait mal à ton petit zizi, mais ça se passait y a quatre-vingts ans, bordel, alors essaie de surmonter ça. Avance. La vie continue. »

Et c'est à ce moment que ses horribles mains se lèvent, complètement dévastées et veinées comme des racines d'arbres ou de vieilles carottes, et elles couvrent son visage.

« Oh, Colin, murmure-t-elle à l'abri de ses doigts. Oh, Colin. »

Elle enlève ses mains, et son visage est tout délavé par son jus d'yeux.

« Oh, Colin, dit-elle. Je te pardonne. »

Et sa tête dodeline pour se coller sur sa poitrine, tressautant de petits halètements et reniflements brefs, avant que ses mains abominables remontent le bord de son bavoir pour s'en essuyer les yeux.

Nous restons assis là. Seigneur, qu'est-ce que je donnerais pour un peu de chewing-gum. Ma montre affiche douze heures trente-cinq.

Elle s'essuie les yeux, renifle, relève un peu la tête.

« Colin, dit-elle. Est-ce que tu m'aimes toujours ? »

Ah, ces foutus vieux. Jésus Marie Joseph.

Et juste au cas où vous vous poseriez la question, non, je ne suis pas un monstre.

Exactement comme sorti d'un foutu bouquin, mais pour de vrai, je lui dis : « Ouais, Eva. » Je dis : « Ouais, pour sûr, je crois bien que je peux encore probablement t'aimer. »

Eva sanglote maintenant, la tête suspendue au-dessus de son giron, le corps tout entier en bascule ininterrompue.

« Je suis tellement contente », dit-elle, les larmes tombant maintenant droit, un truc grisâtre dégoulinant de son nez en plein dans ses mains vides.

Elle dit : « Je suis tellement contente », et elle pleure toujours, et on sent le steak haché mastiqué qu'elle a collé en réserve dans sa chaussure, le poulet aux champignons bien mâchonné dans la poche de son tablier. Y a ça, et y a aussi cette foutue infirmière qui ne va donc jamais aller rechercher ma maman sous sa douche, et moi qui dois être de retour au boulot au dix-huitième siècle pour treize heures.

C'est déjà assez difficile comme ça de me souvenir de mon propre passé afin de franchir ma quatrième étape. Et maintenant, tout ça se mélange aux passés de tous ces autres gens. De qui suis-je aujourd'hui l'avocat de la défense, je n'en sais rien, je ne m'en souviens pas. Je regarde les ongles de mes doigts. Je demande à Eva : « Est-ce que le Dr Marsahll est là, à votre avis ? »

Je demande : « Savez-vous si le Dr Marshall est mariée ? »

La vraie vérité me concernant, celui que je suis vraiment, mon père et tout ça, si ma maman le sait, alors, c'est qu'elle est trop déboussolée par sa culpabilité pour vouloir en parler.

Je demande à Eva : « Pourriez-vous, comment dire, aller pleurer ailleurs ? »

Et c'est trop tard, soudain. Le geai bleu se met à chanter.

Et Eva, y a vraiment pas moyen, impossible de la faire taire : elle pleure et se balance d'avant en arrière, le bavoir collé sur la figure, le bracelet en plastique tremblotant autour d'un poignet, et elle dit, et elle répète : « Je te pardonne, Colin. Je te pardonne. Je te pardonne. Oh Colin, je te par... »

9.

Un après-midi qu'ils se trouvaient dans un centre commercial, notre petit gamin stupide et sa mère d'adoption ont entendu l'annonce. C'était l'été, et ils faisaient des courses en prévision de la rentrée, le grand retour à l'école, l'année où le gamin allait entrer en CM2. L'année où il fallait porter des chemises à rayures pour vraiment se fondre dans la masse et ne pas détonner. C'était il y a des années et des années de ça. Et ce n'était que sa toute première mère adoptive.

« Des rayures verticales », lui disait-il quand ils l'ont entendue.

L'annonce :

« Le Dr Paul Ward », disait la voix à tout le monde, « est prié de retrouver son épouse au rayon parfumerie de chez Woolworth. »

C'était la première fois que la Man-man faisait sa réapparition pour le réclamer.

« Le Dr Ward est prié de retrouver son épouse au rayon parfumerie de chez Woolworth. »

C'était ça, leur signal secret.

Et donc le gamin a menti, et il a dit qu'il lui fallait aller aux toilettes, au lieu de quoi il s'est rendu au

Woolworth, et là, occupée à ouvrir des emballages de teinture à cheveux, se trouvait la Man-man. Elle portait une énorme perruque jaune qui lui faisait le visage bien trop petit, et sentait la cigarette. D'un coup d'ongle, elle ouvrait chaque boîte et en sortait le flacon marron foncé de teinture qui était à l'intérieur. Elle ouvrait alors un deuxième emballage et en sortait un deuxième flacon. Elle mettait le premier flacon dans la boîte numéro deux, qu'elle replaçait en rayon. Elle a ouvert une autre boîte.

« Celle-ci est jolie », a dit la Man-man, en regardant la photo d'une femme souriante sur l'emballage.

Elle a échangé le flacon à l'intérieur contre un autre flacon. Tous les flacons étaient en verre marron foncé.

Elle ouvrait encore une autre boîte quand elle a dit : « Et toi, tu la trouves jolie ? »

Et le gamin est tellement stupide qu'il dit : « Qui ça ?

— Tu sais bien qui, a dit la Man-man. Et elle est jeune, en plus. Je vous ai vus tous les deux, vous regardiez les vêtements. Et tu lui donnais la main, alors ne mens pas. »

Et le gamin était tellement stupide qu'il ne lui venait même pas à l'esprit de tout simplement prendre les jambes à son cou et de s'enfuir. Il n'était même pas en état de réfléchir aux conditions très strictes de la conditionnelle de sa mère, aux limites de l'ordonnance de la cour ou aux raisons pour lesquelles elle se trouvait en prison ces trois derniers mois.

Et occupée qu'elle était à échanger ses flacons, blond dans les emballages pour rousses, et noir dans les boîtes pour blondes, la Man-man a dit : « Alors, est-ce que tu l'aimes bien ?

— Tu veux parler de Mme Jenkins ? » a demandé le garçon.

Sans refermer les boîtes de manière absolument parfaite, la Man-man les replaçait en rayon, un petit peu tripotées, un petit peu plus vite, et elle a dit : « Est-ce que tu l'aimes bien ? »

Et comme si ça allait arranger ses affaires, notre petit pantin servile a répondu : « C'est une maman d'adoption, rien de plus. »

Et sans regarder le gamin, les yeux toujours rivés à la femme souriante sur la boîte qu'elle tenait à la main, la Man-man a dit : « Je t'ai demandé si tu l'aimais bien. »

Un chariot s'est arrêté en couinant près d'eux dans l'allée du magasin et une dame blonde a tendu le bras pour se saisir d'un flacon avec photo de blonde, sauf qu'à l'intérieur, il y avait une autre couleur. La dame en question a mis sa boîte dans le chariot et elle est partie.

« Elle se voit et se croit blonde, a dit la Man-man. Ce qu'il nous faut faire, c'est foirer un peu les petits repères de l'identité de chacun. »

Ce que la Man-man qualifiait de « Terrorisme de l'industrie de beauté ».

Le petit garçon a suivi des yeux la dame jusqu'à ce qu'elle soit trop loin pour qu'il puisse lui être d'aucune aide.

« Tu m'as déjà, moi, a dit la Man-man. Alors comment tu l'appelles, cette mère d'adoption ? »

Mme Jenkins.

« Et est-ce que tu l'aimes bien ? » a demandé la

Man-man, en se retournant sur lui pour la première fois.

Et le petit garçon a fait semblant d'hésiter avant de répondre, pour dire : « Non ? »

— Est-ce que tu l'aimes ?

— Non.

— Est-ce que tu la hais ? »

Et ce petit vermisseau aussi courageux qu'une lavette a dit : « Oui ? »

Et la Man-man a dit : « T'as très bien compris. »

Elle s'est penchée pour le regarder droit dans les yeux et dire : « À quel point tu la hais, Mme Jenkins ? »

Et la petite fiotte a dit : « Beaucoup beaucoup ?

— Et beaucoup beaucoup beaucoup », a dit la Man-man.

Elle lui a tendu la main pour qu'il la prenne et ajouté : « Il faut qu'on fasse vite. On a un train à prendre. »

Et c'est alors que, le guidant dans les allées, tirant sur son petit bras mou comme une chique, en direction de la lumière au-delà des portes vitrées, la Man-man a dit : « Tu es à moi. À moi. Maintenant et pour toujours, et ne t'avise jamais de l'oublier. »

Et le tirant toujours pour lui faire franchir le seuil du magasin, elle a dit : « Et juste au cas où la police ou quiconque viendrait à te poser la question plus tard, je vais te raconter par le détail toutes les choses sales absolument dégoûtantes que cette soi-disant mère d'adoption te faisait chaque fois qu'elle parvenait à se trouver en tête à tête avec toi. »

10.

Là où j'habite aujourd'hui, dans la vieille maison de ma maman, je suis occupé à trier ses papiers, ses bulletins de notes de l'université, contrats, relevés, comptes. Minutes de procès. Son journal intime, toujours verrouillé, sous clé. Sa vie, tout entière.

La semaine suivante, je suis M. Benning, qui l'a défendue dans le cadre de la petite inculpation de kidnapping suite à l'incident de l'autocar scolaire. La semaine qui suit, je suis Thomas Welton, avocat commis d'office, qui a passé un marché avec le bureau du procureur pour diminuer sa peine d'emprisonnement à six mois après qu'elle a été inculpée d'agression sur les animaux du zoo. Après lui, je suis l'avocat des libertés civiques américaines qui a bataillé à ses côtés sur l'inculpation de désordres avec intention de nuire suite au chambard au ballet.

Il existe un contraire à *déjà vu**. On appelle ça *jamais vu**. C'est quand on rencontre les mêmes gens ou qu'on visite des endroits, encore, encore et toujours, mais chaque fois c'est la première. Tout un

* En français dans le texte.

chacun est toujours un inconnu. Rien n'est jamais familier.

« Comment va Victor ? » demande ma maman lors de ma visite suivante.

Qui que je sois. Quelle que soit mon identité du jour. Quelque avocat commis d'office *du jour** que je sois.

Victor *qui* ? j'ai envie de demander.

« Vous n'avez pas envie de savoir », je lui dis.

Ça te briserait le cœur.

Je lui demande : « Comment était Victor quand il était enfant ? Qu'est-ce qu'il attendait du monde ? Est-ce qu'il avait un grand objectif dont il rêvait ? »

À ce stade, la manière dont je commence à sentir ma vie, c'est comme si j'étais acteur dans un feuilleton à rallonge regardé par des gens eux-mêmes dans un feuilleton à rallonge en train d'être regardés par des gens dans un feuilleton à rallonge regardés par des gens de la vraie vie quelque part. Chaque fois que je viens en visite, j'inspecte les couloirs pour avoir une nouvelle occasion de parler à la doctoresse avec son petit cerveau de cheveux noirs, ses oreilles et ses lunettes.

Le Dr Paige Marshall avec son porte-bloc, qui ne s'en laisse pas conter. Ses rêves effrayants d'aider ma maman à vivre encore dix ou vingt ans de plus.

Le Dr Paige Marshall, nouvelle dose potentielle d'anesthésiant sexuel.

Voir aussi : Nico.

Voir aussi : Tanya.

* En français dans le texte.

Voir aussi : Leeza.

De plus en plus, j'ai l'impression d'interpréter de manière désastreuse mon propre personnage.

Ma vie a à peu près autant de sens qu'un koan zen.

Un roitelet chante, mais s'agit-il d'un oiseau de la vraie vie ou de seize heures à l'horloge, je n'en sais rien.

« Ma mémoire n'est plus ce qu'elle était », dit ma maman.

Elle est en train de se frotter les tempes du pouce et de l'index de chaque main, et elle dit : « Ça me pose un vrai problème d'être un jour obligée de révéler à Victor la vérité sur lui-même. »

Bien en appui contre sa pile d'oreillers, elle dit : « Avant qu'il soit trop tard, je me demande si Victor a le droit de savoir qui il est réellement.

— Alors dites-lui, tout simplement », je lui réponds.

J'apporte la nourriture, un bol de pudding au chocolat, et j'essaie d'introduire en douce la cuillère dans sa bouche.

« Je peux aller passer un coup de fil, je dis, et Victor pourra être là dans quelques minutes. »

Le pudding est marron clair et il sent bon sous sa croûte froide marron foncé.

« Oh, mais je ne peux pas, dit-elle. La culpabilité est tellement forte, je ne peux même pas supporter de me trouver face à lui. Je ne sais même pas comment il réagira. »

Elle dit : « Mieux vaut peut-être que Victor ne découvre jamais la vérité.

— Alors, à moi, dites-le », je lui fais.

Libérez-vous de ce fardeau qui vous pèse, je lui dis, et je promets de n'en rien répéter à Victor, tant qu'elle n'aura pas donné son aval.

Elle plisse les paupières dans ma direction, sa vieille peau toute fripée se resserrant à l'entour de ses yeux. Avec son pudding au chocolat qui lui barbouille les rides autour de la bouche, elle dit : « Mais comment saurais-je que je peux vous faire confiance ? Je ne suis même pas sûre de savoir qui vous êtes. »

Je souris et je lui dis : « Mais naturellement que vous pouvez me faire confiance. »

Et je colle la cuillère dans sa bouche. Le pudding marron reste posé sur sa langue. C'est mieux qu'une sonde dans l'estomac. Bon, d'accord, ça coûte moins cher.

Je prends la télécommande et je la mets hors de sa portée, avant de lui dire : « Avalez. »

Je lui dis : « Il faut que vous m'écoutiez. Il faut que vous me fassiez confiance. »

Je lui dis : « C'est moi. Je suis le père de Victor. »

Et ses yeux laiteux se gonflent vers moi tandis que le restant de son visage, ses rides, sa peau semblent glisser dans le col de sa chemise de nuit. D'une abominable main jaune, elle se signe et sa bouche bée, pendant sur sa poitrine.

« Oh, vous êtes lui, et vous êtes revenu, dit-elle. Oh, Père béni. Saint Père, dit-elle. Oh, je vous en prie, pardonnez-moi. »

11.

Cette fois, c'est moi qui m'adresse à Denny, occupé que je suis à le verrouiller une nouvelle fois sur son pilori, ce coup-ci pour avoir gardé sur le dos de la main le tampon d'une quelconque boîte de nuit, et je dis : « Coco. »

Je dis : « C'est tellement dingue. »

Denny a les deux mains en position, prêtes pour que je les verrouille. Il a la chemise bien enfoncée dans le pantalon. Il sait la manière de ployer un peu les genoux pour soulager la tension des reins. Il n'oublie pas de passer aux toilettes avant de se faire boucler. Notre Denny est devenu un véritable expert dans l'art de se faire punir. Dans cette bonne vieille colonie de Dunsboro, le masochisme est une compétence précieuse dans le cadre du boulot.

C'est vrai pour la plupart des boulots.

Hier, à St Anthony, je lui dis, c'était pareil que ce vieux film, dans lequel il y a un mec et une peinture, et le mec fait la bringue et il réussit à vivre cent ans ou presque, et jamais il ne change. Pas d'un poil. Mais la peinture qui a été faite de lui, elle s'enlaidit de jour en jour, et devient de plus en plus ordurière à cause de tous ces machins liés à l'alcool, et il a le nez qui se décroche et qui tombe à cause d'une syphilis secondaire et de la chaude-pisse.

Toutes les résidentes de St Anthony, elles sont maintenant sur un nuage, les yeux clos, elles fredonnent. Tout le monde est tout sourire et plein de vertu bonne et fière.

Sauf moi. Moi, je suis leur stupide peinture.

« Félicite-moi, Coco, me dit Denny. Du fait que je passe tellement de temps au pilori, j'ai réussi à tenir quatre semaines de sobriété totale. Je t'assure, c'est comme qui dirait quatre semaines de plus que tout ce que j'ai réussi depuis l'âge de mes treize ans. »

La compagne de chambre de ma maman, je lui dis, Mme Novak, elle passe son temps à dodeliner parfaitement satisfaite maintenant que j'ai fini par cracher le morceau en lui avouant que c'était moi qui lui avais volé son invention de la pâte dentifrice.

Une autre vieille dame caquette aussi heureuse qu'un perroquet depuis que j'ai reconnu que c'était moi qui pissais dans son lit toutes les nuits.

Ouais, je leur déclare à toutes, c'est moi qui ai fait ça. J'ai incendié votre maison. J'ai bombardé votre village. J'ai fait déporter votre sœur. Je vous ai vendu une Nash Rambler bleue parfaitement merdique en 1968. Ensuite, ouais, j'ai bien tué votre chien.

Alors remettez-vous. C'est du passé !

Aux résidentes, je dis, entassez-moi tout sur le dos. Dans le viol à la chaîne de toutes vos culpabilités, faites-moi jouer le rôle du gros derrière passif. J'encaisserai la décharge de tout le monde.

Et une fois que tout le monde m'a craché sa décharge à la figure, les voilà toutes souriant, un refrain aux lèvres. Elles rient au plafond, amassées en foule tout autour de moi, à me tapoter la main en disant que tout va bien, elles me pardonnent. Putain, mais elles se remplument et prennent du poids. Tout ce poulailler me caquette dessus, et il y a cette vraie infirmière bien grande qui passe, et qui me dit : « Ben, ben, ben, Monsieur a la cote, à ce que je vois. »

Denny renifle.

« T'as besoin d'un chiffon à morve, Coco ? » je demande.

Ce qu'il y a de dingue, c'est que l'état de ma maman, lui, ne s'améliore en rien. J'ai beau jouer et rejouer le Joueur de flûte de Hamelin et décharger tous ces gens du fardeau des forfaitures qu'ils ont subies. J'ai beau éponger et rééponger les fautes de tout un chacun, ma maman ne croit plus que je sois moi, que je sois Victor Mancini. Aussi refuse-t-elle de se libérer de son propre gros secret. Donc elle va avoir besoin de ce machin-truc tube dans l'estomac.

« La sobriété, ça me va bien, j'ai rien contre, dit Denny, mais un jour, j'aimerais bien vivre une vie fondée sur les bonnes actions que je ferai au lieu de me contenter de ne pas faire de choses pas bien. Tu vois ? »

Ce qui est encore plus dingue, je lui dis, c'est que je suis en train de mettre sur pied un moyen de transformer ma popularité toute neuve en une petite séance de tringlette vite fait bien fait dans le placard à balais avec la grande infirmière, peut-être même réussir à la convaincre d'engorger Popaul. Une infirmière, suffit que ça pense que t'es le mec prévenant aux petits soins qui se montre patient avec de pauvres vieux et vieilles irrécupérables, et t'as déjà fait la moitié du chemin pour pouvoir l'enfiler.

Voir aussi : Caren, infirmière diplômée.

Voir aussi : Nanette, aide-soignante.

Voir aussi : Jolene, aide-soignante.

Mais peu importe avec qui je peux me trouver, j'ai la tête complètement à l'intérieur de cette autre fille. Cette Dr Paige Quelquechose. Marshall.

Aussi peu important celles que je m'enfile, je me retrouve obligé de penser à de gros animaux infectés, d'énormes dépouilles de ratons laveurs en bord de chaussée, toutes gonflées par la putréfaction, qui se font écrabouiller par des camions à toute blinde sur la grand-route par un jour de soleil brûlant juste bon à vous donner des cloques. Soit ça, ou sinon je démarre au quart de tour et ça part tout de suite, ça vous donne une idée de la manière dont cette Dr Marshall me brûle l'intérieur du ciboulot.

C'est drôle quand on y réfléchit : on ne pense jamais aux femmes qu'on a eues. C'est toujours celles qui se tirent qu'on ne peut pas oublier.

« C'est juste que mon drogué intérieur est telle-ment puissant, me dit Denny, que j'ai peur de ne pas être bouclé aux fers. Il faut absolument que ma vie ne soit pas simplement limitée à *ne pas* me branler. »

Les autres femmes, je dis, et peu importe de qui il s'agit, on peut se les imaginer en train de se faire défoncer, tu sais. Tu la vois, la nana, jambes bien écartées sur le siège d'une bagnole, avec son point G, l'arrière de son éponge urétrale, en train de se faire cheviller à demeure par ton gros trombone à coulisse bien dodu. Ou tu peux te la représenter penchée sur le rebord de sa baignoire en train de se faire bourrer. Tu sais, elle, dans sa vie très privée.

Mais cette Dr Marshall, elle donne l'impression d'être au-dessus du fait de se faire ramoner.

Une variété de volatiles genre vautours tournent au-dessus de nos têtes. Selon l'heure-oiseau, ça nous fait aux environs de quatorze heures. Une bourrasque balance les basques du gilet de Denny au-dessus de ses épaules, et je les tire pour les remettre en place.

« Parfois, dit et renifle Denny, c'est comme si je voulais être battu et puni. C'est pas un problème s'il n'y a plus de Dieu, mais je veux quand même continuer à respecter quelque chose. Je ne veux pas être le centre de mon propre univers. »

Avec Denny au pilori tout l'après-midi, il faut que je fende tout le petit bois. Seul, sans personne, il faut que je moule tout le maïs. Sale le cochon. Mire les œufs à la chandelle. Il faut écumer la crème. Nettoyer les auges à cochon. On ne le croirait pas comme ça, mais on n'a plus une minute à soi au dix-huitième siècle. Avec moi qui me récupère tout le boulot de rab à sa place, je dis au dos de Denny plié en deux : le moins qu'il puisse faire serait d'aller rendre visite à ma maman en se faisant passer pour moi. Pour entendre sa confession. Ses aveux.

Denny soupire vers le sol. D'une hauteur de soixante-dix mètres, un des vautours laisse tomber une méchante crotte blanche sur son dos.

Denny dit : « Coco, ce dont j'ai besoin, c'est d'une mission. »

Je dis : « Alors, fais-moi cette petite chose. Donne un vrai coup de main à une vieille dame. »

Et Denny dit : « Et comment se passe ton étape numéro quatre ? »

Il dit : « Coco, ça me gratte sur le côté, tu pourrais m'arranger ça ? »

Et en veillant à la merde d'oiseau, je me mets à le gratter.

12.

Dans l'annuaire, il y a de plus en plus d'encre rouge. De plus en plus nombreux sont les restaurants à être rayés d'un trait au stylo-feutre. Ce sont là tous les endroits où j'ai failli mourir. Des restaus italiens. Mexicains. Chinois. Sans blague, mais c'est vrai, tous les soirs, j'ai de moins en moins de choix pour trouver un endroit où aller manger si je veux me faire un peu d'argent. Si je veux truander quelqu'un pour qu'il m'aime.

La question est toujours : *Alors, avec quoi tu as envie de t'étrangler ce soir ?*

Il y a la nourriture française. Maya. Indienne.

Pour ce qui est de là où je vis, dans la vieille maison de ma maman, imaginez un magasin d'antiquités vraiment très sale. Le genre où il faut marcher de biais, un peu à la manière dont on marcherait dans les hiéroglyphes égyptiens, ça vous donne une idée de combien c'est encombré. Tous les meubles, c'est du bois massif sculpté, la longue table de salle à manger, les chaises, buffets, commodes, avec des visages gravés partout, et le mobilier suinte et glue d'une variété toute sirupeuse de vernis épais qui a viré au noir et qui s'est craquelé un bon million d'années avant Jésus-Christ. Couvrant les canapés bedonnants, vous avez droit à une variété de tapisserie à l'épreuve des balles sur laquelle jamais au grand jamais on n'irait s'asseoir tout nu.

Tous les soirs après le travail, d'abord il y a les cartes d'anniversaire à trier. Les chèques à totaliser. Tout cela est étalé sur l'hectare noir de la table de salle à manger, ma base d'opérations. Voici le bordereau de dépôt du lendemain à remplir. Ce soir, c'est une carte, rien qu'une. Minable. Une carte merdique arrive au courrier avec un chèque de cinquante sacs. Il reste encore un petit mot de remerciements que je dois écrire. Il reste encore la prochaine génération de lettres serviles de perdant opprimé que je dois rédiger.

Ce n'est pas que je sois ingrat, mais si tout ce que vous êtes capable de me refiler, c'est cinquante sacs, la prochaine fois laissez-moi mourir, un point, c'est tout. Okay ? Ou mieux encore, reculez sur le côté et laissez quelqu'un de riche faire le héros.

Il est sûr que je ne peux pas écrire ça dans un petit mot de remerciements, mais quand même.

Pour ce qui est de la maison de ma maman, imaginez tout ce mobilier de château entassé dans un F3 de jeunes mariés. Tous ces canapés, peintures, cartels sont censés être sa dot en provenance du vieux continent. D'Italie. Ma maman est venue ici pour ses études universitaires et elle n'est jamais rentrée au pays après ma naissance.

Elle n'est italienne d'aucune façon visible flamboyante, ou remarquable. Pas de relents marqués d'ail ni de grosses touffes de poils sous les aisselles.

Elle est venue ici pour suivre des études médicales. Cette foutue fac de médecine. Dans l'Iowa. En vérité, les immigrants tendent à être plus américains que les gens nés ici.

En vérité, c'est plus ou moins moi sa carte verte[1].

En feuilletant l'annuaire du téléphone, je me dis que ce qu'il faut, c'est présenter mon numéro à un public plus classieux. Il faut toujours aller là où se trouve le pognon pour en rapporter à la maison. N'allez pas vous étrangler à mort sur des beignets de poulet dans un rade qui pue le graillon.

Des gens riches qui mangent de la nourriture française veulent être héros tout autant que n'importe qui.

Là où je veux en venir, c'est : soyez sélectifs.

Et si j'ai un conseil à vous donner, c'est : identifiez votre marché-cible.

Dans l'annuaire, il reste encore des restaus de poisson à essayer. Des grills mongols.

Le nom sur le chèque d'aujourd'hui est celui d'une femme qui m'a sauvé la vie dans un buffet scandinave en avril dernier. Un de ces buffets où on mange à volonté. *Mais qu'est-ce que j'avais dans la tête ce jour-là ?* S'étrangler dans les restaurants bon marché est incontestablement une fausse économie. Tout est très exactement noté et défini, jusqu'au plus petit détail, dans le grand livre que je garde. Il y a tout, depuis l'identité de ceux qui m'ont sauvé, avec lieu et date, jusqu'à combien ils ont dépensé jusque-là. Le donneur d'aujourd'hui est Brenda Munroe, signé au bas de la carte d'anniversaire, avec toute son affection.

1. Permis de travail, à l'origine carte de couleur verte.

« J'espère que ce petit quelque chose vous aidera »,
a-t-elle écrit au bas du chèque.

Brenda Munroe, Brenda Munroe. J'ai beau
essayer, je ne mets pas de visage sur le nom. Rien.
Personne ne peut s'attendre à ce que vous parveniez
à vous souvenir de toutes vos expériences de mort
quasi mortelle. Il est certain que je devrais tenir mes
notes mieux en ordre et mieux détaillées, au moins
couleur des cheveux et des yeux, mais, sans blague,
c'est vrai, regardez-moi là où je suis. Tel que c'est
déjà, je suis noyé sous les paperasses.

Ma lettre de remerciements du mois dernier traitait
entièrement de mes difficultés à régler j'ai oublié
quoi.

C'était le montant du loyer dont j'avais besoin, je
disais aux gens, ou un problème de dentiste. Il s'agissait de payer le lait, ou un thérapeute conseil. Mais
la lettre, quand j'en ai fini d'envoyer deux cents
exemplaires identiques, je ne veux plus jamais la
relire.

C'est une version domestique et personnelle de ces
organismes de charité pour enfants d'outremer. Celles où, pour le prix d'une tasse de café, vous pourriez
sauver la vie d'un gamin. En le parrainant. Le truc
qui vous accroche, c'est que vous ne pouvez tout bonnement pas sauver la vie de quelqu'un une fois seulement. Les gens se retrouvent obligés de me sauver
encore et encore. Pareil que dans la vraie vie, heureux
pour toujours, ça n'existe pas.

Pareil qu'à la fac de médecine : vous ne pouvez pas
sauver quelqu'un plus d'un certain nombre de fois
avant de ne plus pouvoir. C'est le principe de Peter
de la médecine.

Ces gens qui envoient de l'argent, ils paient pour de l'héroïsme à tempérament. Traite après traite.

Il y a de la nourriture marocaine sur laquelle s'étrangler. Sicilienne. Tous les soirs.

Après ma naissance, ma maman s'est juste planquée aux États-Unis sans faire de vagues. Pas dans cette maison-ci. Non. Elle n'a vécu ici qu'après sa dernière remise en liberté, après l'inculpation de vol d'autocar scolaire. Vol de véhicule et enlèvement. Ici, ce n'est pas une maison qui soit un souvenir d'enfance, pas plus que les meubles d'ailleurs. C'est tout ce que les parents de ma mère lui ont envoyé d'Italie. Enfin, je crois. Pour ce que j'en sais, elle aurait pu gagner tout ça lors d'un jeu télévisé.

Une fois, une unique fois, je l'ai interrogée sur sa famille, mes grands-parents en Italie.

Et elle a dit, et ça, je m'en souviens, elle a dit : « Ils ne sont pas au courant de ton existence, alors ne viens pas me faire d'ennuis. »

Et s'ils ne connaissent pas l'existence de leur petit-fils bâtard, il y a fort à parier, sans grand risque de se tromper, qu'ils ne sont pas au courant de la condamnation de leur fille pour obscénité, de sa condamnation pour tentative de meurtre, de ses incessantes et téméraires mises en péril de la vie d'autrui, de ses harcèlements d'animaux. Fort à parier qu'eux aussi sont fous à lier. Suffit de voir leur mobilier. Probable qu'ils sont fous à lier et morts.

Je feuillette l'annuaire du téléphone, dans un sens, puis dans l'autre.

La vérité, c'est qu'il m'en coûte trois mille dollars par mois pour garder ma maman au centre de soins de St Anthony. À St Anthony, pour cinquante dollars, vous avez droit à un changement de couches.

Dieu seul sait combien de morts il va falloir que je quasiment meure pour payer une sonde stomacale.

La vérité, c'est qu'à ce stade le grand livre comporte juste trois cents et quelques noms archivés, et je ne parviens toujours pas à engranger trois plaques par mois. Sans compter que, tous les soirs, il y a le garçon avec l'addition. Et le pourboire. Ces foutus frais généraux me tuent.

Pareil que pour toute bonne combine à structure pyramidale, il faut toujours enrôler de nouveaux membres au bas de l'échelle. Pareil que pour la Sécurité sociale, il s'agit d'une masse de braves gens qui paient pour quelqu'un d'autre. Taper tous ces Bons Samaritains d'une petite pièce, c'est rien que mon petit filet de secours social personnel.

« Combine Ponzi[1] » n'est pas vraiment l'expression qui convienne, mais c'est la première qui vient à l'esprit.

La vérité toute lamentable, c'est que tous les soirs il faut que je continue à feuilleter l'annuaire pour me trouver un bon endroit où quasiment mourir.

Ce que je dirige, c'est le Téléthon Victor Mancini.

Ce n'est pas pis que le gouvernement. Sauf que dans l'État providence Victor Mancini, les gens qui règlent la facture sociale ne se plaignent pas. Ils sont fiers. Et en fait, ils s'en vantent auprès de leurs amis.

C'est une arnaque aux cadeaux, avec rien que moi au sommet et de nouveaux membres qui font la

1. Combine Ponzi : variante d'escroquerie, d'après Charles Ponzi (mort en 1949), son inventeur, vers 1919-20.

queue pour payer leur billet d'entrée en me serrant par-derrière. Saigner ces braves gens si généreux, c'est un cadeau.

Cependant, pas question pour moi de claquer cet argent en drogues ou aux jeux d'argent. Plus question aujourd'hui que je parvienne même à finir un repas. Arrivé à la moitié de chaque plat principal, il faut que j'aille travailler. À jouer l'étranglé avec haut-le-cœur qui se débat en tous sens. Mais même alors, certaines personnes n'alignent jamais le moindre argent. Certaines semblent y réfléchir à deux fois. Après un laps de temps suffisamment long, même les gens les plus généreux n'adressent plus de chèque.

Le côté pleurs de mon numéro, quand je me trouve serré entre les bras de quelqu'un, haletant, le souffle court, en larmes, cette partie-là devient de plus en plus facile. De plus en plus, ce qu'il y a de plus difficile avec les sanglots, c'est quand je ne peux pas m'arrêter.

La fondue n'est pas encore rayée dans l'annuaire. Il y a du thaï. Du grec. De l'éthiopien. Du cubain. Il reste un millier d'endroits où je ne suis pas allé mourir.

Afin d'augmenter les liquidités, il faut créer deux ou trois héros chaque soir. Certains soirs, il faut faire trois ou quatre lieux différents pour avoir un repas complet digne de ce nom.

Je suis un artiste de composition qui fait du dîner-théâtre, jusqu'à trois représentations d'affilée. Mesdames et messieurs, puis-je demander un volontaire dans la salle.

« Merci, mais non, merci », voilà ce que j'aimerais dire aux membres de ma famille, décédés. « Mais je suis capable de bâtir ma propre famille ».

Poisson. Viande. Végétarien. Ce soir, comme la plupart des soirs, la manière la plus facile est de fermer les yeux, tout simplement.

Lever le doigt au-dessus de l'annuaire ouvert.

Avancez-vous, mesdames et messieurs, et devenez des héros. Avancez-vous et sauvez une vie.

Laisser juste retomber la main, et laisser le destin décider pour vous.

13.

À cause de la chaleur, Denny ôte sa veste, puis son chandail. Sans défaire les boutons, pas même ceux des manchettes ou du col, il fait passer sa chemise par-dessus la tête, il la retourne complètement, de sorte que maintenant sa tête et ses mains sont empaquetées de flanelle rouge à carreaux. Le tee-shirt en dessous remonte jusqu'à ses aisselles tandis qu'il bataille contre la chemise en voulant lui faire passer la tête, et son ventre nu a l'air tout décharné et couvert de rougeurs. Quelques longs poils bourgeonnent autour de ses petits tétons. Ses tétons ont l'air gercés et douloureux.

« Coco », dit Denny, toujours bataillant à l'intérieur de sa chemise. « Y a trop de couches. Pourquoi faut-il qu'y fasse si chaud ici dedans ? »

Parce que c'est une sorte d'hôpital. Une résidence à soins permanents.

Par-dessus son jean et son ceinturon, on voit la taille à l'élastique usé de son méchant caleçon. Des taches de rouille orange sont visibles sur l'élastique trop lâche. En ressortent sur l'avant quelques poils qui tournicotent. Il y a des taches de sueur jaunâtre, sans blague, c'est vrai, sur la peau des aisselles.

La fille de la réception est assise devant nous, en train de nous observer, le visage tout en plis resserrés autour du nez.

J'essaie de renfoncer son tee-shirt, et il ne fait aucun doute qu'il y a bien plus d'une nuance de couleur dans les petites peluches qui emplissent son nombril. Au boulot, dans les vestiaires, j'ai vu Dennis enlever son pantalon comme une pelure à l'envers en même temps que le caleçon, exactement comme je faisais quand j'étais petit.

Et la tête toujours emballée dans sa chemise, Denny y va de son : « Coco, tu peux m'aider ? Y a un bouton quelque part dont j'ignore l'existence. »

La fille de la réception ne me quitte pas de l'œil. Elle tient le combiné du téléphone à mi-chemin de son oreille.

Maintenant que la majeure partie de ses vêtements se trouvent par terre à côté de lui, Denny fait de plus en plus maigrelet jusqu'à ce qu'il ne reste de lui que son tee-shirt tout rance et son jean aux genoux sales. Ses chaussures de tennis sont nouées à double nœud et les trous de laçage encollés de saleté pour toujours.

Il fait aux alentours de trente-sept degrés ici parce que la plupart de ces gens, leur sang ne circule plus, je lui dis. Il y a des tas de vieux ici.

Ça sent le propre, ce qui signifie qu'on ne sent que du chimique, des produits de nettoyage, ou des parfums. Il faut savoir que l'odeur de pin masque de la merde quelque part. Le citron égale quelqu'un qui a vomi. Les roses, c'est l'urine. À l'issue d'un après-midi passé à St Anthony, on n'a plus jamais envie de sentir une rose pour le restant de ses jours.

Le hall d'entrée offre du mobilier capitonné, des fleurs et des plantes aussi fausses les unes que les autres. Tous ces articles de décoration vont disparaître une fois passé les portes verrouillées.

S'adressant à la fille de la réception, Denny dit : « Est-ce qu'il y a des risques qu'on tripatouille ma camelote si je la laisse là ? »

Il parle de son tas de vieilles fringues.

Il dit : « Je suis Victor Mancini. »

Il se tourne vers moi.

« Et je suis ici pour voir ma maman. »

M'adressant à Denny, j'y vais de mon : « Coco, seigneur, ce n'est pas *elle* qui a des problèmes au cerveau. »

M'adressant à la fille de la réception, je dis : « C'est moi, Victor Mancini. Je viens ici tout le temps pour voir ma maman, Ida Mancini. Elle occupe la chambre 158. »

La fille appuie sur un bouton de téléphone et dit : « J'appelle l'infirmière Remington. L'infirmière Remington est priée de venir à la réception. »

Sa voix nous revient énorme à travers le plafond.

C'est à se demander si l'infirmière Remington est une vraie personne de la vraie vie.

C'est à se demander si cette fille ne prend pas Denny pour un autre de ces déshabilleurs chroniques agressifs.

Denny s'en va chasser du pied ses frusques sous un fauteuil capitonné.

Un mec obèse arrive en trottinant dans le couloir, une main pressée contre une poche de poitrine tressautant de stylos et l'autre sur son étui de hanche contenant une bombe de solution poivrée. Sur l'autre hanche, des clés tintinnabulent. S'adressant à la fille de la réception, il dit : « Alors, que se passe-t-il ici ? »

Et Denny dit : « Est-ce qu'il y a ici des toilettes que je pourrais utiliser ? Je veux dire, des toilettes pour civils ? »

Le problème, c'est Denny.

Donc c'est lui qui va entendre les aveux qu'elle va faire, il faut qu'il fasse connaissance de ce qui reste de ma maman. Mon plan est de le présenter comme étant Victor Mancini.

De cette manière, Denny pourra découvrir qui je suis réellement. De cette manière, ma maman pourra trouver un peu de paix. Prendre un peu de poids. M'économiser le prix d'une sonde. Ne pas mourir.

À son retour des toilettes, tandis que le garde nous accompagne vers la partie vivante de St Anthony, Denny dit : « Ici, il n'y a donc pas de verrou aux portes des toilettes ? J'étais assis sur le trône, et il y a une vieille dame qui est entrée comme si elle était chez elle. »

Je lui demande si elle voulait du sexe.

Et Denny dit : « Tu peux me répéter ça ? »

Nous franchissons une porte que le garde est obligé de déverrouiller, puis une autre. Tout en avançant, ses clés rebondissent sur sa hanche. Même sa nuque présente une grosse bouée de lard.

« Ta maman ? dit Denny. Est-ce qu'elle te ressemble ?

— Peut-être bien, je lui réponds, sauf que, tu sais... »

Et Denny dit : « Sauf qu'elle meurt de faim et qu'elle n'a plus de cervelle, je me trompe ? »

Et moi, je lui dis : « Arrête, tu veux ? » Je lui dis : « Okay, comme mère, elle a été merdique, mais c'est la seule maman que j'aie.

— Désolé, Coco », dit Denny, et il continue : « Mais est-ce qu'elle ne va pas remarquer que je ne suis pas toi ? »

Ici, à St Anthony, ils sont obligés de tirer les doubles rideaux avant que la nuit tombe, dans la mesure où, si une résidente se voit en reflet dans une fenêtre, elle va croire qu'elle est épiée par un voyeur. On appelle ça « les couchers de soleil ». Quand tous les vieux deviennent cinglés au crépuscule.

On pourrait placer la plupart de ces personnes devant un miroir et leur dire qu'il s'agit d'une édition spéciale à la télévision sur les pauvres et malheureux vieux à l'agonie, et elles regarderaient des heures durant.

Le problème, c'est que ma maman refuse de me parler quand je suis Victor, et elle refuse de me parler quand je suis son avocat. Mon seul espoir est d'être son avocat commis d'office tandis que Denny sera moi. Je suis capable de l'aiguillonner dans la bonne direction. Lui pourra l'écouter. Et peut-être qu'alors elle parlera.

Essayez de voir ça comme une sorte d'embuscade gestaltiste.

En chemin, le garde me demande : ne suis-je pas le mec qui a violé le chien de Mme Field ?

Non, je lui réponds. C'est une longue histoire, qui remonte à loin, je lui dis. À près de quatre-vingts ans.

Nous trouvons Maman dans le foyer, assise à une table avec un puzzle complètement éclaté étalé devant elle. Il doit y avoir un millier de pièces, mais il n'y a pas de boîte pour montrer quel aspect il est censé avoir une fois terminé. Ça pourrait être n'importe quoi.

Denny dit : « C'est elle ? Coco, elle te ressemble pas du tout. »

Ma maman est en train de déplacer les pièces du puzzle en tous sens, il y en a même certaines qui sont retournées, dos cartonné gris visible, et elle essaie de les faire se correspondre.

« Coco », dit Denny.

Il fait pivoter une chaise et s'assied à la table à califourchon de manière à pouvoir se pencher, en appui sur le dossier.

« Selon mon expérience personnelle, la meilleure façon de démarrer est de trouver toutes les pièces des bords avec une arête rectiligne. »

Les yeux de ma maman détaillent lentement Denny, son visage, ses lèvres gercées, sa tête rasée, les trous dans les coutures de son tee-shirt.

« Bonjour, madame Mancini, je dis. Votre fils, Victor, est venu vous rendre visite. C'est lui, le voici. » Je dis : « N'avez-vous pas quelque chose d'important à lui dire ?

— Ouais, dit Denny en hochant la tête. Je suis Victor. »

Il se met à ramasser les pièces avec un côté rectiligne.

« Est-ce que cette partie bleue n'est pas censée être du ciel ou de l'eau ? » dit-il.

Et les vieux yeux bleus de ma maman commencent à se remplir de jus.

« Victor ? » dit-elle.

Elle s'éclaircit la gorge. Les yeux toujours rivés à Denny, elle dit : « Tu es ici. »

Et Denny continue à étaler les morceaux du puzzle du bout de ses doigts, ramassant les pièces rectilignes qu'il dépose sur le côté. Sur le chaume de poils de son crâne rasé, à cause de sa chemise en lainage rouge à carreaux, il y a de petites boulettes de peluche rouge.

Et la vieille main de ma maman s'étire en craquant par-dessus la table pour se refermer sur la main de Denny.

« C'est bon de te voir, dit-elle. Comment vas-tu ? Ça fait si longtemps. »

Un peu de jus d'yeux ressort du bas d'un œil et suit les rides jusqu'à la commissure des lèvres.

« Seigneur », dit Denny, et il retire sa main. « Madame Mancini, vos mains sont gelées. »

Ma mère dit : « Je suis désolée. »

On sent une odeur de nourriture de cafétéria, chou ou haricots, en train de cuire jusqu'à consistance de bouillie.

Et tout ce temps, moi, je reste planté là.

Denny assemble quelques centimètres de bordure. S'adressant à moi, il dit : « Alors, quand est-ce qu'on rencontre ta dame doctoresse aussi parfaite ? »

Ma maman dit : « Tu ne vas pas déjà partir, n'est-ce pas ? »

Elle regarde Denny, les yeux marécageux, les vieilles touffes de ses sourcils venant s'embrasser au milieu, au-dessus du nez.

« Tu m'as tellement manqué », dit-elle.

Denny dit : « Hé, Coco, coup de bol ! Voici un coin ! »

La vieille main tremblante, comme cuite et recuite, de ma maman se tend, secousse après secousse, et pique une boulette de peluche rouge sur la tête de Denny.

Et je dis : « Excusez-moi, madame Mancini. » Je dis : « Mais n'y avait-il pas quelque chose qu'il fallait que vous disiez à votre fils ? »

Ma maman se contente de me regarder, moi d'abord, puis Denny.

« Est-ce que tu peux rester, Victor ? dit-elle. Il faut qu'on parle. Il y a tellement de choses qu'il faut que j'explique.

— Alors expliquez, je dis. »

Denny dit : « Voici un œil, je crois. » Il dit : « Donc est-ce que ce ne serait pas un visage ? »

Ma maman tend une vieille main tremblotante ouverte vers moi, et elle dit : « Fred, ceci est entre mon fils et moi. Il s'agit d'une importante histoire de famille. Allez quelque part. Allez regarder la télévision, et laissez-nous à nos retrouvailles en privé. »

Et je dis : « Mais. »

Mais ma maman dit : « Partez. »

Denny dit : « Voici un autre coin. »

Denny ramasse toutes les pièces bleues et les place sur le côté. Toutes les pièces ont fondamentalement la même forme, des croix liquides. Des swastikas fondus.

« Allez donc essayer de sauver quelqu'un d'autre pour changer », dit ma maman, sans me regarder.

Elle regarde Denny et dit : « Victor viendra vous retrouver quand nous en aurons terminé. »

Elle me suit des yeux tandis que je recule jusque dans le couloir. Après cela, elle dit à Denny quelque chose que je ne peux entendre. Sa main tremblotante se tend et touche le cuir bleuté et brillant du crâne de Denny, elle le touche juste derrière une oreille. Là où s'arrête sa manche de pyjama, son vieux poignet apparaît, mince, marron, tout en ligaments, comme un cou de dinde bouilli.

Toujours occupé à farfouiller dans le puzzle, Denny a un sursaut.

Une odeur m'enveloppe, une odeur de couches, et une voix cassée derrière moi dit : « Tu es celui qui a balancé tous mes livres de classe dans la boue, en CE1. »

Toujours surveillant ma maman, essayant de voir ce qu'elle est en train de dire, j'y vais de mon : « Ouais, je crois bien.

— Eh bien, dis donc, au moins, tu es honnête », dit la voix.

Un petit champignon desséché de bout de femme glisse son bras au creux du mien.

« Viens avec moi, dit-elle. Le Dr Marshall aimerait beaucoup te parler. Seule à seul, quelque part. »

Elle porte la chemise rouge en lainage à carreaux de Denny.

14.

Penchant en arrière sa tête, son petit cerveau noir, Paige Marshall pointe le doigt vers le plafond beige en voûte.

« Jadis, il y avait des anges, dit-elle. On raconte qu'ils étaient d'une beauté incroyable, avec des ailes aux plumes bleues et des auréoles dorées à la feuille. »

La vieille femme me conduit à la grande chapelle de St Anthony, vaste et vide aujourd'hui puisque c'était jadis un couvent. Un mur entier est constitué d'un vitrail en cent nuances d'or différentes. L'autre mur n'est qu'un gigantesque crucifix en bois. Entre les deux se tient Paige Marshall en blouse blanche de laborantine, dorée elle aussi à la lumière, sous le cerveau noir de sa chevelure. Elle porte ses lunettes à monture noire et lève les yeux. Tout entière de noir et d'or.

« Pour obéir aux décrets de Vatican II, dit-elle, les décorations murales ont été recouvertes de peinture. Les anges et les fresques. On s'est débarrassé de la plupart des statues comme on arrache des mauvaises

herbes. Tous ces superbes mystères de la foi. Disparus. »

Elle me regarde.

La vieille femme est partie. La porte de la chapelle
se referme derrière moi sur un déclic.

« C'est pathétique, dit Paige, cette manière que
nous avons d'être incapables de vivre avec les choses
que nous ne comprenons pas. Si nous ne parvenons
pas à expliquer quelque chose, nous nous contentons
de le nier, tout bonnement. »

Elle dit : « J'ai trouvé un moyen pour sauver la vie
de votre mère. » Elle dit : « Mais il se peut que vous
ne soyez pas d'accord. »

Paige Marshall commence à défaire les boutons de
sa blouse, et de plus en plus de peau cachée apparaît
au jour.

« Il se peut que vous trouviez l'idée parfaitement
répugnante », dit-elle.

Elle ouvre sa blouse.

Elle est nue dessous. Nue d'une blancheur aussi
pâle que la peau sous ses cheveux. Nue blanche et
distante d'un peu plus d'un mètre. Et très mettable.
D'un haussement d'épaules, elle se débarrasse de sa
blouse qui tombe derrière elle comme un drapé, toujours accrochée à ses coudes. Les bras toujours à
l'intérieur des manches.

Et voici toutes ces ombres fourrées toutes resserrées où vous mourez de l'envie d'aller.

« Nous ne disposons que de ce petit créneau, dit-
elle. Saisissons l'occasion. »

Et elle s'avance vers moi. Les lunettes toujours sur
le nez. Les pieds toujours dans leurs petites chaus-

sures bateau blanches, sauf qu'ici on les croirait en or.

J'avais raison à propos de ses oreilles. Sûr et certain que la ressemblance est impressionnante. Un autre trou qu'elle ne peut fermer, caché, gansé de peau. Encadré par ses cheveux doux.

« Si vous aimez votre mère, dit-elle, si vous voulez qu'elle vive, il vous faudra faire cela avec moi. »

Maintenant ?

« C'est ma période d'ovulation, dit-elle. J'ai la muqueuse tellement gonflée et épaisse qu'on pourrait y faire tenir une cuillère debout. »

Ici ?

« Je ne peux pas vous voir à l'extérieur d'ici », dit-elle.

Son annulaire est aussi nu que le reste d'elle. Je demande : est-elle mariée ?

« Cela vous pose-t-il un problème ? » dit-elle.

Juste là, à une portée de main, il y a la courbure de sa taille qui descend vers les contours de son cul. Rien que là, si près, il y a l'étagère de chaque sein qui redresse le petit bouton noir d'un téton. Rien qu'à distance de bras, il y a cette niche chaude brûlante où les deux jambes se rejoignent.

Je dis : « Non. Non. Pas de problème. »

Ses mains viennent se rejoindre autour du premier bouton de ma chemise, puis autour du suivant, puis du suivant. Ses mains écartent la chemise et la font glisser de mes épaules de sorte qu'elle tombe derrière moi.

« Je veux juste que vous sachiez », je lui dis comme ça, « comme vous êtes médecin et tout ça. » Je dis :

« Je pourrais bien être un ancien drogué du sexe en voie de guérison. Un convalescent, quoi. »

Sa main dégage la boucle de mon ceinturon, et elle dit : « Alors, pourquoi ne pas faire ce qui vient naturellement ? »

L'odeur d'elle, ce n'est pas des roses, du pin ou du citron. Ce n'est rien, pas même de la peau.

L'odeur qu'elle dégage, c'est mouillé.

« Vous ne comprenez pas, je dis. J'ai derrière moi pratiquement deux jours complets d'abstinence. »

La lumière dorée la fait paraître chaude et rayonnante. Et pourtant, j'ai le sentiment que si je l'embrassais, mes lèvres resteraient collées comme sur un métal gelé. Pour ralentir les choses, je pense à des carcinomes cellulaires basiques. Je me représente un impétigo bactérien sur un épiderme infecté. Des ulcères de la cornée.

Elle me tire le visage au creux de son oreille. Au creux de mon oreille, elle murmure : « Très bien. C'est tout à fait noble de votre part. Mais que diriez-vous d'entamer votre processus de guérison demain... »

Des deux pouces, elle fait glisser mon pantalon sur mes hanches et dit : « J'ai besoin que vous placiez votre foi en moi. »

Et sa douce main froide se referme sur moi.

15.

Si d'aventure vous vous trouvez dans le hall d'un grand hôtel, et qu'ils se mettent à diffuser la valse du *Beau Danube bleu*, fichez le camp en vitesse. Ne réfléchissez pas. Courez.

Fini, aujourd'hui, plus rien n'est simple et direct.

Si d'aventure vous vous trouvez dans un hôpital et que vous entendez un appel pour l'infirmière Flamand, en cancérologie, ne vous approchez surtout pas de ce secteur. Il n'y a pas d'infirmière Flamand. Si on appelle le Dr Brazier, cette personne n'existe pas.

Dans un grand hôtel, cette valse signifie qu'il faut faire évacuer le bâtiment.

Dans la plupart des hôpitaux, l'infirmière Flamand signifie un incendie. Le Dr Brazier signifie un incendie. Le Dr Vert signifie un suicide. Le Dr Bleu signifie que quelqu'un a cessé de respirer.

Tout ça, ce sont des trucs que la Man-man a enseignés au stupide petit garçon quand ils étaient pris dans un embouteillage. Ça montre à quel point ça ne tournait déjà pas rond chez elle depuis bien longtemps.

Un certain jour, le gamin était assis en classe lorsqu'une dame de l'administration de l'école est venue dire que son rendez-vous chez le dentiste était annulé. Une minute plus tard, il avait levé la main pour demander à se rendre aux toilettes. Il n'y avait jamais eu de rendez-vous chez le dentiste. Bien sûr, quelqu'un avait appelé, de la part du cabinet dentaire, mais il s'agissait en fait d'un nouveau signal secret. Il était sorti par une porte latérale près de la cafétéria, et elle était là, qui l'attendait dans une voiture dorée.

C'était la deuxième fois que la Man-man venait le réclamer.

Elle avait descendu la vitre et dit : « Est-ce que tu sais pourquoi Man-man était en prison cette fois-ci ?

— Pour avoir changé les colorants à cheveux ? » a-t-il dit.

Voir aussi : Malfaisance avec intention de nuire.

Voir aussi : Agression sans préméditation.

Elle s'est penchée pour lui ouvrir la portière et n'a pas cessé de parler. Des jours et des jours durant.

Si d'aventure tu te trouves dans un Hard Rock Café, lui a-t-elle dit, et qu'on annonce : « Elvis a quitté le bâtiment », cela signifie que tous les serveurs doivent aller en cuisine pour savoir quel spécial du dîner est épuisé.

Ce sont là les choses que les gens vous disent quand ils ne veulent pas vous dire la vérité.

Dans une salle de spectacle de Broadway, l'annonce « Elvis a quitté le bâtiment » signifie qu'il y a un incendie.

Dans une épicerie, un appel à M. Cash signifie qu'on demande un garde de sécurité armé. Un appel à « vérification des marchandises au rayon femmes » signifie qu'il y a du vol à l'étalage dans le magasin. D'autres magasins appellent aussi une femme qui n'existe pas et se prénomme Sheila. « Sheila à l'entrée » signifie qu'un voleur à l'étalage est en pleine action à l'entrée. M. Cash, Sheila et l'infirmière Flamand, c'est toujours de mauvaises nouvelles.

La Man-man a coupé le moteur et elle est restée assise là, une main serrée sur le volant à midi, tandis que de l'autre, elle claquait des doigts pour que le garçon lui répète des choses. L'intérieur de ses narines était tout sombre à cause du sang séché. Des tortillons de mouchoirs en papier usagés, barbouillés de sang eux aussi, gisaient sur le plancher de la voiture. Il y avait du sang aussi sur le tableau de bord, restes d'un éternuement. Il y en avait d'autre sur l'intérieur du pare-brise.

« Rien de ce que tu apprends à l'école n'a vraiment une telle importance, a-t-elle dit. Ces trucs que tu apprends ici aujourd'hui te sauveront la vie. »

Elle a claqué des doigts.

« M. Amond Silvestiri ? a-t-elle dit. Si on l'appelle, qu'est-ce que tu dois faire ? »

Dans certains aéroports, un appel à ce monsieur signifie un terroriste avec une bombe. « M. Amond Silvestiri est attendu à la porte dix, hall D » signifie que c'est là que la brigade d'intervention spéciale trouvera son homme.

Mme Pamela Rank-Mensa signifie un terroriste dans l'aéroport avec seulement une arme à feu.

« M. Bernard Wallis est attendu à la porte seize, hall F » signifie que quelqu'un menace un otage d'un couteau sur la gorge.

131

La Man-man a mis le frein à main et a claqué à nouveau des doigts.

« Vif comme l'éclair. Que signifie Mlle Terrilyn Mayfield ?

— Du gaz innervant ? » a dit le garçon.

La Man-man a secoué la tête.

« Ne me dis rien, a annoncé le garçon. Un chien enragé ? »

La Man-man a secoué la tête.

À l'extérieur de leur voiture s'entassait serré une mosaïque de véhicules. Les hélicoptères barattaient l'air au-dessus de l'autoroute.

Le garçon s'est tapoté le front et a dit : « Lance-flammes ? »

La Man-man a dit : « Tu ne fais même pas d'effort. Est-ce que tu veux un indice ?

— Un suspect dans une affaire de drogue, a-t-il dit alors. Bon, ouais, un indice. »

Et la Man-man a dit : « Mlle Terrilyn Mayfield... pense un peu à des vaches et à des chevaux. »

Et le garçon a hurlé : « La maladie du charbon. L'anthrax ! » Il s'est martelé le front du poing et il a dit : « Anthrax. Anthrax. Anthrax. » Il s'est martelé la tête et il a dit : « Comment ça se fait que j'oublie si vite ? »

De sa main libre, la Man-man lui a ébouriffé les cheveux et elle a dit : « Tu te débrouilles bien. Souviens-toi seulement de la moitié de tout ça, et tu survivras à la majorité des gens. »

Partout où ils se rendaient, la Man-man trouvait de la circulation. Elle écoutait les bulletins radio sur les endroits où il ne fallait pas aller, et elle les trouvait, les bouchons. Elle trouvait les embouteillages.

Elle trouvait les voies bloquées. Elle cherchait les incendies de voitures ou les ponts mobiles levés. Elle n'aimait pas conduire vite, mais elle voulait avoir l'air occupée. Dans les engorgements de la circulation, elle ne pouvait rien faire et ce n'était pas sa faute. Ils se retrouvaient pris au piège. Cachés. En sécurité.

La Man-man a dit : « Je vais t'en donner une facile. » Elle a fermé les yeux et souri, avant de rouvrir les paupières et dire : « Dans n'importe quel magasin, qu'est-ce que ça signifie quand ils demandent des pièces d'un quart de dollar à la caisse numéro cinq ? »

Ils portaient tous deux les mêmes vêtements depuis le jour où elle était passée le prendre à l'école. Quel que soit le motel où ils se retrouvaient, quand il se faufilait dans le lit, la Man-man claquait des doigts et lui demandait son pantalon, sa chemise, ses chaussettes, son caleçon, jusqu'à ce qu'il lui passe tout le lot, toujours sous ses couvertures. Au matin, quand elle lui rendait ses vêtements, parfois, ceux-ci étaient lavés.

Quand une caissière demande des quarts de dollar, dit le gamin, ça veut dire qu'une jolie femme se tient là et que tout le monde devrait venir voir.

« Eh bien, il n'y a pas que ça, a dit la Man-man. Mais oui. »

Parfois, la Man-man s'endormait contre la portière et toutes les autres voitures autour d'eux repartaient. Si le moteur était en marche, parfois, sur le tableau de bord des lumières dont le garçon ignorait même l'existence s'allumaient, signalant toutes sortes de problèmes d'urgence. Ces fois-là, la fumée s'échappait de la jonction du capot, et le moteur s'arrêtait de lui-même. Les véhicules coincés derrière eux se mettaient à klaxonner. La radio parlait d'un nouveau bouchon, une voiture immobilisée, moteur calé, dans la file centrale de l'autoroute, qui bloquait la circulation.

Avec les gens qui klaxonnaient et les regardaient par leur vitre, et le fait qu'on parlait d'eux à la radio, le stupide petit garçon s'imaginait que c'était ça, être célèbre. Jusqu'à ce que les klaxons réveillent sa mère, le petit garçon se contentait de faire des signes de la main aux voitures de passage. Il pensait au Tarzan gras à lard avec le singe et les châtaignes. À la manière dont le bonhomme était capable encore de sourire. À la manière dont l'humiliation est humiliation uniquement quand on choisit de souffrir.

Le petit garçon souriait en retour à tous ces visages furieux qui lui jetaient des regards noirs.

Et le petit garçon soufflait ses baisers.

Quand un camion a corné de son avertisseur, la Man-man s'est réveillée d'un bond. Puis, lentement à nouveau, pendant une minute, elle a dégagé la majeure part des cheveux qu'elle avait dans la figure. Elle a enfoncé un tube en plastique blanc dans une narine et a inspiré. Une autre minute de néant s'est écoulée avant qu'elle ressorte le tube et plisse les yeux vers le petit garçon assis à côté d'elle à l'avant. Elle a plissé les yeux vers les nouveaux clignotements rouges du tableau de bord.

Le tube en question était plus petit que son tube de rouge à lèvres, avec un trou au travers duquel renifler et un truc qui puait à l'intérieur. Quand elle avait reniflé, il y avait toujours du sang sur le tube.

134

« T'es en quoi, là ? a-t-elle dit. En CP ? CE1 ? »

En CM2, a dit le garçon.

« Et à ce stade, ton cerveau pèse quoi ? Trois, quatre livres ? »

À l'école, il n'avait que des A.

« Alors, ça te fait quoi ? a-t-elle dit. Sept ans ? »

Neuf.

« Eh bien, Einstein, tout ce que ces parents d'adoption t'ont raconté, a dit la Man-man, tu peux l'oublier. »

Elle a dit : « Les familles d'adoption, ça ne sait pas ce qui est important. »

Juste au-dessus d'eux un hélicoptère faisait du surplace, et le garçon s'est penché de manière à pouvoir regarder à la verticale à travers la partie bleutée en haut du pare-brise.

La radio parlait d'une Plymouth Duster or qui bloquait le couloir central de circulation du boulevard circulaire. Apparemment, la voiture avait un problème de surchauffe.

« Rien à foutre de l'histoire. Tous ces faux personnages, c'est ceux-là qu'il faut que tu connaisses, parce que ce sont les plus importants », a dit la Man-man.

Mlle Pepper Havilland est le virus Ebola. M. Turner Anderson signifie que quelqu'un vient de vomir.

La radio disait que l'on envoyait des équipes de dégagement d'urgence pour aider la voiture immobilisée.

« Tous ces trucs qu'on t'enseigne sur l'algèbre et la macroéconomie, oublie ça, a-t-elle dit. À toi de me répondre : ça t'avance à quoi de calculer le carré de l'hypoténuse d'un triangle quand un terroriste viendra ensuite te coller une balle dans la tête ? Ça t'avance à rien du tout ! Ce que je t'offre, c'est la seule véritable éducation dont tu aies besoin. »

D'autres voitures venaient les frôler de près avant de dégager très vite dans un couinement de pneus et de disparaître vers d'autres lieux.

« Ce que les gens croient pouvoir te raconter sans risques n'ira jamais bien loin. Je veux que tu en saches plus », a-t-elle dit.

Le garçon a dit : « Du genre, quoi, en plus ?

— Du genre, quand tu penses au restant de ton existence », a-t-elle dit, et elle s'est masqué les yeux d'une main, « il faut savoir qu'en fait, tu ne penses jamais beaucoup plus loin qu'à deux ans de là, maxi. »

Et ce qu'elle a dit d'autre, c'est : « Quand tu arriveras à l'âge de trente ans, ton pire ennemi sera toi-même. »

Une autre chose qu'elle a dite a été : « L'Illumination, c'est fini. Ce que nous vivons maintenant, c'est la *Dés-Illumination*. »

La radio disait que la police avait été prévenue de la présence de la voiture immobilisée.

La Man-man a augmenté le volume, fort. « Nom de Dieu, a-t-elle dit. S'il te plaît, dis-moi que ce n'est pas de nous qu'il s'agit.

— Ça parlait d'une Duster couleur or, a dit le garçon. C'est notre voiture. »

Et la Man-man a dit : « Ce qui te prouve combien tu en sais peu. »

Elle a ouvert la portière et lui a dit de se glisser sur le siège pour sortir de son côté. Elle a suivi des yeux les voitures rapides qui les rataient tout juste au passage.

« Ceci n'est pas notre voiture », a-t-elle dit.

La radio a hurlé comme quoi, apparemment, les occupants abandonnaient le véhicule.

La Man-man a secoué sa main devant lui pour qu'il la prenne.

« Je ne suis pas ta mère, a-t-elle dit. Ç'a rien à voir. »

Sous ses ongles on voyait encore d'autre sang de nez séché.

La radio leur a hurlé dessus. La conductrice de la Duster or et un petit garçon représentaient maintenant deux risques potentiels tandis qu'ils essayaient de se faufiler dans la circulation d'une autoroute large de quatre voies.

Elle a dit : « Je pense que nous avons à notre disposition une trentaine de jours pour nous constituer une réserve d'aventures passionnantes et heureuses, bonne pour une vie entière. C'est-à-dire jusqu'à ce que mes cartes de crédit soient épuisées. »

Elle a dit : « Ça nous laisse donc, premier point, trente jours avant qu'on nous capture. »

Les voitures klaxonnaient en les évitant de justesse. La radio leur hurlait dessus. Les hélicoptères rugissaient, plus bas, plus proches.

Et la Man-man a dit : « Et maintenant, exactement comme avec *Le Beau Danube bleu*, accroche-toi bien à ma main. » Elle a dit : « Et ne pense pas. » Elle a dit : « Contente-toi de courir. »

16.

Le patient suivant est de sexe féminin, environ vingt-neuf ans, avec à l'intérieur de la cuisse un grain de beauté qui n'a pas l'air catholique. C'est difficile à dire avec cette lumière, mais il a l'air trop gros, asymétrique, avec des nuances de bleu et de marron. Les bords sont irréguliers. La peau alentour a l'air écorchée.

Je lui demande si elle l'a gratté.

Et y a-t-il des antécédents de cancer de la peau dans sa famille ?

Assis tout à côté de moi avec son bloc de papier jaune sur la table devant lui, Denny tient une extrémité de bouchon au-dessus de son briquet, tout en faisant pivoter le bouchon jusqu'à ce que le bout soit noir et complètement calciné, et Denny dit : « Coco, sérieusement. » Il dit : « T'es plein d'une hostilité bizarre ce soir. T'es passé à l'acte ? »

Il dit : « Tu hais toujours le monde entier une fois que tu as tiré ton coup. »

La patiente tombe à genoux, les genoux largement écartés. Elle se renverse en arrière et commence à pomper du pubis dans notre direction, au ralenti. Rien qu'en contractant les muscles de son popotin, elle fait tressauter ses épaules, ses seins, son mont de Vénus. Son corps tout entier plonge vers nous par vagues.

La manière de se souvenir des symptômes du mélanome est constituée par les lettres ABCD :

Asymétrique pour la forme.

Bord irrégulier.

Couleur variable.

Diamètre supérieur à six millimètres.

Elle est rasée. Tellement bronzée lisse et huilée parfaite, elle ressemble moins à une femme qu'à un endroit de plus où glisser sa carte de crédit. Toujours en train de se pomper en plein dans nos figures, le mélange terreux de lumière rouge et noire la fait paraître bien mieux qu'elle n'est en réalité. La lumière rouge efface cicatrices et bleus, boutons, certaines variétés de tatouages, plus les vergetures et les traces de piquouze. Les lumières noires font étinceler ses yeux et ses dents d'une blancheur éclatante.

C'est drôle que la beauté de l'art ait tellement plus à voir avec le cadre qu'avec l'œuvre d'art à proprement parler.

La petite astuce de lumière fait même paraître Denny pétant de santé, ses bras en ailes de poulet sortant d'un tee-shirt blanc. Son bloc-notes de papier rayonne de jaune. Il roule la lèvre inférieure à l'intérieur de la bouche, et la mord tandis que son regard passe de la patiente à son œuvre, et retour.

Toujours à pomper en plein dans nos figures, hurlant pour couvrir la musique, elle dit : « Quoi ? »

Elle a l'air d'être blond naturel, grand facteur de risque, et donc, je demande : a-t-elle eu récemment des pertes de poids inexpliquées ?

Sans me regarder, Denny dit : « Coco, est-ce que tu sais combien me coûterait un vrai modèle ? »

Et je lui dis en retour : « N'oublie pas de dessiner ses poils incarnés. »

À la patiente, je demande : est-ce qu'elle a remarqué des changements dans son cycle menstruel ou dans son fonctionnement intestinal ?

Agenouillée en face de nous, écartant ses ongles laqués de noir de chaque côté d'elle-même en se penchant en arrière, le regard fixé sur nous par-dessus la courbe en voûte cintrée de son torse, elle dit : « Quoi ? »

Le cancer de la peau, je hurle, est le cancer le plus fréquent chez les femmes entre vingt-neuf et trente-quatre ans.

Je hurle : « Il faudrait que je puisse palper vos ganglions lymphatiques. »

Et Denny dit : « Coco, tu veux savoir ce que ta maman m'a dit ou non ? »

Je hurle : « Laissez-moi palper votre rate. »

Et en pleines esquisses rapides avec son bouchon calciné, il dit : « Sentirais-je le début d'un cycle de honte ? »

La blonde crochète les coudes derrière les genoux et roule en arrière sur l'échine, en tortillant un téton entre pouce et index de chaque main. Étirant la bouche à ouverture maximale, elle nous offre un roulé de langue, avant de dire : « Daiquiri. » Elle dit : « Je m'appelle Cherry Daiquiri. Vous n'avez pas le droit de me toucher, dit-elle, mais où est ce grain de beauté dont vous parlez ? »

La manière de se souvenir de toutes les étapes lors d'un examen clinique est PHAMA HASTA. C'est ce qu'on appelle en faculté de médecine une *mnémonique*. Les lettres correspondent à :

Plainte principale.

Historique de la maladie.

Allergies.

Médicaments.

Antécédents médicaux.

Histoire familiale.

Alcool.

Stupéfiants interdits.

Tabac.

Antécédents sociaux.

La seule manière de réussir ses études de médecine, c'est la mnémotechnie.

La fille avant celle-ci, une autre blonde, mais avec le genre de doudounes refaites à l'ancienne, dures et gonflées au point qu'on pourrait y jouer le penseur de Rodin, cette dernière patiente fumait une cigarette dans le cadre de son numéro, et donc je lui ai demandé si elle souffrait de douleurs persistantes dans le dos ou dans l'abdomen. Avait-elle subi des pertes d'appétit, une sensation de malaise vague et indéfini ? Si c'est ainsi qu'elle gagnait sa vie, je lui ai dit, vaudrait mieux qu'elle s'assure de faire pratiquer des frottis vaginaux régulièrement.

« Si vous fumez plus d'un paquet par jour, j'ai dit. De cette manière, je veux dire. »

Une conisation ne serait pas une mauvaise idée, je lui ai annoncé, ou, à tout le moins, une D et C, une dilatation suivie d'un curetage.

Elle se met à quatre pattes, en appui sur les mains et les genoux, met en rotation son cul ouvert, sa petite

141

trappe rose toute plissée au ralenti, et regarde derrière elle par-dessus l'épaule pour nous dire : « Qu'est-ce que c'est cette histoire de "conisation" ? »

Elle dit : « C'est un nouveau truc qui vous branche ? » avant d'exhaler sa fumée dans ma figure.

Exhaler, comme qui dirait.

C'est quand on prélève au rasoir un échantillon en forme de cône du col de l'utérus, je lui apprends.

Et elle pâlit, pâle même sous son maquillage, même sous le flot de lumière rouge et noire, et elle resserre les jambes en position normale. Elle éteint sa cigarette dans ma bière et dit : « T'as vraiment un problème avec les femmes, espèce de malade », avant de s'en aller rejoindre le mec suivant le long de la scène.

Dans son dos, je hurle : « Chaque femme est une variété différente de problème. »

Toujours avec son bouchon à la main, Denny me prend ma bière et dit : « Coco, faut pas gâcher... » avant de verser tout le contenu à l'exception du mégot noyé dans son propre verre.

Il dit : « Ta maman parle beaucoup d'un certain Dr Marshall. Elle dit qu'il lui a promis de lui redonner une nouvelle jeunesse, dit Denny, mais uniquement si tu coopères. »

Et je dis : « Elle. Il s'agit du Dr Paige Marshall. C'est une femme. »

Une autre patiente se présente, une brunette à cheveux bouclés, environ vingt-cinq ans, et expose une possible déficience en acide folique, la langue rouge et luisante, l'abdomen légèrement distendu, les yeux vitreux. Je demande : est-ce que je peux écouter son cœur ? Voir s'il y a des palpitations. De la tachycardie. Est-ce qu'elle a des nausées ou la diarrhée ?

« Coco ? » dit Denny.

Les questions à poser relatives à la douleur sont CALDESIS : Caractérisation, Apparition, Localisation, Durée, Exacerbation, Soulagement, Irradiation et Symptômes associés.

Denny dit : « Coco ? »

La bactérie appelée *Staphylococcus aureus* vous donnera ISAPHEO : Infections de la peau, Syndrome de choc toxique, Abcès, Pneumonie, Hémolyse, Endocardite et Ostéomyélite.

« Coco ? » dit Denny.

Les maladies qu'une mère peut transmettre à son bébé sont TORCHE : Toxoplasmose, Rubéole, Cytomégalovirus, Herpès, le dernier E signifiant syphilis et sida. Ça aide si on peut se représenter une mère en train de *passer la torche* à son bébé.

Telle mère, tel fils.

Denny claque des doigts devant mon nez.

« Mais qu'est-ce qui t'arrive ? Comment ça se fait que t'es comme ça ? »

Parce que c'est la vérité. C'est ça, le monde dans lequel nous vivons. J'ai connu ça, j'ai passé le MCAT, le Medical College Admission Test, l'examen de première année de médecine. Je suis allé à la fac de médecine de l'USC[1] juste assez longtemps pour savoir qu'un grain de beauté n'est jamais seulement un grain de beauté. Qu'une simple migraine signifie tumeur au cerveau, signifie vision dédoublée, engourdissement, vomissements, suivis d'attaques, somnolence, mort.

Un petit tic musculaire signifie rage, signifie cram-

---

1. University of Southern California.

pes dans les muscles, soif, confusion mentale, bave, suivis d'attaques, coma, mort. L'acné signifie kystes aux ovaires. Se sentir un peu fatigué signifie tuberculose. Des yeux injectés de sang signifient méningite. La somnolence est le premier signe de la typhoïde. Ces petits insectes flottants que vous voyez devant vos yeux les jours de soleil, ils signifient que votre rétine se décolle. Vous devenez aveugle.

« Regarde un peu l'aspect de ses ongles, je dis à Denny, c'est un signe formel de cancer du poumon. »

Si vous souffrez de confusion mentale, cela signifie blocage rénal, un gros problème de dysfonctionnement de l'organe.

Tout cela, vous l'apprenez pendant l'Examen clinique, votre deuxième année de médecine. Vous apprenez tout ça, et il n'y a plus possibilité de retour en arrière.

L'ignorance *était bien* la félicité[1].

Un hématome signifie cirrhose du foie. Un rot signifie cancer du côlon ou cancer de l'œsophage ou, à tout le moins, ulcère gastroduodénal.

La moindre petite brise semble murmurer carcinome squameux.

Les oiseaux dans les arbres semblent triller histoplasmose.

Tous ceux que vous voyez nus, vous les voyez patients. Une danseuse pourrait avoir d'adorables yeux clairs et des tétons marron bien fermes, si son haleine est mauvaise, elle a la leucémie. Une dan-

---

1. Démarquage d'une citation de Thomas Gray (1716-1771) : « *Where ignorance is bliss, 'tis folly to be wise.* » Là où l'ignorance est félicité, c'est folie que d'être sage.

seuse pourrait avoir de longs cheveux épais et très propres, mais si elle se gratte le cuir chevelu, elle a un lymphome de Hodgkin.

Page après page, Denny emplit son bloc d'études de silhouettes, de belles femmes souriantes, de minces femmes lui soufflant des baisers, de femmes à la tête baissée, mais aux yeux relevés vers lui au travers de cascades de cheveux.

« Le fait de perdre le sens du goût, je dis à Denny, signifie cancer de la bouche. »

Et sans me regarder, les yeux allant et venant sans cesse de son esquisse à la nouvelle danseuse, Denny dit : « Alors, Coco, ce cancer-là, tu l'as attrapé il y a bien longtemps. »

Même si ma maman mourait, je ne suis pas certain de vouloir retourner à la fac et me faire réadmettre avant que mes acquis validés aient expiré. Les choses étant ce qu'elles sont, j'en sais déjà plus que je ne voudrais pour me sentir à l'aise.

Une fois que vous avez trouvé tout ce qui peut mal tourner, votre vie se passe moins à vivre qu'à attendre. Le cancer. La démence précoce. À chaque regard dans le miroir, vous inspectez à la recherche de la rougeur qui signifie zona. Voir aussi : Teigne.

Voir aussi : Gale.

Voir aussi : maladie de Lyme, méningite, fièvre rhumatismale, syphilis.

La patiente suivante est une autre blonde, mince, peut-être un peu trop mince. Probablement une tumeur de la moelle épinière. Si elle souffre de migraine, avec une petite fièvre, une gorge doulou-reuse, elle a la polio.

« Fais-moi ça », lui hurle Denny, en se couvrant les lunettes de ses mains ouvertes.

La patiente s'exécute.

« Superbe », dit Denny, en esquissant très vite une petite étude. « Et si tu ouvrais la bouche un tout petit peu ? »

Et elle le fait.

« Coco, dit-il. Les modèles en atelier ne sont *jamais* aussi canon. »

Tout ce que je peux voir, c'est qu'elle n'est pas trop bonne danseuse et, assurément, ce manque de coordination signifie une sclérose latérale amyotrophique, la maladie de Charcot.

Voir aussi : Maladie de Lou Gehrig.

Voir aussi : Paralysie totale. Voir aussi : Difficultés respiratoires. Voir aussi : Crampes, fatigue, sanglots.

Voir aussi : Mort.

Du tranchant de la main, Denny estompe les lignes de bouchon pour leur ajouter de l'ombre et de la profondeur. Il s'agit de la femme sur scène, les mains sur les yeux, la bouche légèrement entrouverte, et Denny la croque vite fait, ses yeux revenant constamment sur elle pour plus de détails, son nombril, la courbe de ses crêtes de hanches. Le seul truc qui me mette en rogne, c'est que, vu la manière dont Denny les dessine, les femmes ne sont pas ce à quoi elles ressemblent pour de vrai. Dans la version de Denny, les cuisses moches et mollasses d'une bonne femme vont apparaître solides comme le roc. Les yeux bouffés par les valises de quelque autre spécimen deviennent clairs, avec juste un brin de cerne par-dessous.

« Y te reste du liquide, Coco ? demande Denny. Je ne veux pas qu'elle parte tout de suite. »

Mais je suis fauché, et la fille s'en va jusqu'au prochain mec en bordure de scène.

« Voyons un peu, Picasso », je lui dis.

Et Denny se gratte sous un œil en y laissant un grand barbouillis de suie. Puis il incline le bloc-notes juste assez pour que je voie une femme nue, les mains sur les yeux, mince, une ligne de corps superbe, en train de tendre chaque muscle, avec rien d'elle qui soit dégradé par la gravité, les ultraviolets ou une mauvaise alimentation. Elle est lisse mais elle est douce. Tendue tonique mais décontractée. C'est une impossibilité physique totale.

« Coco, je dis, tu l'as faite trop jeune. »

La patiente suivante est à nouveau Cherry Daiquiri, qui revient après avoir fait son tour, sans sourire cette fois, aspirant une joue jusqu'au plus creux, et qui me demande : « Ce grain de beauté que j'ai ? Vous êtes sûr que c'est un cancer ? Je veux dire, je ne sais pas, mais est-ce qu'il faut que j'aie vraiment peur... ? »

Sans la regarder, je lève un doigt. En langage international, c'est le signe de *Attendez s'il vous plaît. Le docteur va vous recevoir dans un instant.*

« Impossible que ses chevilles soient aussi fines, je dis à Denny. Et son cul est bien plus gros que ce que tu as là. »

Je me penche pour voir ce que Denny est en train de faire, puis je regarde sur la scène la dernière patiente.

« Faut que tu lui fasses les genoux plus bosselés », je dis.

147

La danseuse en bout de scène me lance un œil abominable.

Denny se contente de continuer ses esquisses. Il lui fait les yeux énormes. Il lui arrange ses bouts de cheveux fourchus. Il fait tout de travers.

« Coco, je lui dis. Tu sais, t'es pas un très bon artiste. »

Je dis : « Sérieux, Coco, je ne vois pas du tout ça. »

Denny dit : « Avant que tu ailles débiner le monde entier, va falloir que tu appelles ton "sponsor", celui qui te parraine aux sexooliques anonymes, et ça urge. » Il dit : « Et au cas où t'en aurais encore quelque chose à branler, ta maman a déclaré qu'il allait falloir que tu lises ce qui se trouve dans sa *bibliographie*. »

M'adressant à Cherry accroupie devant nous, je dis : « Si tu parles vraiment sérieusement quand tu dis que tu veux te sauver la vie, il va falloir que je te parle dans un lieu privé.

— Non, pas *bibliographie*, dit Denny, c'est *biographie*. Son journal intime, quoi. Au cas où tu te demanderais d'où tu viens vraiment, tout est dans son journal. À ta mère. »

Et Cherry laisse pendre une jambe dans le vide par-dessus le rebord et commence à descendre de la scène.

Je demande à Denny : « Qu'est-ce qu'il y a dans le journal de ma maman ? »

Et tout en exécutant ses petits dessins, voyant des formes impossibles, Denny dit : « Ouais, journal intime. Biographie. Et pas bibliographie, Coco. Tous les trucs concernant ton vrai papa se trouvent dans le journal intime de ta maman. »

17.

À St Anthony, la fille de la réception bâille derrière sa main, et quand je demande si elle veut peut-être aller se chercher une tasse de café, elle me regarde en coin et dit : « Pas avec vous. »

Et vrai de vrai, elle ne me branche pas. Je surveillerai son bureau assez longtemps pour qu'elle puisse aller se chercher un café. C'est tout. Ce n'est pas de la drague.

Vrai de vrai.

Je dis : « Vos yeux ont l'air fatigués. »

Tout ce qu'elle fait toute la journée, c'est de signer les bons de sortie et d'entrée de quelques personnes. Elle regarde le moniteur vidéo qui montre les intérieurs de St Anthony, chaque couloir, le foyer, la salle à manger, le jardin, avec l'écran qui passe de l'un à l'autre plan toutes les dix secondes. L'écran est grumeleux, noir et blanc. Sur le moniteur, la salle à manger apparaît pendant dix secondes, vide, avec toutes ses chaises retournées sur les tables, les pieds chromés en l'air. Un long couloir apparaît pendant les dix secondes suivantes avec quelqu'un affalé en tas sur un banc contre un mur.

Ensuite, pendant les dix secondes suivantes de noir et blanc pelucheux, il y a Paige Marshall qui pousse ma maman dans une chaise roulante le long d'un autre long couloir.

La fille de la réception dit : « Ça ne me prendra qu'une minute. »

Tout à côté du moniteur se trouve un vieux haut-parleur. Couvert d'un mohair de canapé tout pelucheux, il y a ce haut-parleur genre vieille radio de jadis avec un cadran circulaire entouré de chiffres. Chaque chiffre est une chambre de St Anthony. Sur le bureau est posé un microphone qu'on utilise pour faire les annonces. En tournant le cadran face à un chiffre, on peut espionner tout ce qui se dit dans n'importe quelle chambre du bâtiment.

Et rien qu'un instant, la voix de ma maman sort du haut-parleur, disant : « Je me suis définie, ma vie tout entière, par ce à quoi je m'opposais... »

La fille change le commutateur circulaire et le place sur neuf, et on entend alors une radio espagnole et le tintement de casseroles métalliques dans l'arrière-cuisine, là où se trouve le café.

Je dis à la fille : « Prenez votre temps. »

Et : « Je ne suis pas le monstre que vous avez peut-être entendu décrire par certaines personnes aigries et furieuses qu'il y a ici. »

Et même alors que je me montre si gentil, elle met son sac à main dans le bureau qu'elle ferme à clé. Elle dit : « Cela ne me prendra pas plus de deux minutes. Okay ? »

Okay.

Et la voilà qui passe les portes de sécurité, et je suis assis derrière son bureau. À surveiller le moniteur : le foyer, le jardin, un couloir quelconque, chacun pendant dix secondes. À essayer de retrouver Paige Marshall. D'une main, je change les positions du cadran, de chiffre en chiffre, en prêtant l'oreille dans chaque chambre pour entendre le Dr Marshall. Ma maman. En noir et blanc. Presque en direct.

Paige Marshall avec toute sa peau.

Autre question de la liste d'évaluation du drogué de sexe :

Découpez-vous l'intérieur de vos poches de pantalon de manière à pouvoir vous masturber en public ?

Au foyer se trouve une tête grise, le nez plongé dans un puzzle.

Dans le haut-parleur il n'y a que des parasites. Du bruit blanc.

Dix secondes plus tard, dans la salle de travaux manuels, apparaît une table de vieilles femmes. Des femmes auxquelles j'ai fait des aveux, je leur avais démoli leurs voitures, je leur ai démoli leurs existences. Et j'en ai endossé toute la responsabilité.

Je monte le volume et je colle l'oreille contre le tissu du haut-parleur. Sans savoir quel numéro correspond à quelle chambre, je tourne le cadran chiffre après chiffre et j'écoute.

Mon autre main, je la glisse dans ce qui était jadis la poche de mes hauts-de-chausses.

Passant de chiffre en chiffre, quelqu'un sanglote dans la trois. Où que cela puisse être. Quelqu'un jure dans la cinq. Prière dans la huit. Où que cela puisse être. À nouveau la cuisine, en neuf, la musique espagnole.

Le moniteur montre la bibliothèque, un autre couloir, ensuite il me montre, moi, un moi granuleux en noir et blanc, accroupi derrière le bureau de la réception, en train de scruter le moniteur. Moi avec une main en pince de crabe sur le cadran de commande. Mon autre main floue est fourrée jusqu'au coude à l'intérieur de mes hauts-de-chausses. Moi qui regarde. Une caméra au plafond du hall d'entrée me regarde.

Moi qui regarde, à la recherche de Paige Marshall.

Qui écoute. Cherchant où la trouver.

« Traquer » n'est pas vraiment le mot qui convienne, mais c'est le premier qui vient à l'esprit.

Le moniteur me montre vieille femme après vieille femme. Puis, pendant dix secondes, il y a Paige qui pousse ma maman dans son fauteuil roulant le long d'un autre couloir. Le Dr Paige Marshall. Et je tourne le cadran jusqu'à ce que j'entende la voix de ma maman.

« Oui, dit-elle, je me suis battue *contre* tout, mais de plus en plus l'idée me tracasse que je n'ai jamais été *pour* quoi que ce soit. »

Le moniteur montre le jardin, de vieilles femmes toutes voûtées au-dessus de leur déambulateur. Qui se traînent dans le gravier.

« Oh, je suis capable de critiquer, de me plaindre, de tout juger, mais où est-ce que ça me mène ? » ne cesse de répéter ma maman en voix off tandis que le moniteur continue son cycle pour montrer d'autres chambres.

Le moniteur montre la salle à manger, vide.

Le moniteur montre le jardin. Encore des vieilles.

Ça pourrait parfaitement être un site web complètement déprimant. Death Cam. La Caméra de la Mort.

Une sorte de documentaire noir et blanc.

« Ronchonner sans cesse n'est pas la même chose que créer, dit la voix off de ma maman. Rébellion n'est pas synonyme de reconstruction. Ridiculiser ne remplace pas... »

Et la voix du haut-parleur s'amenuise et disparaît.

Le moniteur montre le foyer, la femme penchée sur son puzzle.

Et je recommute de numéro en numéro, toujours cherchant.

Au numéro cinq, sa voix est de retour. « Nous avons réduit le monde en pièces, dit-elle, mais nous n'avons aucune idée de ce que nous devons faire avec les morceaux... » Et sa voix disparaît à nouveau.

Le moniteur montre un couloir vide après l'autre, s'étirant dans les ténèbres.

Au numéro sept, la voix revient. « Ma génération, toutes nos façons de nous moquer de tout et de rien n'améliore le monde d'aucune manière, dit-elle. Nous avons passé tellement de temps à juger ce que les autres créaient que nous avons très, très peu créé de notre côté. »

Au sortir du haut-parleur, sa voix dit : « J'ai utilisé la rébellion comme manière de me cacher. Nous utilisons la critique en guise de pseudo-participation. »

La voix off dit : « Que nous ayons accompli quelque chose est seulement une impression. »

La voix off dit : « Je n'ai contribué à rien d'utile en ce monde. »

Et dix secondes durant, le moniteur montre ma maman et Paige dans le couloir juste à l'extérieur de la salle de travaux manuels.

Au sortir du haut-parleur, lointaine, chargée de parasites, la voix de Paige dit : « Et votre fils, alors ? »

Mon nez est pressé contre le moniteur, tellement je suis près.

Et maintenant, le moniteur me montre l'oreille collée au haut-parleur, une main en train d'agiter quelque chose, à coups rapides, à l'intérieur de ma jambe de pantalon.

En voix off, Paige dit : « Et Victor alors ? »

Et, sans blague, mais c'est vrai, je suis plus que prêt à tout lâcher.

Et la voix de ma maman dit : « Victor ? Il ne fait pas de doute que Victor a sa manière bien à lui de s'échapper. »

Puis sa voix off ricane et dit : « La condition de parent est l'opium des masses. »

Et maintenant, sur le moniteur, la fille de la réception est debout derrière moi avec une tasse de café.

18.

Lors de ma visite suivante, ma mère est encore plus maigre, si tant est que cela soit possible. Son cou a l'air aussi petit que le tour de mon poignet, la peau jaune tout affaissée en creux marqués entre les tendons et la gorge. Son visage ne cache pas le crâne qui se trouve à l'intérieur. Elle fait rouler sa tête d'un côté de manière à pouvoir me voir dans l'embrasure de la porte, et une sorte de gelée grise figée encroûte le coin de chaque œil.

Les couvertures sont toutes distendues et font une tente entre les deux crêtes iliaques. Les seuls autres repères qu'on reconnaît sont les genoux.

Elle entortille un bras affreux entre les barreaux chromés de la rambarde du lit, affreux et aussi maigre qu'une patte de poulet qui se tend vers moi, et elle déglutit. Ses mâchoires peinent à se mettre en œuvre, ses lèvres tissées de salive, et c'est alors qu'elle le dit, main tendue, elle le dit.

« Morty, dit-elle, je ne suis pas une maquerelle. » Les mains nouées en poings, elle les secoue en l'air et dit : « C'est une déclaration féministe que je fais.

Comment cela peut-il être de la prostitution alors que toutes ces femmes sont mortes ? »

Je suis ici avec un joli bouquet de fleurs et une carte de vœux de prompt rétablissement. Je viens de quitter mon boulot, donc je suis en hauts-de-chausses et gilet. Mes chaussures à boucles et mes bas brodés qui montrent mes mollets maigrelets sont couverts de boue.

Et ma maman dit : « Morty, il n'y a pas lieu de juger cette affaire. Débrouillez-vous. Pas de procès, pas de tribunal. »

Et elle se laisse retomber en soupirant au creux de sa pile d'oreillers. La bave qui coule de sa bouche a changé le blanc de la taie d'oreiller en bleu pâle là où elle est en contact avec sa joue.

Une carte de prompt rétablissement ne va rien régler.

Sa main griffe l'air et elle dit : « Oh, et Morty, il faut que vous appeliez Victor. »

Sa chambre a cette odeur, cette même odeur que les chaussures de tennis de Denny quand il les a portées tout l'été sans chaussettes.

Un joli bouquet de fleurs ne fera pas la plus petite différence.

Dans la poche de mon gilet se trouve son journal intime. Fourrée dans le journal se trouve une facture du centre de soins, en souffrance depuis bien longtemps. Je colle les fleurs en attente dans sa cuvette hygiénique et je pars en quête d'un vase et aussi peut-être d'un petit quelque chose pour alimenter ma maman. Du pudding au chocolat. Autant que je pourrai en emporter. Quelque chose que je pourrai lui donner à la cuillère en l'obligeant à avaler.

À voir à quoi elle ressemble, je ne supporte pas d'être là et je ne supporte pas de ne pas être là. Comme je m'en vais, elle dit : « Il faut que vous vous débrouilliez pour trouver Victor. Il faut que vous l'obligiez à aider le Dr Marshall. S'il vous plaît. Il faut qu'il aide le Dr Marshall à me sauver. »

Comme si quelque chose était jamais le résultat d'un hasard.

Dehors, dans le couloir, se trouve Paige Marshall, les lunettes sur le nez, occupée à lire quelque chose sur son porte-bloc.

« Je me disais simplement que vous aimeriez être mis au courant », dit-elle.

Elle s'appuie, dos à la rampe d'appui qui court sur les murs du couloir, et dit : « Votre mère ne pèse plus que trente-huit kilos cette semaine. »

Elle met le porte-bloc dans son dos, l'agrippant en même temps que la rampe des deux mains. Sa posture projette ses seins en avant. Son pubis vers moi, à l'oblique. Paige Marshall passe la langue sur l'intérieur de sa lèvre inférieure et dit : « Avez-vous réfléchi à de nouvelles possibilités d'action ? »

Maintien en vie artificielle, alimentation par sonde, assistance respiratoire — en médecine, on appelle ça les « mesures héroïques ».

Je ne sais pas, je dis.

Nous sommes là debout, attendant que l'autre cède le premier pouce.

Deux vieilles dames souriantes passent à côté de nous, et l'une d'elles pointe le doigt et dit à l'autre : « C'est lui, le gentil jeune homme dont je t'ai parlé. C'est lui qui a étranglé mon petit chat. »

L'autre dame, son chandail est boutonné de travers, et elle dit : « Un jour, il a presque battu ma sœur à mort. »

Elles repartent.

« C'est mignon, dit le Dr Marshall, ce que vous êtes en train de faire, je veux dire. Vous offrez à ces personnes la résolution des plus gros problèmes de leur existence. »

Vu l'allure qu'elle a en cet instant, il faudrait pouvoir penser à des carambolages à la chaîne. Imaginer deux camions de don du sang qui s'emplafonnent bille en tête. Vu l'allure qu'elle a, il faudrait pouvoir penser à des fosses communes pour réussir à tenir en selle ne serait-ce que trente secondes.

Penser à de la nourriture pour chats avariée, à des chancres ulcérés, à des organes pour transplantation expirés.

C'est vous dire combien elle est belle.

Si elle veut bien m'excuser, il faut absolument que je trouve un peu de pudding.

Elle dit : « Est-ce que c'est que vous avez une petite amie ? C'est ça, votre raison ? »

La raison pour laquelle nous n'avons pas eu de rapport sexuel dans la chapelle il y a quelques jours. La raison pour laquelle, devant elle, avec elle, nue, prête, je n'ai pas pu. La raison pour laquelle j'ai fui.

Pour un listing complet de petites amies, référez-vous je vous prie à ma quatrième étape.

Voir aussi : Nico.

Voir aussi : Leeza.

Voir aussi : Tanya.

Le Dr Marshall projette son pubis vers moi et dit : « Savez-vous comment meurent la plupart des patients comme votre mère ? »

Ils meurent de faim. Ils oublient la manière d'avaler, ils inspirent nourriture et boisson dans les poumons par accident. Leurs poumons s'emplissent de matière pourrissante et de liquide, ils contractent une pneumonie, et ils meurent.

Je dis : je sais.

Je dis qu'on peut peut-être faire des choses pires que de simplement laisser mourir une personne âgée.

« Il ne s'agit pas uniquement d'une personne âgée anonyme, dit Paige Marshall. Il s'agit de votre mère. »

Et elle a presque soixante-dix ans.

« Elle en a soixante-deux, dit Paige. S'il existe une chose à faire pour la sauver et que vous ne la faites pas, vous la tuez par négligence.

— En d'autres termes, je dis, c'est vous que je devrais me *faire* ?

— J'ai entendu parler de votre répertoire de conquêtes de la bouche de quelques infirmières, dit Paige Marshall. Je sais que le sexe-distraction ne vous pose aucun problème. Ou est-ce que c'est moi, tout simplement ? Ne serais-je pas votre type ? C'est ça ? »

Nous nous taisons tous les deux. Une aide-soignante passe à côté de nous, poussant un chariot chargé de tas de draps et de serviettes mouillées. Ses chaussures ont des semelles en caoutchouc et le chariot a des roues en caoutchouc. Le sol est en dalles de liège antédiluviennes patinées tout sombre par les passages, de sorte que la demoiselle glisse sans faire le moindre bruit, ne laissant derrière elle qu'un relent d'urine éventée.

« Ne vous méprenez pas, je dis à Paige. J'ai envie de vous baiser. J'ai vraiment envie de vous baiser. »

Dans le couloir, l'aide-soignante s'arrête et se retourne sur nous. Elle dit : « Hé, Roméo, pourquoi tu ne lui lâches pas un peu les baskets, au Dr Marshall ? »

Paige dit : « Tout va bien, mademoiselle Parks. Ceci ne concerne que M. Mancini et moi-même. »

Nous la regardons tous deux sans ciller jusqu'à ce qu'elle fasse la moue et tourne au coin avec son chariot. Elle s'appelle Irene, Irene Parks, et ouais, okay, nous sommes passés à l'acte dans le parc de stationnement à peu près à la même époque l'année dernière.

Voir aussi : Caren, infirmière diplômée.

Voir aussi : Jenine, aide-soignante.

À l'époque, je croyais que chacune d'elles allait être quelque chose de spécial, mais sans leurs vêtements, elles auraient pu être n'importe qui. Aujourd'hui, son cul est à peu près aussi excitant qu'un taille-crayon.

M'adressant au Dr Paige Marshall, je dis : « C'est là que vous vous trompez, sur toute la ligne. » Je dis : « J'ai une telle envie de vous baiser que j'en ai le goût dans ma bouche. » Je dis : « Et non. Je ne veux voir personne mourir, mais je ne veux pas que ma maman revienne à l'état dans lequel je l'ai toujours connue. »

Paige Marshall souffle. Elle rétrécit les lèvres en petit nœud serré et se contente de me jeter un regard noir. Elle tient son porte-bloc contre la poitrine, les bras croisés par-dessus.

« Donc, dit-elle, tout ceci n'a rien à voir avec le sexe. Vous ne voulez tout bonnement pas que votre mère se remette. Vous n'êtes tout bonnement pas capable de faire front devant les femmes fortes, et vous pensez que, si elle meurt, le problème que vous avez avec elle mourra aussi. »

Depuis sa chambre, ma maman appelle : « Morty, pourquoi est-ce que je vous paie ? »

Paige Marshall dit : « Vous pouvez mentir à mes patientes et résoudre leurs problèmes existentiels, mais ne vous mentez pas à vous-même. » Puis : « Et ne me mentez pas. »

Paige Marshall dit : « Vous préféreriez la voir morte plutôt que de la voir se remettre. »

Et je dis : « Oui. Je veux dire, non. Je veux dire, je ne sais pas. »

Toute mon existence, j'ai moins été l'enfant de ma mère que son otage. Le sujet de ses expérimentations sociales et politiques. Son petit rat de laboratoire personnel. Aujourd'hui, elle est à moi, et elle ne va pas s'échapper en mourant ou en recouvrant la santé. Je ne veux qu'une seule et unique personne à secourir. Je ne veux qu'une seule et unique personne qui ait besoin de moi. Qui ne puisse pas vivre sans moi. Je veux être un héros, mais pas uniquement une seule fois. Même si cela implique de la garder handicapée, je veux être le sauveur permanent de quelqu'un.

« Je sais, je sais, ça paraît abominable énoncé comme ça, je lui dis, mais je ne sais pas... C'est ce que je pense. »

Et c'est ici que je devrais dire à Paige Marshall ce que je pense vraiment.

Je veux dire par là, je suis tout bonnement fatigué d'avoir tort tout le temps uniquement parce que je suis mec.

Je veux dire par là, combien de fois faut-il vous déclarer que vous êtes l'ennemi oppresseur plein de préjugés avant que vous laissiez tomber une bonne fois pour vraiment devenir l'ennemi ? Je veux dire par là qu'un porc mâle et chauvin[1] ne naît pas, il le devient, on le fabrique, et de plus en plus nombreux sont les membres de cette engeance à être fabriqués par les femmes.

Après un temps suffisamment long, vous cessez tout bonnement de vous battre et vous acceptez le fait que vous êtes un crétin inepte, sexiste, étroit d'esprit, insensible, grossier, crétin. Les femmes ont raison. Vous avez tort. Vous vous habituez à l'idée. Vous rabaissez votre caquet, et vos ambitions.

Même si la chaussure n'est pas à votre pointure, vous vous rétrécissez pour y entrer.

Je veux dire par là, dans un monde sans Dieu, est-ce que ce ne sont pas les mères le nouveau dieu ? La dernière position sacrée inexpugnable. La maternité n'est-elle pas le dernier miracle magique ? Mais un miracle qui est inaccessible aux hommes.

Et peut-être bien que les hommes ont beau déclarer qu'ils sont heureux de ne donner naissance à personne; toute cette douleur et tout ce sang, mais c'est uniquement par dépit, comme les raisins verts de la fable, tellement c'est inaccessible. Il est sûr et certain que les hommes sont incapables de faire rien qui approcherait un tant soit peu quelque chose d'aussi incroyable. Torse puissant, pensée abstraite, phallus — tous les avantages dont les hommes paraissent

1. Expression des féministes des années soixante définissant les machos.

jouir ne sont que des joujoux, rien d'autre. De la roupie de sansonnet.

Vous ne pouvez même pas enfoncer un clou avec votre phallus.

Les femmes sont déjà nées tellement en avance sur le plan des capacités. Le jour où les hommes pourront donner la naissance, c'est à ce moment-là que nous pourrons commencer à parler d'égalité des droits.

Tout ça, je ne le dis pas à Paige.

Au contraire, j'explique combien je veux être l'ange gardien d'une seule et unique personne.

« Vengeance » n'est pas vraiment le mot qui convienne, mais c'est le premier qui vient à l'esprit.

« Alors sauvez-la en me baisant, dit le Dr Marshall.

— Mais je ne veux pas qu'elle soit complètement sauvée, je dis. Je suis terrifié à l'idée de la perdre, mais si je ne la perds pas, c'est peut-être moi que je vais perdre. »

Il y a toujours le journal intime de ma maman dans la poche de mon gilet. Il y a toujours le pudding à aller chercher.

« Vous ne voulez pas qu'elle meure, dit Paige, et vous ne voulez pas qu'elle recouvre la santé. Exactement, qu'est-ce que vous voulez ?

— Je veux quelqu'un qui sache lire l'italien », je dis.

Paige dit : « Quoi, en italien ?

— Tenez, je lui dis », et je lui montre le journal. « C'est celui de ma maman. C'est en italien. »

Paige prend le journal et le feuillette. Le pourtour de ses oreilles est tout rouge et excité.

« J'ai fait quatre ans d'italien avant la maîtrise, dit-elle. Je peux vous expliquer ce que ça raconte.

— Je veux juste rester aux commandes, je dis. Pour changer, je veux juste que ce soit moi, l'adulte. »

Toujours feuilletant, le Dr Paige Marshall dit : « Vous voulez la garder dans un tel état de faiblesse que vous serez toujours le seul à avoir tous les droits de décision. » Elle lève les yeux sur moi et dit : « On dirait que ça vous plairait bien d'être Dieu. »

19.

Des poulets noir et blanc flageolent dans Duns-boro la Coloniale, des poulets à la tête raplatie. Voici des poulets sans ailes ou seulement une patte. Il y a des poulets sans pattes, qui nagent dans la boue de la basse-cour, avec leurs seules petites ailes dépenaillées. Des poulets aveugles sans yeux. Sans bec. De naissance. Défectueux. Leur petite cervelle de poulet déjà tout embrouillée dès la naissance.

Il existe une frontière invisible entre la science et le sadisme, mais ici, on la voit clairement.

Ce qui ne veut pas du tout dire que ma cervelle à moi va s'en sortir beaucoup mieux. Regardez donc un petit peu ma mère.

Le Dr Paige Marshall devrait les voir tous lutter pour survivre au quotidien. Elle ne comprendrait pas pour autant, d'ailleurs.

Denny étant ici avec moi, Denny met la main à l'arrière de son pantalon et en extrait une page des petites annonces classées du journal, pliée et repliée en minuscule carré. Il est sûr qu'il s'agit là de contre-bande. Sa Haute Gouvernance royale voit ça, et Denny va se retrouver banni direction le chômage.

Sans blague, mais c'est vrai, là, en plein milieu de la basse-cour, juste devant l'étable à vaches, Denny me tend cette page du papier.

Hormis cela, nous donnons tellement dans l'authentique que c'est comme si rien de ce qu'on portait sur le dos n'avait jamais été lavé au cours de ce siècle.

Les gens mitraillent, photo après photo, en essayant de ramener à la maison un morceau de vous comme souvenir. Les gens pointent des caméras vidéo, essayant de vous prendre au piège de leurs vacances. Ils vous mitraillent tous autant qu'ils sont, ils mitraillent les poulets estropiés. Tout le monde essaie de faire en sorte que chaque minute du présent dure à jamais. De préserver chaque seconde. Comme des conserves en boîte.

À l'intérieur de l'étable à vaches, il y a un gargouillis d'air qu'on aspire à travers un narguilé. On ne voit personne, mais il y a cette tension silencieuse d'un groupe d'individus réunis en cercle et penchés en avant, qui essaient de retenir leur souffle. Une fille tousse. Ursula, la laitière. Il y a tellement de fumée de marijuana là-dedans qu'une vache se met elle aussi à tousser.

Cela se passe alors que nous sommes censés récolter des trucs, vous savez, les bouses, et Denny y va de son : « Lis ça, Coco. L'annonce entourée. » Il ouvre la page pour que je voie. « Cette annonce, là », dit-il. Il y a une annonce classée entourée à l'encre rouge.

Avec la laitière dans le coin. Les touristes. Il n'y a pas moins d'un trillion de manières pour qu'on se retrouve sur le point d'être pris la main dans le sac.

Sans blague, mais c'est vrai, Denny ne pourrait faire ça de façon plus visible.

Tout contre ma main, le papier est encore tiède du cul de Denny, et quand j'y vais de mon : « Pas ici, Coco », et que j'essaie de lui rendre le bout de papier...

Quand je fais ça, Denny dit : « Désolé, je n'avais pas l'intention, tu comprends, de te rendre complice. Si tu veux, je peux simplement te la lire. »

Les élèves de primaire qui viennent ici, c'est sacrément important pour eux de visiter le poulailler et de regarder les œufs en train d'être couvés. Malgré tout, un poulet normal n'est pas aussi intéressant que, disons, un poulet avec seulement un œil ou un poulet sans cou ou avec une patte atrophiée paralysée, et donc les écoliers secouent les œufs. Ils les secouent sans y aller de main morte et ils les remettent en place pour être couvés.

Et donc, si ce qui naît est déformé ou fou à lier ? Eh bien, c'est entièrement pour l'amour de l'enseignement.

Ceux qui ont de la chance sont tout bonnement mort-nés.

Curiosité ou cruauté, ce qui est sûr, c'est que le Dr Marshall et moi allons débattre de ce point à satiété. À tourner et retourner le problème.

Je ramasse à la pelle quelques bouses, en veillant à ce qu'elles ne se cassent pas en deux. De manière que les intérieurs humides ne se mettent pas à puer. Avec toute cette merde de vache sur les mains, je suis obligé de ne pas me ronger les ongles.

Tout à côté de moi, Denny lit : « Libre et disponible, pour toute bonne maison, vingt-trois ans, sexe

167

masculin, masturbateur obsessionnel en voie de guérison, revenus limités et talents mondains, très propre sur lui et parfaitement dressé. »

Puis il lit un numéro de téléphone. C'est son numéro de téléphone.

« C'est mes vieux, Coco, c'est leur numéro de téléphone, dit Denny. Comme s'ils cherchaient à me faire comprendre. »

Il a trouvé ça sur son lit la nuit dernière.

Denny dit : « C'est de moi qu'ils parlent. »

Je dis que cette partie-là, je la comprends. Avec une pelle en bois, je suis toujours en train de récupérer les bouses, que j'entasse dans un gros truc tissé. Vous savez. Un machin, là. Un panier.

Denny dit : « Peut-il venir vivre avec moi ?

« On parle ici du plan Z, dit Denny. Je te demande à toi en tout dernier ressort. »

Est-ce parce qu'il ne veut pas m'enquiquiner ou parce qu'il n'est pas fou d'enthousiasme à l'idée de vivre avec moi, je ne lui pose pas la question.

On sent les chips au maïs dans l'haleine de Denny. Une autre violation de son personnage historique. Ce mec est un tel aimant à attirer les emmerdes. La laitière, Ursula, sort de l'étable à vaches et nous regarde de ses yeux de défoncée chronique presque entièrement rouge vif tant ils sont injectés de sang.

« Imagine une fille qui te plaise bien, je dis à Denny, si elle voulait avoir des rapports sexuels avec toi uniquement pour être enceinte, est-ce que tu accepterais ? »

Ursula remonte sa jupe à deux mains et traverse à grands pas le caca de vache dans ses sabots en bois. Elle chasse d'un coup de pied un poulet sur son chemin. Quelqu'un prend une photo d'elle en plein coup de pied. Un couple marié commence à demander à Ursula de leur tenir leur bébé pour une photo, mais alors, peut-être qu'ils voient ses yeux.

« Je ne sais pas, dit Denny. Un bébé, c'est pas comme quand tu as un chien. Je veux dire par là, un bébé, ça vit *longtemps*, Coco.

— Mais si elle n'avait pas l'intention d'avoir le bébé ? » je demande.

Les yeux de Denny montent au ciel, avant de redescendre, ne regardant rien, puis il se tourne vers moi.

« Je ne comprends pas, dit-il. Tu veux dire quelque chose comme le vendre, ou quoi ?

— Je veux dire, quelque chose comme le sacrifier, plutôt », je dis.

Et Denny dit : « Coco.

— Juste une supposition, je dis. Supposons qu'elle lui brouille sa cervelle, à ce petit fœtus pas encore né, et qu'elle aspire le foutoir à l'aide d'une grosse aiguille pour injecter ça dans la tête d'une personne dont tu sais qu'elle a le cerveau endommagé, pour la guérir », je dis.

Les lèvres de Denny s'entrouvrent un chouïa.

« Coco, c'est pas de *moi* que tu veux parler, j'espère ? »

Je veux parler de ma maman.

On appelle ça une transplantation neurale. Certains appellent ça une greffe neurale, et c'est la seule manière efficace de reconstruire le cerveau de ma maman à ce stade aussi avancé. La chose serait plus connue s'il n'y avait pas le problème d'obtenir, vous savez, l'ingrédient clé.

« Un bébé passé à la moulinette », dit Denny.

Je dis : « Un fœtus. »

Les tissus du fœtus, a dit Paige Marshall. Le Dr Marshall avec toute sa peau et toute sa bouche.

Ursula s'arrête à côté de nous, et elle montre le journal dans la main de Denny. Elle dit : « À moins que la date de ce truc ne soit 1734, t'es foutu. C'est une violation de ton personnage. »

Les cheveux sur la tête de Denny essaient de repousser, sauf que certains sont incarnés et pris au piège de gros boutons rouge et blanc.

Ursula s'éloigne, puis se retourne.

« Victor, dit-elle, si tu as besoin de moi, je serai en train de baratter. »

Je dis : « Plus tard. » Et elle s'en va à lourdes enjambées envasées.

Denny dit : « Coco, ainsi donc, c'est un choix entre ta maman et ton premier-né ? »

C'est pas si terrible, à la manière dont le Dr Marshall voit ça. Nous faisons ça tous les jours. Tuer ceux qui ne sont pas nés encore pour sauver les forts en âge. Dans la lumière dorée de la chapelle, en train de me souffler ses raisons à l'oreille, elle a demandé : chaque fois que nous brûlons un litre de carburant ou un hectare de forêt tropicale humide, est-ce que nous ne tuons pas l'avenir pour préserver le présent ?

C'est tout le programme à structure pyramidale de la Sécurité sociale.

Elle a dit, avec ses seins comme deux coins de force entre nous, elle a dit : je fais ça parce que je me préoccupe du sort de votre mère. Le moins que vous puissiez faire, c'est de faire votre petite part.

Je n'ai pas demandé ce qu'elle entendait par *petite part*.

Et Denny dit : « Alors, dis-moi toute la vérité en ce qui te concerne. »

Je ne sais pas. Je n'ai pas pu. Avec cette putain de part.

« Non, dit Denny. Je veux dire, est-ce que tu as lu le journal intime de ta maman ? »

Non, je ne peux pas. Je suis un peu coincé par ce truc pas très net de meurtre de bébé.

Denny me jette un regard dur, droit dans les yeux, et dit : « Est-ce que t'es vraiment, tu sais, un cyborg ? Est-ce que c'est ça, le grand secret de ta maman ?

— Un quoi ? je dis.

— Tu sais, dit-il, un humanoïde artificiel créé pour une durée de vie limitée, mais auquel on a implanté de faux souvenirs d'enfance, et donc on pense qu'on est vraiment une personne réelle, sauf qu'on va réellement mourir bien vite. »

Je jette à Denny un regard dur et je dis : « Ainsi, Coco, ma maman t'a dit que j'étais une sorte de *robot* ?

— Est-ce que c'est ce que dit son journal ? » dit Denny.

Deux femmes s'approchent, l'appareil photo à la main, et l'une dit : « Cela ne vous dérange pas ?

— Faites ouistiti », je leur dis, et je prends leur photo tout sourire devant l'étable à vaches, ensuite elles s'éloignent avec un autre petit souvenir fugace qui a failli s'échapper. Un autre moment pétrifié à chérir comme un trésor.

« Non, je n'ai pas lu son journal, je dis. Je n'ai pas baisé Paige Marshall. Je suis infoutu de faire quoi que ce soit tant que je n'aurai pas pris de décision sur ce point.

— Okay, okay », dit Denny, et à moi, il dit : « Alors, en ce cas, est-ce que tu n'es vraiment qu'un cerveau, dans une casserole, quelque part, qu'on stimule aux produits chimiques et à l'électricité, pour te faire croire que tu as une vie réelle ?

— Non, je lui dis. Il est certain que je ne suis pas un cerveau. Ce n'est pas ça.

— Okay, dit-il. Peut-être alors es-tu un programme d'ordinateur d'intelligence artificielle qui interagit avec d'autres programmes dans une simulation de réalité ? »

Et j'y vais de mon : « Et toi ? Tu deviens quoi, là-dedans ?

— Moi, je serais juste un autre ordinateur », dit Denny. Puis il dit : « Je comprends où tu veux en venir, Coco. Je ne suis même pas capable de préparer la monnaie exacte pour le bus. »

Denny rétrécit les paupières et incline la tête en arrière, en me regardant, un sourcil en accent circonflexe. « Voici ma dernière hypothèse », dit-il.

Il dit : « Okay, à la manière dont je vois les choses, tu es simplement le sujet d'une expérience, et le monde entier tel que tu le connais n'est qu'une construction artificielle peuplée d'acteurs qui jouent les rôles de tous ceux qui sont dans ta vie, le temps qu'il fait, c'est rien que des effets spéciaux, et le ciel est peint en bleu, et le paysage, partout où tu le vois, est un décor. C'est ça ? »

Et j'y vais de mon : « Hein ?

— Et moi, je suis un acteur talentueux et absolument brillant, dit Denny, et je fais simplement semblant de prétendre être ton meilleur ami, perdant-né et masturbateur obsessionnel. »

Quelqu'un prend de moi une photo où je grince des dents.

Et je regarde Denny, et je dis : « Coco, tu fais semblant de rien du tout. »

Près de mon coude, il y a un touriste qui me sourit à belles dents. « Victor, dit-il. Ainsi, c'est ici que vous travaillez. »

D'où il me connaît, alors, là, je n'en ai pas la queue d'une idée.

Fac de médecine. Université. Un autre boulot. Ou alors, il est tout à fait possible que ce soit un autre des maniaques sexuels de mon groupe. C'est drôle. Il ne ressemble pas à un sexoolique, mais faut dire que ce n'est jamais le cas.

« Hé, Maud, et il donne un coup de coude à la femme qui l'accompagne. C'est lui le mec dont je n'arrête pas de te parler. Je lui ai sauvé la vie, à ce mec. »

Et la femme dit : « Oh, bon sang ! Ainsi, c'est donc vrai ? » Elle rentre la tête dans les épaules et roule les yeux au ciel. « Reggie se vante tout le temps à votre sujet. Je crois bien que j'ai toujours pensé qu'il exagérait.

— Oh, ouais, je dis. Ce bon vieux Reg, ouais, il m'a bien sauvé la vie. »

Et Denny d'ajouter : « Qui ne l'a pas fait, aujourd'hui, hein ? »

Reggie dit : « Est-ce que vous vous en sortez bien par les temps qui courent ? J'ai essayé de vous envoyer autant de fric que j'ai pu. Est-ce que cela vous a suffi pour faire extraire cette dent de sagesse ? »

Et Denny dit : « Oh, pour l'amour du ciel. »

Un poulet avec une demi-tête et pas d'ailes, tout barbouillé de merde, vient trébucher contre ma chaussure, et quand je baisse le bras pour la caresser, la petite chose frissonne à l'intérieur de ses plumes. Elle caquette doucement, timidement, un roucoulement qui est presque un ronron de chaton.

C'est agréable de voir quelque chose de plus pathétique que le sentiment qui est le mien en cet instant précis.

Et c'est alors que je me surprends avec un ongle dans la bouche. Bouse de vache. Merde de poulet.

Voir aussi : Histoplasmose. Voir aussi : Tænia.

Et j'y vais de mon : « Ouais, l'argent. » Je dis : « Merci, Coco. » Et je crache. Je crache encore. Il y a le déclic de Reggie qui me prend en photo. Rien qu'un autre de ces moments stupides dont on a l'impression que les gens se sentent obligés de les faire durer. Pour l'éternité.

Et Denny regarde le journal dans sa main, et il dit : « Alors, Coco, est-ce que je peux venir habiter dans la maison de ta maman ? Oui, ou non ? »

20.

Le rendez-vous de quinze heures de la Man-man se pointait, serrant une serviette de bain jaune, avec, autour du doigt, la rainure pâle de l'endroit où aurait dû se trouver l'alliance. À la seconde où la porte était verrouillée, il essayait de lui donner le liquide. Il se mettait à ôter son pantalon. Son nom, c'était Jones, disait-il. Son prénom, Monsieur.

Les mecs qui venaient ici pour la première fois étaient tous pareils. Elle lui disait : payez-moi après. Ne soyez pas si pressé. Gardez tous vos vêtements. Il n'y a aucune urgence.

Elle lui disait que le carnet de rendez-vous était rempli de M. Jones, M. Smith, John Doe[1], et des tas de Bob White, aussi il ferait bien de se trouver un meilleur pseudonyme. Elle lui disait de s'allonger sur le canapé. De tirer les rideaux. De tamiser les lumières.

C'est ainsi qu'elle pouvait se faire des tas de pognon. Cela ne violait pas les termes de sa condi-

---

1. Équivalent de inconnu, M. X, nom que l'on donne aux cadavres non identifiés à la morgue.

tionnelle, mais ce uniquement parce que la commission des conditionnelles manquait d'imagination.

S'adressant à l'homme sur le canapé, elle disait : « Voulez-vous que nous commencions ? »

Même si un mec déclarait qu'il ne cherchait pas de sexe, la Man-man lui disait malgré tout d'apporter une serviette. Vous apportiez une serviette. Vous payiez en liquide. Ne demandez pas à la Man-man de vous envoyer la facture plus tard ou de faire payer une assurance quelconque, parce que c'était le moindre de ses soucis. Vous payez en liquide, ensuite seulement vous déclarez le sinistre.

Vous n'avez droit qu'à cinquante minutes. Les mecs devaient savoir ce qu'ils voulaient.

Ce qui sous-entend la femme, les positions, le décor, les jouets. Ne pas lui sortir une petite surprise de derrière les fagots à la dernière minute.

Elle disait à M. Jones de s'étendre. De fermer les yeux.

Laissez toute la tension du visage fondre et disparaître. D'abord, votre front ; laissez-le se relâcher. Décontractez le point entre les deux yeux. Imaginez votre front lisse et décontracté. Puis les muscles autour de vos yeux, lisses et décontractés. Puis les muscles autour de votre bouche. Lisses et décontractés.

Même si les mecs disaient qu'ils cherchaient uniquement à perdre un peu de poids, ils voulaient du sexe. S'ils voulaient cesser de fumer. Gérer le stress. Arrêter de se ronger les ongles. Guérir leur hoquet. Cesser de boire. Nettoyer leur peau. Quel qu'était le problème, la raison en était qu'ils ne tiraient pas leur coup. Quoi qu'ils puissent dire qu'ils voulaient, ils auraient droit au sexe ici, et le problème était résolu.

Savoir si la Man-man était un génie plein de compassion ou une traînée, c'est une question sans réponse.

Le sexe guérit pratiquement de tout.

Dans le domaine, c'était elle la meilleure thérapeute, ou alors c'était une pute qui vous foirait la cervelle. Ça ne lui plaisait pas vraiment de se comporter avec ses clients comme une adjudante sur le retour, mais faut dire qu'elle n'avait jamais envisagé de gagner son pain de cette manière.

Ce genre de séance, le genre sexe, s'était mis en place la première fois par pur accident. Un client qui voulait cesser de fumer voulait régresser jusqu'au jour de ses onze ans, quand il avait tiré sa première bouffée. De manière à pouvoir se souvenir du goût détestable qu'il avait éprouvé. En conséquence, il allait pouvoir laisser tomber la clope en revenant sur son passé et ne jamais commencer. C'était ça, l'idée fondamentale.

Lors de sa deuxième séance, le client avait voulu rencontrer son père, décédé d'un cancer du poumon, rien que pour bavarder. Jusque-là, c'est encore plutôt assez normal. Les gens veulent tout le temps rencontrer des morts célèbres, pour être guidés, pour être conseillés. Ç'a été tellement réaliste que, lors de la troisième séance, le client a voulu rencontrer Cléopâtre.

À chaque client, la Man-man disait : laissez toute la tension se vider de votre visage jusqu'à votre cou, puis du cou jusqu'à votre poitrine. Décontractez les épaules. Permettez-leur de glisser doucement en arrière pour s'appuyer au plus creux du canapé. Imaginez un poids pesant pressant votre corps, installant votre tête et vos bras de plus en plus profondément au creux des coussins du canapé.

Décontractez vos bras, vos coudes, vos mains. Sentez la tension qui suinte petit à petit jusque dans chaque doigt, puis décontractez-vous et imaginez la tension qui se vide par l'extrémité de chaque doigt.

Ce qu'elle a fait, c'est qu'elle l'a mis dans une transe, une induction hypnotique, et elle a guidé l'expérience pas à pas. Il ne faisait pas un voyage dans le passé. Rien de tout ça n'était réel. Ce qui était essentiel, c'est que lui voulait que cela se produise.

La Man-man, elle se contentait de fournir la petite histoire scène par scène. La description plan après plan. Le commentaire sur la couleur. Imaginez-vous en train d'écouter la retransmission d'un match de base-ball à la radio. Imaginez à quel point cela peut paraître réel. Et maintenant imaginez cela depuis l'intérieur d'une lourde transe de niveau thêta, une transe profonde dans laquelle vous êtes capable d'entendre et de sentir les odeurs. Vous percevez le goût, vous éprouvez des sentiments. Imaginez Cléopâtre qui sort du tapis déroulé, nue, parfaite, tout ce que vous avez toujours désiré.

Imaginez Salomé. Imaginez Marilyn Monroe. Que vous puissiez retourner dans le temps vers n'importe quelle période historique et rencontrer n'importe quelle femme, des femmes qui accepteraient de faire tout, absolument tout ce que vous pourriez imaginer. Des femmes incroyables. Des femmes célèbres.

Le théâtre de l'esprit. Le bordel du subconscient.

C'est ainsi que tout a commencé.

Bien sûr, ce qu'elle faisait, ça s'appelle de l'hypnose, mais ce n'était pas une régression à un passé réel. Il s'agissait plutôt d'une sorte de méditation guidée. Elle disait à M. Jones de se concentrer sur la tension dans sa poitrine et de la laisser se retirer. De la laisser s'écouler jusqu'à sa taille, ses hanches, ses jambes. Imaginez l'eau qui tourbillonne en spirale dans une bonde d'évier. Décontractez chaque partie du corps, et laissez la tension s'écouler jusqu'à vos genoux, vos tibias, vos pieds.

Imaginez de la fumée qui dérive doucement dans le ciel. Laissez-la se disperser. Suivez-la des yeux qui s'amenuise. Qui disparaît. Qui se dissout.

Dans son livre de rendez-vous, tout à côté du nom du mec, ça disait Marilyn Monroe, la même chose que la plupart des gars à leur première visite ici. Elle aurait pu vivre rien qu'en faisant Marilyn. Elle aurait pu vivre rien qu'en faisant la princesse Diana.

À M. Jones, elle disait : imaginez que vous levez les yeux vers un ciel bleu, et imaginez un minuscule avion en train d'écrire dans ce ciel la lettre Z. Ensuite laissez le vent effacer la lettre. Puis la lettre X. Effacez-la. Puis la lettre W.

Laissez le vent l'effacer.

Tout ce qu'elle faisait se résumait en fait à installer le décor. Elle se contentait de présenter des hommes à leur idéal. Elle leur arrangeait un rencard avec leur subconscient parce que rien n'est jamais aussi bon que ce que vous pouvez en imaginer. Pas une femme n'est aussi belle que celle qu'elle est dans votre tête. Rien n'est aussi excitant que votre imaginaire fantasmatique.

Ici, vous aviez droit au sexe dont vous ne faisiez

que rêver, et uniquement rêver. Elle installait le décor et faisait les présentations. Le reste de la séance, elle surveillait l'horloge et peut-être qu'elle lisait un livre ou faisait un mot croisé.

Ici, vous n'étiez jamais déçu.

Enterré dans les profondeurs de sa transe, un mec s'allongeait là et s'agitait, de tics en coups de reins, comme un chien chassant des lapins dans un rêve. À quelques mecs d'intervalle, elle se récupérait un hurleur, ou un gémisseur ou un grogneur. Il faut s'interroger sur ce que les gens dans la pièce voisine pensaient à ce moment-là. Les mecs dans la salle d'attente entendaient tout le tintouin, et ça les rendait complètement dingues.

À l'issue de la séance, un mec se retrouvait trempé de sueur, la chemise mouillée collant à la peau, le pantalon taché. Certains arrivaient même à vider leurs chaussures de la sueur qui s'y accumulait. Ils pouvaient la chasser de leurs cheveux en secouant la tête. Le canapé dans le bureau de la Man-man était traité à l'antitaches Scotchgard mais jamais il n'avait l'occasion de sécher complètement. Aujourd'hui, il est scellé sous une enveloppe amovible en plastique transparent, plus pour garder les années de foutoir à l'intérieur de sa carcasse que pour le protéger du reste du monde.

Donc les mecs devaient chacun apporter une serviette, dans leur attaché-case, dans des sacs en papier, dans des sacs de sport, à côté d'un change de vêtements propres. Entre deux clients, elle vaporisait des désodorisants d'atmosphère. Elle ouvrait les fenêtres.

À M. Jones, elle disait : faites en sorte que toute la tension dans votre corps se rassemble dans vos orteils, avant de se vider. Toute la tension. Imaginez votre corps entier qui se relâche. Tout mou. Décontracté. Effondré. Sans ressort. Décontracté. Lourd. Décontracté. Vide. Décontracté.

Respirez par l'estomac plutôt que par la poitrine. Inspiration, puis expiration.

Ça entre, et puis ça sort.

Inspirez fortement.

Et puis expirez. De manière égale et sans heurts.

Vos jambes sont lourdes et fatiguées. Vos bras sont lourds et fatigués.

Au départ, ce dont se souvient le stupide petit garçon, c'est que la Man-man faisait des nettoyages de maisons, pas du passage d'aspirateur ni du ménage, non, en aucun cas, mais du nettoyage spirituel, des exorcismes. La partie la plus difficile du boulot consistait à obtenir des gens des Pages jaunes qu'ils acceptent de passer son annonce sous la rubrique « Exorciste ». Vous allez brûler de la sauge. Dire le Notre Père en marchant en rond. Peut-être même taper sur un tambour en terre cuite. Déclarer la maison propre. Des clients paieront rien que pour que vous fassiez ça.

Les points froids, les mauvaises odeurs, les sensations d'effroi étrange — la plupart des gens n'ont pas besoin d'exorciste. Ce qu'il leur faut, c'est une nouvelle chaudière, ou un plombier, ou un décorateur d'intérieur. Le point étant : ce qu'on pense n'est pas important. Ce qui est important, c'est que eux soient sûrs d'avoir un problème. La plupart de ces boulots passent par l'intermédiaire des agents immobiliers. Dans cette ville, nous avons une loi sur l'inventaire détaillé des biens immobiliers, et les gens reconnaissent jusqu'aux défauts les plus débiles, non pas seulement l'amiante et les citernes à fuel enterrées, mais aussi les fantômes et les esprits frappeurs. Tout le monde veut retirer de sa vie plus d'excitation qu'il n'en aura jamais. Les acheteurs sur le point de conclure l'affaire, il faudra les rassurer un tout petit peu sur la maison. L'agent immobilier passe un coup de fil, et vous faites votre petit numéro, vous brûlez un peu de sauge, et tout le monde est gagnant.

Ils ont ce qu'ils voulaient, plus une bonne histoire à raconter. Une expérience à transmettre.

Ensuite est arrivé le Feng Shui, se rappelle le gamin, et les clients voulaient un exorcisme et, *en plus*, ils voulaient que la Man-man leur dise où placer le canapé. Les clients demandaient : où est-ce que le lit devait aller pour leur éviter de couper le flux du *chi* depuis le coin de la commode. Où ils devaient accrocher les miroirs pour renvoyer le flux de *chi* au premier ou loin des portes ouvertes. Voilà le genre de boulot que c'était devenu. Voilà ce que vous faites avec une maîtrise en anglais.

À lui seul, le CV de la Man-man était une preuve que la réincarnation existait.

Avec M. Jones, elle reprenait l'alphabet à l'envers. Elle lui disait : vous êtes debout dans une pâture à l'herbe bien grasse, mais maintenant les nuages vont descendre, ils vont descendre de plus en plus bas, pour se poser sur vous jusqu'à ce qu'ils vous entourent d'un brouillard épais. Un brouillard dense et brillant.

Imaginez que vous êtes debout dans un brouillard froid et brillant. L'avenir est à votre droite. Le passé à votre gauche. Le brouillard est froid et moui votre visage.

Tournez à gauche et commencez à marcher.

Imaginez, elle disait à M. Jones, une forme juste devant vous dans le brouillard. Continuez à marcher. Sentez le brouillard qui commence à se lever. Sentez le soleil brillant qui vous chauffe les épaules.

La forme est plus proche. À chaque pas, la forme est de plus en plus distincte.

Ici, dans votre esprit, vous disposez d'une intimité totale. Ici, il n'y a pas de différence entre ce qui est et ce qui pourrait être. Vous n'allez attraper aucune maladie. Ni de morpions. Pas plus que vous n'allez enfreindre de loi. Ou vous contenter de moins que le meilleur de tout ce que vous pouvez imaginer.

Vous pouvez faire tout ce que vous pouvez imaginer.

Elle disait à chaque client : inspirez profondément. Puis expirez.

Vous pouvez avoir n'importe qui. N'importe où.

Ça entre. Et puis ça sort.

Du Feng Shui, elle est passée à la focalisation. Dieux antiques, guerriers de lumière, animaux familiers décédés, elle les avait simulés. La focalisation a conduit à l'hypnose et à la régression au passé. Faire régresser les gens l'a conduite jusqu'ici, jusqu'à neuf clients par jour à deux cents sacs par tête. Jusqu'à la salle d'attente pleine de mecs toute la journée. Jusqu'à des épouses appelant le petit garçon et lui hurlant à la figure : « Je sais qu'il est ici. Je ne sais pas ce qu'il raconte, mais il est marié. »

183

Jusqu'à des épouses dans des voitures dehors, appelant par téléphone portable, pour dire : « Ne croyez pas que je ne sache pas ce qui se passe là-haut. Je l'ai suivi. »

Ce n'est pas comme si la Man-man avait commencé avec l'idée d'invoquer les femmes les plus puissantes de l'histoire pour qu'elles offrent branlettes, pipes, moitié-moitié[1] et tours du monde.

Ç'a juste fait boule de neige. Le premier mec a parlé. Un de ses amis a appelé. Un ami du deuxième mec a appelé. Au début, tous autant qu'ils étaient, ils demandaient de l'aide pour se guérir d'un truc légitime. Le fait de fumer ou de chiquer. De cracher en public. De voler à l'étalage. Puis ils ont juste voulu du sexe. Ils voulaient Clara Bow[2] et Betsy Ross[3], et Elizabeth Tudor[4] et la reine de Saba.

Et tous les jours la Man-man courait à la bibliothèque pour faire sa recherche sur la femme du lendemain, Eleanor Roosevelt[5], Amelia Earhart[6], Harriet Beecher Stowe[7].

Ça entre, et puis ça sort.

Des mecs appelaient, voulant s'embourber Helen

---

1. Fellation puis rapport sexuel jusqu'à l'orgasme.
2. 1905-1965. Actrice de cinéma muet, surnommée « The It-Girl ».
3. 1752-1836. Quaker. A cousu le premier drapeau américain à la demande de George Washington en juin 1776.
4. Elizabeth Ire, reine d'Angleterre.
5. Épouse du président des États-Unis F.D. Roosevelt.
6. Pionnière de l'aviation. Première femme à avoir traversé l'Atlantique. Disparue en 1937 dans le Pacifique lors d'une tentative de vol autour du monde.
7. 1811-1896. Auteur de *La Case de l'oncle Tom*.

Hayes[1], Margaret Sanger[2] et Aimee Semple McPherson[3]. Ils voulaient tringler Édith Piaf, Sojourner Truth[4] et l'impératrice Theodora. Et au départ, ça a posé des problèmes à la Man-man, la manière dont tous ces mecs n'étaient obsédés que par des femmes mortes. Et cette façon qu'ils avaient de ne jamais demander deux fois la même. Et peu importait la masse de détails dont la Man-man illustrait une séance, les mecs ne voulaient jamais que s'embourber et tringler, bourrer et niquer, enfiler, emmancher, baiser, fourrer, défoncer, pilonner, tirer, trombiner et faire la bête à deux dos.

Et il arrive parfois qu'un euphémisme n'en soit tout bonnement pas un.

Il arrive parfois qu'un euphémisme soit plus vrai que ce qu'il est censé cacher.

Ces mecs signifiaient juste exactement ce qu'ils venaient chercher.

Ils ne voulaient pas de conversation, de costumes d'époque ou de précision historique. Ils voulaient Emily Dickinson[5] nue, en hauts talons, un pied par terre et l'autre posé sur le dessus de son bureau,

1. 1900-1993. Actrice de théâtre et écrivain, surnommée la Première Dame du théâtre américain.
2. 1879-1966. Infirmière, socialiste, journaliste, ardent défenseur de la régulation des naissances, reconnue légale quelques mois avant sa mort.
3. 1890-1944. Évangéliste. Prêcheur. Missionnaire.
4. 1797-1883. Née esclave, rencontre Dieu et devient prêcheur et militante pour les droits des Noirs.
5. Poétesse nord-américaine. 1831-1886. Éducation très rigide et puritaine, vie quasiment cloîtrée, Poésie de prisonnière, presque mystique, sobre et simple, illuminée par le souffle de la pensée.

penchée en avant, en train de se passer et repasser une plume d'oie dans la raie du cul.

Ils payaient deux cents sacs pour entrer en transe et trouver Mary Cassatt[1] portant un soutien-gorge pigeonnant.

Ce n'était pas le premier homme venu qui pouvait s'offrir ses services, aussi se récupérait-elle toujours et encore le même type de spécimen. Les mecs garaient leur mini-van à six blocs de là et se dépêchaient jusqu'à la maison en rasant les murs et en tirant derrière eux leur ombre contrainte et forcée. Ils entraient d'un pas hésitant, lunettes noires sur le nez, et attendaient à l'abri de revues et de journaux ouverts jusqu'à ce qu'on appelle leur nom. Ou leur pseudonyme. S'il arrivait par hasard que la Man-man et le stupide petit garçon les rencontrent en public, ces hommes faisaient semblant de ne pas la connaître, cette femme. En public, ils avaient des épouses. Dans les supermarchés, ils avaient des gamins. Ils avaient de vrais noms de la vraie vie.

Ils la payaient en billets de vingt et de cinquante tout moites sortis de portefeuilles trempés pleins de choses suantes, photos, cartes de bibliothèque, cartes de crédit, cartes de membre de clubs, permis, monnaie. Obligations. Responsabilité. Réalité.

Imaginez, disait-elle à chaque client, le soleil sur votre peau. Sentez le soleil qui se fait de plus en plus chaud à chaque bouffée d'air que vous expirez. Le

1. Peintre, graveur et dessinatrice, Pittsburgh 1845 – Le Mesnil-Théribus 1926. Amie de Degas. A fortement contribué à la propagation de l'impressionnisme aux États-Unis.

soleil brillant et chaud sur votre visage, votre poitrine, vos épaules.

Inspirez. Puis soufflez.

Ça entre. Puis ça sort.

Ses clients à répétition, maintenant ils voulaient tous des spectacles fille sur fille, ils voulaient des fiestas à deux filles, Indira Gandhi[1] et Carole Lombard[2]. Margaret Mead[3] et Audrey Hepburn[4] et Dorothea Dix[5]. Les clients à répétition ne voulaient même plus être des personnes réelles. Les chauves demandaient des tignasses bien pleines de cheveux épais. Les gros lards demandaient du muscle. Les pâlots, du bronzage. Après un nombre suffisant de séances, chaque homme demandait une arrogante érection de trente bons centimètres.

Et donc ce n'était pas de la vraie régression au passé. Et ce n'était pas de l'amour. Ce n'était pas de l'histoire, et ce n'était pas la réalité. Ce n'était pas la télévision, mais ça se passait dans votre esprit. C'était une diffusion, et c'était elle l'émettrice.

Ce n'était pas du sexe. Elle n'était que le guide du voyage organisé destination rêve mouillé. Une danseuse go-go se trémoussant dans votre giron pour vous hypnotiser.

1. 1917-1984. Fille de Nehru, Premier ministre de l'Inde, morte assassinée.
2. 1908-1942. Actrice de cinéma, spécialisée dans les comédies.
3. 1901-1978. Anthropologue américaine d'obédience freudienne.
4. 1929-1993. Actrice de cinéma.
5. 1802-1887. Directrice du corps des infirmières pendant la guerre de Sécession. Surnommée le Dragon Dix.

Chaque mec gardait le pantalon pour les dégâts éventuels et leur maîtrise. Leur contention. Le foutoir allait bien au-delà de simples pointillés de zizi. Et ça payait une fortune.

M. Jones avait droit à l'expérience Marilyn standard. Il s'allongeait rigide sur le canapé, tout suant, respirant par la bouche. Ses yeux se révulsaient. Sa chemise se mouillait sous les bras. Son entre-deux faisait la tente.

La voici, disait la Man-man à M. Jones.

Le brouillard a disparu et la journée est belle et chaude. Sentez l'air sur votre peau nue, vos bras nus, vos jambes nues. Sentez combien vous avez de plus en plus chaud à chaque bouffée d'air que vous expirez. Sentez-vous grandir, plus long, plus gros. Déjà vous êtes plus dur et plus lourd, plus violacé et plus palpitant que vous ne l'avez jamais été.

La montre de la Man-man disait qu'ils disposaient d'une quarantaine de minutes avant le client suivant.

Le brouillard a disparu, monsieur Jones, et la forme qu'il y a juste devant vous, c'est Marilyn Monroe en robe de satin moulante. Toute dorée et souriante, les yeux mi-clos, sa tête bascule légèrement en arrière. Elle se tient dans un champ de fleurs minuscules et elle lève les bras, et comme vous vous rapprochez, sa robe glisse jusqu'au sol.

S'adressant au stupide petit garçon, la Man-man disait toujours que ça, ce n'était pas du sexe. Ce n'était pas tant des femmes réelles que des symboles. Des projections. Des symboles sexuels.

Le pouvoir de la suggestion.

S'adressant à M. Jones, la Man-man disait : « Allez-y, lancez-vous. »

Elle disait : « Elle est toute à vous. »

21.

Ce premier soir, Denny est devant la porte d'entrée, il tient quelque chose enveloppé dans une couverture rose de bébé. Tout ça, c'est à travers le judas dans la porte de ma maman : Dennis dans son manteau géant à carreaux, Denny en train de serrer un bébé quelconque contre sa poitrine, le nez tout boursouflé, les yeux tout boursouflés, tout complètement boursouflé à cause de la lentille du judas. Tout est déformé. Ses mains qui serrent le paquet sont blanchies par le poids de sa charge.

Et Denny hurle : « Hé, Coco, ouvre ! »

Et j'ouvre la porte aussi loin que la chaîne de sécurité le permet. J'y vais de mon : « Qu'est-ce que t'as là ? »

Et Denny retend la couverture autour de son petit paquet et dit : « À quoi ça ressemble ?

— Ça ressemble à un bébé, Coco », je dis.

Et Denny dit : « Bien. »

Il repositionne le paquet rose entre ses bras et dit : « Laisse-moi entrer, Coco, ça commence à faire lourd. »

Alors je dégage la chaîne de sa glissière. Je

m'écarte, et Denny entre au pas de charge et se dirige vers un coin du salon, où il dépose avec effort le bébé sur le canapé recouvert de plastique.

La couverture rose se déroule et il en sort une pierre, grise, couleur de granit, bien récurée et tout lisse d'aspect. Sans blague, mais c'est vrai, ç'a rien d'un bébé, c'est qu'un gros galet.

« Merci pour l'idée du bébé, dit Denny. Les gens voient un jeune mec avec un bébé, et ils sont tout de suite gentils avec toi, dit-il. Ils voient un mec qui transporte une grosse pierre, et ils se crispent de la tête aux pieds. En particulier si tu veux monter dans le bus avec elle. »

Il coince un coin de la couverture rose sous son menton et se met en devoir de la replier contre sa poitrine, et il dit : « En plus, avec un bébé, t'as toujours droit à un siège. Et si tu as oublié ton argent, on ne te vire pas. »

Denny laisse retomber la couverture pliée sur son épaule et dit : « C'est ça, la maison de ta maman ? »

La table de salle à manger est couverte des cartes d'anniversaire et des chèques de la journée, plus mes lettres de remerciements, et le grand livre de qui et où. À quoi s'ajoute la vieille machine à calculer à dix touches de ma maman, le modèle avec, sur le côté, une longue poignée genre machine à sous qu'on tire vers soi. Je me rassieds et je me mets à remplir mon bordereau de dépôt pour aujourd'hui, et je dis : « Ouais, c'est sa maison jusqu'à ce que les services de la taxe d'habitation me virent dans quelques mois. »

Denny dit : « C'est bien que tu aies une maison entière à toi, dans la mesure où mes vieux veulent que toutes mes pierres déménagent avec moi.

190

— Coco, je dis. T'en as combien au total ? »

Il a une pierre pour chaque jour d'abstinence, me dit Denny. C'est ce qu'il fait le soir pour se tenir occupé. Trouver des pierres. Les laver. Les transbahuter jusqu'à la maison. Et c'est ainsi que sa guérison va se passer, à faire de grands trucs bien au lieu de se contenter de ne pas faire une accumulation de toutes petites conneries.

« C'est pour que je ne passe pas à l'acte, Coco, dit-il. Tu n'as aucune idée de la difficulté de trouver de bonnes pierres dans cette ville. Je te parle pas de morceaux de béton ou de ces pierres en plastique à l'intérieur desquelles les gens cachent leurs clés de rechange. »

Le total des chèques d'aujourd'hui se monte à soixante-quinze sacs. Tous de la part d'inconnus qui ont exercé sur moi la procédure Heimlich[1] dans un quelconque restaurant quelque part. C'est très loin du coût d'une sonde stomacale tel que je l'imagine.

M'adressant à Denny, je dis : « Alors, il y a combien de jours que tu tiens ?

— Ça représente cent vingt-sept pierres », dit Denny. Il fait le tour de la table et s'approche de moi, regardant les cartes d'anniversaire, regardant les chèques, et il dit : « Alors, où se trouve le célèbre journal intime de ta maman ? »

Il ramasse une carte d'anniversaire.

« Tu ne peux pas lire ce truc », je lui dis.

---

1. Procédure de première urgence pour sauver quelqu'un qui a avalé un corps étranger par inadvertance et risque de s'étrangler. D'après Henry J. Heimlich, le médecin américain qui l'a mise au point.

Denny dit : « Désolé », et il se prépare à reposer la carte sur la table.

Non, je lui dis. Je parle du journal. Il est rédigé dans une langue étrangère. Voilà pourquoi il ne peut pas le lire. Et que je ne peux pas le lire. Dans son esprit, ma maman l'a probablement rédigé ainsi de manière que je ne puisse jamais aller reluquer ce qui y était écrit quand j'étais gamin.

« Coco, je dis, je crois que c'est de l'italien. »

Et Denny y va de son : « Italien ?

— Ouais, je lui dis, tu sais, comme les spaghettis ? »

Toujours avec son grand manteau à carreaux sur le dos, Denny dit : « T'as déjà mangé ? »

Pas encore. Je colle l'enveloppe de dépôt.

Denny dit : « Tu crois qu'ils vont me bannir demain ? »

Oui, non, probablement. Ursula l'a vu avec le journal.

Le bordereau de dépôt est prêt pour la banque, demain. Toutes les lettres de remerciements, mes lettres de perdant geignard, sont signées et timbrées, prêtes à être postées. Je prends mon manteau sur le canapé. Tout à côté, la pierre de Denny est en train d'écraser tous les ressorts.

« Alors, c'est quoi, cette histoire de pierres ? » je dis.

Denny a ouvert la porte d'entrée, et il est planté là pendant que j'éteins quelques lumières. Dans l'embrasure de la porte, il dit : « Je ne sais pas. Mais les pierres, c'est comme qui dirait, tu sais, *de la terre*. Comme si ces pierres, c'était un kit à monter. C'est du terrain, mais ça exige un peu d'assemblage. Tu sais, genre : objectif propriétaire terrien, mais pour l'instant, c'est juste en intérieur. »

Je lui dis : « Bien sûr. »

Nous sortons et je verrouille la porte derrière nous. Le ciel de nuit est tout tremblotant d'étoiles. Toutes floues. Il n'y a pas de lune.

Dehors, sur le trottoir, Denny lève les yeux sur ce foutoir indistinct et dit : « Ce que je pense qui est arrivé, c'est que quand Dieu a voulu créer la Terre à partir du chaos, la première chose qu'il a faite a juste été d'assembler des tas de pierres les unes aux autres. »

Pendant que nous marchons, sa toute nouvelle compulsion obsessionnelle fait que j'ai les yeux qui balaient déjà les terrains vagues et autres endroits possibles à la recherche de pierres qu'on pourrait ramasser.

Tout en m'accompagnant jusqu'à l'arrêt de bus, sa couverture rose de bébé toujours pliée sur l'épaule, Denny me dit : « Je prends seulement les pierres dont personne ne veut. »

Il dit : « Je ne prends qu'une pierre tous les soirs. Ensuite je pense que je trouverai ce qui viendra ensuite, tu comprends — ensuite. »

L'idée est à frémir. Nous qui ramenons des pierres à la maison. Nous ramassons de la terre. Pour en faire collection.

« Tu connais cette fille, Daiquiri ? dit Denny. La danseuse au grain de beauté cancérigène. »

Il dit : « Tu n'as pas couché avec elle, quand même ? »

Nous faisons du vol à l'étalage de propriété en bonne et due forme. Deux cambrioleurs de terre ferme.

Et je dis : « Et pourquoi pas ? »

Nous sommes un duo de voleurs de terres hors la loi.

Et Denny dit : « De son vrai nom, elle s'appelle Beth. »

Dans son esprit, Denny a probablement de grands projets pour démarrer sa propre planète.

22.

Le Dr Marshall étire un fil de machin blanc bien tendu entre ses deux mains gantées. Elle se tient debout au-dessus d'une vieille femme toute dégonflée dans un fauteuil inclinable, et le Dr Marshall dit : « Mme Wintower ? J'ai besoin que vous ouvriez la bouche aussi grand que vous le pouvez. »

Les gants de latex, cette façon toute jaune dont elles font apparaître vos mains, eh bien, c'est exactement l'aspect d'une peau de cadavre. Les cadavres médicaux de la première année d'anatomie avec leur tête et leur pubis rasés. Le petit chaume de poils. La peau pourrait être de la peau de poulet, du poulet de bouillon bon marché, qui vire au jaune, plein de fossettes de follicules. Plumes ou poils, c'est toujours de la kératine. Les muscles de la cuisse humaine ont exactement le même aspect que la viande de dinde bien sombre. Pendant la première année d'anatomie, il est impossible de regarder du poulet ou de la dinde sans se dire qu'on mange du cadavre.

La vieille femme bascule la tête en arrière pour montrer ses dents enfoncées dans leur courbure marron. La langue veloutée de blanc. Les yeux fermés.

C'est à ça qu'elles ressemblent, toutes ces vieilles femmes lors de la communion, pendant la messe catholique, quand vous êtes enfant de chœur et que vous devez suivre pendant que le prêtre dépose les hosties sur les vieilles langues, l'une après l'autre. L'Église dit qu'on peut recevoir l'hostie dans la main, pour se la manger ensuite, mais pas ces vieilles dames. À l'église, il suffit de regarder en contrebas devant la rambarde de l'autel pour voir deux cents bouches ouvertes, deux cents vieilles dames étirant la langue vers la rédemption.

Paige Marshall se penche et enfonce de force le fil blanc entre les dents de la vieille femme. Elle tire, et quand le fil ressort de la bouche en vibrant comme une corde de guitare, de petits débris gris s'éjectent. Elle repasse le fil entre deux nouvelles dents, et le fil ressort rouge.

Pour les gencives qui saignent, voir aussi : Cancers de la bouche.

Voir aussi : Gingivite ulcérative nécrosante.

Le seul truc bien dans la fonction d'enfant de chœur, c'est que vous avez l'honneur et l'avantage de tenir la patène sous le menton de chaque personne qui reçoit la communion. Il s'agit d'une soucoupe en or au bout d'un bâtonnet dont on se sert pour rattraper l'hostie si elle tombe. Même si une hostie touche le sol, on doit malgré tout la manger. À ce stade, elle est consacrée. Elle est devenue le Corps du Christ. La chair incarnée.

Je regarde par-derrière tandis que Paige Marshall replace le fil sanguinolent dans la bouche de la vieille femme une fois encore, et encore. Un barbouillis de débris gris et blancs s'accumule sur le devant de la blouse de laborantine de Paige. Un mouchetis de particules roses.

Une infirmière se penche à la porte et dit : « Tout le monde va bien ici ? » S'adressant à la vieille femme, elle dit : « Paige ne vous fait pas mal, j'espère ? »

La femme gargouille une réponse.

L'infirmière dit : « Qu'est-ce que vous avez dit ? »

La vieille femme déglutit et dit : « Le Dr Marshall est très douce. Elle est plus douce que vous quand vous me faites les dents.

— C'est presque fini, dit le Dr Marshall. Vous êtes vraiment très gentille, madame Wintower. »

Et l'infirmière hausse les épaules et s'en va.

Ce qu'il y a de bien dans la fonction d'enfant de chœur, c'est quand vous touchez quelqu'un dans la gorge d'un coup de patène. Les gens sont à genoux, les mains jointes, en prière, avec la petite grimace d'étranglé qu'ils font juste à ce moment-là, ils sont absolument divins. J'adorais ça.

Lorsque le prêtre dépose l'hostie sur leur langue, il dit : « Corps du Christ. »

Et la personne agenouillée pour la communion dit alors : « Amen. »

Ce qu'il y a de mieux, c'est de leur toucher la gorge de manière que le « Amen » sorte comme un ga-ga de bébé. Ou alors ils font un coin-coin de canard. Ou un caquètement de poulet. Cependant, il fallait faire ça par inadvertance. Et il fallait ne pas rire.

« Terminé », dit le Dr Marshall. Elle se redresse, et au moment où elle s'apprête à jeter le fil sanguinolent à la poubelle, elle m'aperçoit.

« Je ne voulais pas vous interrompre », dis-je.

Elle aide la vieille femme à sortir du fauteuil inclinable et dit : « Madame Wintower ? Pourriez-vous m'envoyer Mme Tsunimitsu ? »

Mme Wintower acquiesce. À travers ses joues, on voit sa langue qui s'étire à l'intérieur de la bouche et touchotte les dents, on la voit qui suçote ses lèvres en petite moue serrée. Avant de sortir dans le couloir, elle me regarde et dit : « Howard, je t'ai pardonné de m'avoir trompée. Tu n'es pas obligé de revenir à tout bout de champ.

— Rappelez-vous de m'envoyer Mme Tsunimitsu », dit le Dr Marshall.

Et je dis : « Alors ? »

Et Paige Marshall dit : « Alors ? Je suis de corvée d'hygiène dentaire toute la journée. Qu'est-ce que vous voulez ? »

. J'ai besoin de savoir ce que dit le journal intime de ma maman.

« Oh, ça », dit-elle.

Elle retire ses gants en latex avec un claquement et les fourre dans un récipient réservé aux substances dangereuses pour la santé.

« La seule chose que prouve ce journal intime, c'est que votre mère souffrait de délire depuis bien avant votre naissance. »

Délire dans quel sens ?

Paige Marshall regarde l'horloge sur le mur. Elle montre le fauteuil du geste, le fauteuil inclinable en vinyle imitation cuir que Mme Wintower vient de quitter, et dit : « Prenez un siège. »

Elle étire une nouvelle paire de gants en latex.

Elle veut me passer la bouche au fil dentaire ?

« Cela améliorera votre haleine », dit-elle. Elle sort

une longueur de fil dentaire et dit : « Asseyez-vous, et je vous raconterai ce qu'il y a dans ce journal. »

Et donc je m'assieds, et sous mon poids un nuage de puanteur se lève du fauteuil inclinable.

« Ça, c'est pas moi, je dis. Cette odeur, je veux dire. Ce n'est pas moi qui ai fait ça. »

Et Paige Marshall dit : « Avant votre naissance, votre mère a passé un moment en Italie, je me trompe ?

— C'est ça, le grand secret ? » je dis.

Et Paige dit : « Quoi ? »

Que je suis *italien* ?

« Non », dit Paige. Elle se penche vers ma bouche, tout près. « Mais votre mère est catholique, n'est-ce pas ? »

Le fil me fait mal quand elle le passe entre deux dents.

« S'il vous plaît, j'espère que c'est une plaisanterie », dis-je. Je dis, autour de ses doigts : « Je ne suis pas italien *et* catholique. C'est trop pour un seul homme. »

Je lui apprends que tout ça, je le sais déjà.

Et Paige dit : « La ferme. » Et elle se penche en arrière.

« Alors, qui est mon père ? »

Elle se penche sur ma bouche, tout près, et le fil racle et claque entre deux dents du fond. Un goût de sang s'accumule à la base de ma langue. Elle plisse les yeux pour concentrer son attention au plus profond de ma personne, et dit : « Eh bien, si vous croyez en la Sainte Trinité, vous êtes votre propre père. »

Je suis mon propre père ?

Paige dit : « Ce que je veux vous faire comprendre, c'est que la démence de votre mère semble remonter à avant même votre naissance. Si j'en crois ce qui est écrit dans son journal intime, elle vit dans le délire depuis au moins la fin de sa trentaine. »

Elle ressort le fil avec un bruit de corde pincée et des débris de nourriture giclent sur sa blouse.

Et je demande : qu'est-ce qu'elle veut dire par *la Sainte Trinité* ?

« Vous savez, dit Paige. Le Père, le Fils et le Saint-Esprit. Trois en un. Saint Patrick et le chardon. » Elle dit : « Pourriez-vous ouvrir un peu plus grand ? »

Alors dites-moi, bordel, sans fioritures, je lui demande : « Qu'est-ce que dit sur moi le journal de ma maman ? »

Paige regarde le fil sanguinolent qu'elle vient d'arracher de ma bouche, et elle baisse les yeux sur les débris de nourriture et de sang qui ont giclé sur sa blouse de laborantine, et elle dit : « Il s'agit d'un délire relativement fréquent chez les mères. »

Elle se penche avec le fil et l'enroule autour d'une autre dent.

Des morceaux de trucs, des machins à moitié digérés dont j'ignorais jusqu'à l'existence en ces lieux, tout ça se dégage et sort de sa réserve. Avec Paige qui me tire la tête en rond au rythme de son fil, je pourrais aussi bien être cheval sous harnais à Dunsboro la Coloniale.

« Votre pauvre mère », dit Paige Marshall, en regardant au travers du mouchetis de sang sur ses verres de lunettes, « elle est dans un tel délire qu'elle croit sincèrement que vous êtes la seconde venue du Christ sur terre. »

23.

Chaque fois que quelqu'un dans une voiture neuve leur proposait de les prendre, la Man-man disait au conducteur : « Non. »

Ils étaient postés en bordure de route et contemplaient la toute neuve Cadillac, Buick ou Toyota disparaître, et la Manman disait : « L'odeur d'une voiture neuve est l'odeur de la mort. »

C'était la troisième ou quatrième fois qu'elle venait le réclamer.

L'odeur de colle et de résine dans les voitures neuves, c'est du formaldéhyde, lui apprenait-elle, c'est exactement la même chose que ce qu'on utilise pour conserver les cadavres. Il y en a dans les maisons neuves et les meubles neufs. On appelle ça des dégagements secondaires. On peut inhaler du formaldéhyde à partir de vêtements neufs. Une fois qu'on en a inhalé suffisamment, s'attendre à crampes d'estomac, vomissements et diarrhée.

Voir aussi : Blocage du foie.

Voir aussi : Choc.

Voir aussi : Mort.

Si on cherche l'illumination, disait la Man-man, une voiture neuve n'est pas la solution.

Sur le bas-côté de la route se trouvaient des fleurs en forme de doigt de gant en pleine floraison, de longues tiges de fleurs blanc-violet.

« Les digitales, disait la Man-man, ça ne marche pas non plus. »

Si on ingère des fleurs de digitale, on attrape nausées, délire et vision trouble.

Au-dessus d'eux, une montagne se tenait ferme sur ses positions en fond de ciel, capturant les nuages, recouverte de pins, avec, sur les hauteurs, de la neige. Elle était tellement grande qu'ils avaient beau marcher, elle était toujours là, au même endroit.

La Man-man a sorti le tube blanc de son sac. Elle a pincé l'épaule du stupide petit garçon pour tenir son équilibre et a reniflé fort le tube enfoncé d'un côté du nez. Puis elle a laissé tomber le tube sur l'accotement en gravillons et est restée là à regarder la montagne.

C'était une montagne tellement grande qu'ils auraient beau marcher, ils seraient toujours en train de la longer.

Quand la Man-man l'a lâché, le stupide petit garçon a ramassé le tube. Il en a essuyé le sang à son pan de chemise et le lui a redonné.

« Trichloroéthane », a dit la Man-man en lui tendant le tube pour qu'il l'examine. « Tous les tests poussés que j'ai conduits m'ont montré que ceci était le meilleur traitement pour le danger que représente un excès de savoir chez l'humain. »

Elle a fourré le tube dans son sac à main.

« Cette montagne, là, par exemple », a-t-elle dit.

Elle a pris le menton stupide du garçon entre pouce et index et l'a obligé à regarder avec elle. « Cette splendide superbe grande montagne. Pendant l'espace d'un instant, un moment transitoire, je pense que je l'ai peut-être effectivement vue. »

Une autre voiture a ralenti, un truc marron à quatre portes, un truc du genre modèle trop récent, et donc la Man-man lui a fait signe qu'elle pouvait continuer son chemin.

L'espace d'un éclair, la Man-man avait vu la montagne sans penser au déboisage, aux stations de ski, aux avalanches, à la vie sauvage domestiquée et contenue, à la géologie de la tectonique des plaques, aux microclimats, aux zones arides à l'abri des pluies, ou aux emplacements yin-yang. Elle avait vu la montagne en dehors du cadre du langage. Sans l'encagement des associations. Elle l'avait vue sans regarder à travers la lentille déformante de toutes les choses qu'elle savait vraies concernant les montagnes.

Ce qu'elle avait vu au cours de cet éclair n'était même pas une « montagne ». Ce n'était pas une ressource naturelle. Ça n'avait pas de nom.

« C'est ça le but ultime, a-t-elle dit. Trouver un remède au savoir. »

À l'éducation. À l'enseignement. À la vie qu'on vivait dans sa tête.

Les voitures passaient sur la grand-route, et la Man-man et le petit garçon continuaient à marcher avec la montagne toujours posée là.

Depuis l'histoire d'Adam et Ève dans la Bible, l'humanité s'est montrée un petit peu trop intelligente pour son propre bien, a dit la Man-man. Depuis le jour où cette pomme a été croquée. Son but à elle, c'était de trouver, sinon un remède, du moins un traitement qui rendrait aux gens leur innocence.

Le formaldéhyde ne marchait pas. La digitaline ne marchait pas.

Aucune planante obtenue à partir de produits naturels ne semblait être efficace, pas plus fumer le macis, l'arille de la noix de muscade, que la muscade elle-même ou les coques de cacahuètes. Pas plus l'aneth que les feuilles d'hortensia ou le jus de laitue.

Le soir, la Man-man faisait entrer en douce le gamin dans les arrière-cours des gens. Elle buvait la bière que les gens laissaient pour prendre au piège escargots et limaces, et elle grignotait leur stramoine et leur herbe-aux-chats. Elle se faufilait tout contre les voitures garées et reniflait l'intérieur des réservoirs d'essence. Elle dévissait le bouchon de leur citerne dans la pelouse et reniflait leur fuel domestique.

« Je me dis que si Ève a réussi à nous coller dans ce foutoir, alors moi, je peux nous en sortir, disait la Man-man. Dieu, il aime bien les battants qui en veulent. »

D'autres voitures ralentissaient, des voitures avec des familles à l'intérieur, pleines de bagages et de chiens de famille, mais la Man-man se contentait de leur faire signe de poursuivre leur chemin.

« Le cortex cérébral, le cervelet, disait-elle, c'est là que se trouve ton problème. »

Si elle pouvait parvenir à n'utiliser que sa moelle épinière, elle serait guérie.

Cela se situerait quelque part entre bonheur et tristesse.

On ne voit pas de poissons qui se plaignent de sautes d'humeur sauvages.

Les éponges ne connaissent jamais une mauvaise journée.

Les gravillons craquaient, instables sous leurs pas. Les voitures de passage créaient leur propre vent chaud.

« Mon but, disait la Man-man, n'est pas de me dé-compliquer la vie. »

Elle disait : « Mon but est de me dé-compliquer moi-même. »

Elle racontait au stupide petit garçon que les graines de volubilis ne marchaient pas. Elle avait essayé. Les effets ne duraient pas. Les feuilles de patates douces ne marchaient pas. Pas plus que le pyrèthre extrait des chrysanthèmes. Pas plus que le reniflement de propane. Pas plus que les feuilles de rhubarbe ou d'azalée.

Après une nuit passée dans le jardin de quelqu'un, la Man-man laissait une trace de morsure dans pratiquement chaque plante, pour que les gens les voient.

Ces drogues de confort superficiel, disait la Man-man, ces régulateurs d'humeur et antidépresseurs, ils ne traitent que les symptômes d'un problème plus vaste.

Chaque addiction, disait-elle, n'était rien d'autre qu'une manière de traiter ce même problème. Les drogues, la boulimie, l'alcool ou le sexe, tout ça, ce n'était qu'une autre manière de trouver la paix. Pour échapper à ce que nous savons. À notre éducation. Notre morceau de pomme croquée.

Le langage, disait-elle, n'était rien d'autre que notre manière d'expliquer de manière convaincante

les merveilles et la gloire du monde. Pour déconstruire. Pour rejeter aux oubliettes. Elle disait que les
gens ne sont pas capables d'encaisser la vraie beauté
du monde. À quel point elle est immense. À quel
point elle est inexplicable et ne peut être comprise.

Au-devant d'eux sur la grand-route se trouvait un
restaurant avec, garés tout autour, des camions plus
gros que le restaurant lui-même. Certaines des voitures neuves dont la Man-man n'avait pas voulu
étaient rangées là. On sentait des tas de nourritures
différentes en train de frire dans la même huile de
friture bouillante. On sentait l'odeur des moteurs de
camion au ralenti.

« Nous ne vivons plus dans le monde réel, disait-
elle. Nous vivons dans un monde de symboles. »

La Man-man s'est arrêtée et a mis la main dans
son sac. Elle a tenu l'épaule du garçon et s'est redres-
sée pour contempler la montagne.

« Rien qu'un dernier petit coup d'œil en douce à
la réalité, a-t-elle dit. Ensuite, nous irons déjeuner. »

Et elle a mis le tube blanc dans son nez et a inspiré.

24.

Selon Paige Marshall, ma maman est arrivée d'Italie déjà enceinte de moi. C'était l'année qui avait suivi une effraction dans une église du nord de l'Italie. Tout ça est dans le journal de ma maman.

Selon Paige Marshall.

Ma maman avait parié toutes ses chances sur une nouvelle sorte de traitement contre la stérilité. Elle avait presque quarante ans. Elle n'était pas mariée, elle ne voulait pas de mari, mais quelqu'un lui avait promis un miracle.

Ce même quelqu'un, il connaissait un autre quelqu'un qui avait dérobé une boîte à chaussures de sous le lit d'un prêtre. Dans cette boîte à chaussures se trouvaient les derniers vestiges terrestres d'un homme. Quelqu'un de célèbre.

Il s'agissait de son prépuce.

Il s'agissait d'une relique religieuse, le genre d'attrape-couillon qu'on utilisait pour attirer les foules dans les églises au Moyen Âge. Il ne s'agissait que d'un parmi plusieurs pénis célèbres encore en circulation. En 1977, un urologue américain a acheté le pénis tout desséché de deux centimètres et demi de Napoléon Bonaparte, pour environ quatre mille dollars. Le pénis de Raspoutine, trente bons centimètres, est censé reposer sur du velours dans une boîte de bois cirée à Paris. Le monstre de cinquante centimètres de John Dillinger est censé être embouteillé dans le formaldéhyde au centre médical de l'Armée de terre Walter Reed.

Selon Paige Marshall, c'est dans le journal intime de ma maman : on a offert à six femmes des embryons créés à partir de ce matériau génétique. Cinq de ces embryons ne sont jamais arrivés à terme.

Le sixième, c'est moi. Il s'agissait du prépuce de Jésus-Christ.

Ça donne une idée de la dinguerie de ma maman. Même il y a vingt-cinq ans de ça, elle était fêlée déjà, à ce point.

Paige a éclaté de rire et s'est penchée en avant pour passer son fil dentaire entre les dents d'une autre vieille femme.

« Il faut reconnaître à votre mère qu'elle ne manquait pas d'originalité », a-t-elle dit.

Selon l'Église catholique, Jésus a été réuni avec son prépuce lors de sa résurrection et de sa montée au ciel. Selon l'histoire de sainte Thérèse d'Avila, quand Jésus lui est apparu et l'a prise pour épouse, il s'est servi de son prépuce comme d'une alliance.

Paige a ressorti le fil tendu d'entre les dents de la femme et fait gicler sang et nourriture sur les verres de ses propres lunettes à monture noire. Le cerveau noir de ses cheveux basculait de droite et de gauche tandis qu'elle essayait de voir la rangée de dents au maxillaire supérieur de la vieille.

Elle a dit : « Même si l'histoire de votre mère est

vraie, il n'y a aucune preuve que le matériau génétique soit bien celui de ce personnage historique. Il est plus que probable que votre père n'était qu'un pauvre Juif de rien du tout. »

La vieille femme dans son fauteuil inclinable, étirant sa bouche autour des mains du Dr Marshall, a roulé des yeux pour me regarder.

Et Paige Marshall a dit : « Ce qui devrait supprimer tout obstacle à votre coopération. »

Coopération ?

« Dans le cadre du traitement que j'entends faire suivre à votre mère », dit-elle.

Et tuer un bébé pas encore né. J'ai dit : même si je n'étais pas lui, je continue à penser que Jésus n'aurait pas donné son approbation.

« Bien sûr que si », a dit Paige.

Elle a ressorti le fil tendu pour me balancer un bout de machin coincé entre les dents.

« Dieu n'a-t-il pas sacrifié son propre fils pour sauver les gens ? Ce n'est pas ça, l'histoire ? »

Et la revoici, cette mince frontière qui sépare la science du sadisme. Le crime du sacrifice. Le fait d'assassiner son propre enfant de ce qu'Abraham a failli faire à Isaac dans la Bible.

La vieille femme a détourné la tête du Dr Marshall en jouant de la langue avec le fil et les morceaux de nourriture sanguinolente pour les sortir de sa bouche. Elle m'a regardé et a dit de sa voix grinçante : « Je vous connais. »

Aussi automatique qu'un éternuement, j'ai dit : je suis désolé. Désolé d'avoir baisé son chat. Désolé d'avoir roulé sur ses parterres. Désolé d'avoir abattu le chasseur de son premier mari aviateur. Désolé d'avoir fait passer le hamster dans la cuvette des toilettes. J'ai soupiré dans sa direction et j'ai dit : « Est-ce que j'ai oublié quelque chose ? »

Paige a dit : « Madame Tsunimitsu, j'ai besoin que vous ouvriez bien grand. »

Et Mme Tsunimitsu a dit : « Je me trouvais avec la famille de mon fils, un dîner en ville, et vous avez failli mourir étouffé. » Elle dit : « Mon fils vous a sauvé la vie. »

Elle dit : « J'ai été tellement fière de lui. Il continue à parler de cette histoire encore aujourd'hui. »

Paige Marshall lève les yeux vers moi.

« Secrètement, a dit Mme Tsunimitsu, je pense que mon fils, Paul, s'était toujours senti lâche jusqu'à ce fameux soir. »

Paige se rassied et son regard passe de la vieille femme à moi, puis retour.

Mme Tsunimitsu a croisé les mains sous le menton, fermé les yeux et souri.

« Ma belle-fille voulait divorcer, mais après qu'elle a vu Paul vous sauver la vie, elle est retombée amoureuse. »

Elle a dit : « Je savais que vous faisiez semblant. Tous les autres ont vu ce qu'ils voulaient y voir. »

Elle a dit : « Vous avez en vous une énorme capacité à aimer. »

La vieille dame assise là, souriante, a dit : « Je peux vous dire que vous avez le plus généreux des cœurs. »

Et aussi vite qu'un éternuement, je lui dis : « Vous n'êtes qu'une putain de vieille cinglée complètement ridée. »

Et Paige fait la grimace.

Je dis aux personnes présentes : j'en ai marre de

me faire tirer sur la laisse. D'accord ? Alors arrêtons de faire semblant, d'accord ? J'ai que dalle à branler en guise de cœur. Vous autres, vous n'allez pas m'obliger à ressentir quoi que ce soit. Vous n'allez pas réussir à me toucher.

Je suis un salopard, stupide, rustre, calculateur. Fin de l'histoire.

Cette vieille Mme Tsunimitsu. Paige Marshall. Ursula. Nico, Tanya, Leeza. Ma maman. Certains jours, la vie ressemble à un combat, moi contre toutes les poulettes stupides à la surface de cette foutue terre.

D'une main, j'attrape Paige par le bras et je la tire en direction de la porte.

Personne ne va me rouler dans la farine en m'obligeant à me sentir christique.

« Écoutez-moi », je dis. Je crie : « Si je voulais éprouver quoi que ce soit, j'irais au cinéma voir un putain de film ! »

Et la vieille Mme Tsunimitsu sourit et dit : « Vous ne pouvez pas nier la bonté de votre nature véritable. C'est d'une évidence éblouissante pour tout le monde. »

À elle, je dis : la ferme. À Paige Marshall, je dis : « Venez. »

Je lui prouverai que je n'ai rien de Jésus-Christ. La véritable nature de quiconque, c'est des conneries. Il n'existe pas d'âme chez les humains. L'émotion, c'est des conneries. L'amour, c'est des conneries. Et je suis en train de traîner Paige derrière moi dans le couloir.

Nous vivons et nous mourons et tout le reste n'est que délire et illusion. C'est juste que des conneries de poulette passive sur les sentiments et la sensibilité.

Que des merdes émotionnelles subjectives complètement fabriquées. Il n'y a pas d'âme. Il n'y a pas de Dieu. Il n'y a que des décisions, des maladies, et la mort.

Ce que je suis, c'est sexoolique, sale, dégueulasse, dégoûtant, irrécupérable, et je suis incapable de changer, et je suis incapable d'arrêter, et c'est tout ce que je serai jamais.

Et je vais le prouver.

« Où est-ce que vous m'emmenez ? » dit Paige qui avance en trébuchant, les lunettes et la blouse de laborantine toujours mouchetées de nourriture et de sang.

Déjà, je m'imagine des ordures pour ne pas tout lâcher trop vite, des trucs comme des animaux familiers aspergés d'essence auxquels on a mis le feu. Je m'imagine le Tarzan gros tas et son chimpanzé dressé. Je suis en train de me dire : et voici un nouveau stupide chapitre de ma quatrième étape.

Pour que le temps s'immobilise. Pour fossiliser cet instant. Pour faire que cette baise dure pour l'éternité.

Je l'emmène dans la chapelle, je dis à Paige. Je suis le fils d'une folle. Pas un fils de Dieu.

Que Dieu me prouve que j'ai tort. Il peut me clouer sur place par un éclair brûlant.

Je vais prendre Paige sur ce putain d'autel.

25.

Il s'agissait cette fois de mise en danger de la vie d'autrui avec intention de nuire, ou alors d'abandon ou de négligence criminelle. Il existait un tel nombre de lois que le petit garçon était incapable d'y voir clair.

Il s'agissait de harcèlement au troisième degré ou de désobéissance au second degré, de dédain au premier degré ou de dommage simple au second degré, et c'en était arrivé au point où le stupide garçon était terrifié à l'idée de faire quoi que ce soit excepté ce que faisaient tous les autres. Tout ce qui pouvait être nouveau ou original était probablement contre la loi.

Tout ce qui pouvait être à risques ou excitant vous expédiait en prison.

C'est la raison pour laquelle tout le monde était tellement impatient de parler à la Man-man.

Cette fois-ci, elle n'était sortie de prison que depuis deux semaines, et déjà des trucs avaient commencé à se produire.

Il existait un tel nombre de lois et, aussi sûr que deux et deux font quatre, d'innombrables manières de pouvoir foirer son coup.

D'abord la police a posé des questions sur les bons.

Quelqu'un s'était rendu en centre-ville dans un magasin de reprographie et s'était servi d'un ordinateur pour concevoir et imprimer des centaines de bons qui promettaient un repas gratuit pour deux, valeur soixante-quinze dollars, sans date d'expiration. Chaque bon était plié à l'intérieur d'une lettre de couverture qui vous remerciait d'être un client aussi fidèle et disait que le bon joint était une promotion spéciale.

Tout ce que vous aviez à faire, c'était dîner dans un restaurant Clover Inn.

Quand le serveur présentait l'addition, vous pouviez régler uniquement avec le bon. Pourboire compris.

Quelqu'un avait fait tout ça. Il avait expédié par courrier des centaines de ces bons.

Ç'avait toutes les caractéristiques d'une arnaque à la Ida Mancini.

La Man-man avait été serveuse au Clover Inn pendant sa première semaine après sa sortie du foyer de transit, mais elle s'était fait virer pour avoir raconté aux gens des trucs qu'ils ne voulaient pas savoir sur leur nourriture.

Ensuite elle avait tout simplement disparu. Quelques jours plus tard, une femme non identifiée avait couru en hurlant à tue-tête dans l'allée centrale d'une salle de spectacle pendant la partie pépère et ennuyeuse d'une grosse production de ballet en costumes.

C'est la raison pour laquelle, un jour, la police avait fait sortir le stupide petit garçon de l'école pour l'emmener au centre-ville. Pour voir s'il avait peut-être eu des nouvelles d'elle. De la Man-man. Si peut-être il savait où elle se cachait.

À peu près à cette même période, plusieurs centaines de clients très en colère avaient déboulé dans un salon d'exposition de fourrures avec des bons de réduction de cinquante pour cent reçus par courrier.

À peu près à cette période, un millier de personnes complètement effrayées étaient arrivées à la clinique du comté pour les maladies sexuellement transmissibles, en exigeant de subir un test de dépistage après qu'elles eurent reçu des lettres à en-tête du comté les prévenant qu'il avait été diagnostiqué chez un de leurs anciens partenaires sexuels une maladie infectieuse. Les inspecteurs de police avaient emmené le petit pantin servile au centre-ville dans une voiture banalisée ; puis ils l'avaient fait monter dans un bâtiment sans signes distinctifs où ils s'étaient assis en compagnie de sa mère d'adoption, pour demander : est-ce que Ida Mancini avait essayé de te contacter ?

As-tu la moindre idée de l'origine de ses fonds ?

Pourquoi penses-tu qu'elle fasse toutes ces choses affreuses ?

Et le petit garçon se contentait d'attendre.

Les secours arriveraient toujours bien assez tôt.

La Man-man, elle lui racontait toujours qu'elle était désolée. Les gens travaillaient depuis tant et tant d'années pour faire du monde un lieu sûr et organisé. Personne ne se rendait compte à quel point ce monde allait devenir ennuyeux. Avec le monde dans son entier envahi de propriétés privées, limité en vitesse, parcellé et délimité, taxé et régulé, avec tout un chacun testé et enregistré, adressé et archivé. Plus personne n'avait de place à vrai dire pour l'aventure, excepté peut-être celle qui pouvait s'acheter. Sur un manège de montagnes russes. Au cinéma. Malgré tout, ce ne serait toujours que cette variante-là de fausse excitation. Vous savez pertinemment que les dinosaures ne vont pas dévorer les gamins. Les publics-témoins ont mis en minorité tout risque de désastre majeur même quand c'est du faux. Et parce qu'il n'existe aucune possibilité de réel désastre, de réel risque, il ne nous reste aucune chance de réelle rédemption. De réelle exultation. De réelle excitation. De joie. De découverte. D'invention.

Les lois qui nous maintiennent en toute sécurité, ces mêmes lois nous condamnent à l'ennui.

Sans accès possible au véritable chaos, nous n'aurons jamais de véritable paix.

À moins que tout ne puisse empirer, ça ne va pas s'améliorer.

C'est ça, tous les trucs que la Man-man lui racontait tout le temps.

Elle disait toujours : « La seule frontière qui te reste, c'est le monde des intangibles. Tout le reste est cousu bien trop serré. »

Encagé à l'intérieur d'un trop grand nombre de lois.

Par intangibles, elle sous-entendait l'Internet, les films, la musique, les histoires, l'art, les rumeurs, les programmes d'ordinateur, tout ce qui n'était pas réel. Des réalités virtuelles. Des trucs à faux-semblants. La culture.

L'irréel est plus puissant que le réel.

Parce que rien n'est aussi parfait que ce que vous pouvez en imaginer.

Parce que c'est seulement les intangibles, idées, concepts, croyances, fantasmes, qui durent. La pierre s'effrite. Le bois pourrit. Les gens, eh bien, ils meurent.

Mais des choses aussi fragiles qu'une pensée, un rêve, une légende, elles peuvent continuer sans jamais s'arrêter.

Si tu peux changer la manière de penser des gens, disait-elle. La manière dont ils se voient. La manière dont ils voient le monde. Si tu fais ça, tu pourras changer la manière dont les gens vivent leur vie. Et c'est la seule chose durable que tu puisses créer.

En outre, à un moment donné, la Man-man disait toujours, tes souvenirs, tes histoires et tes aventures seront les seules choses qui te resteront.

Au cours de son dernier procès, avant son dernier séjour derrière les barreaux, la Man-man s'était levée à côté du juge et elle avait dit : « Mon objectif est d'être un moteur d'excitation dans la vie des gens. »

Elle avait fixé le stupide petit garçon droit dans les yeux et dit : « Ma finalité est d'offrir aux gens des histoires glorieuses à raconter. »

Avant que les gardes l'emmènent dans l'arrière-salle, les menottes aux poignets, elle s'était écriée : « Me reconnaître coupable serait une redondance. Notre bureaucratie et nos lois ont transformé le monde en un camp de travail propre et sans danger. »

Elle a crié : « Nous sommes en train d'élever une génération d'esclaves. »

Et pour Ida Mancini, ç'avait été retour à la case prison.

« Incorrigible » n'est pas vraiment le mot qui convienne, mais c'est le premier qui vient à l'esprit.

La femme non identifiée, celle qui avait couru dans l'allée centrale pendant le ballet, elle hurlait : « Nous enseignons à nos enfants à être incapables de s'en sortir. »

Courant dans l'allée pour ressortir par une porte de secours, elle avait hurlé : « Nous sommes tellement structurés et microgérés, que ce n'est plus un monde, c'est un foutu navire de croisière. »

Assis, attendant en compagnie des inspecteurs de police, le stupide petit merdaillon fauteur de troubles a demandé si peut-être l'avocat de la défense Fred Hastings pouvait les rejoindre, lui aussi.

Et un inspecteur a marmonné un mot ordurier dans ses moustaches.

Et juste à ce moment-là, la sonnerie de l'alarme incendie a retenti.

Et même avec les sonneries qui sonnaient, les inspecteurs ont continué à demander :

« AS-TU LA MOINDRE IDÉE DE LA MANIÈRE D'ENTRER EN CONTACT AVEC TA MÈRE ? »

Hurlant pour couvrir le fracas des sirènes, ils demandaient :

« PEUX-TU AU MOINS NOUS DIRE QUELLE POURRAIT ÊTRE LA PROCHAINE CIBLE ? »

Hurlant contre les sirènes, la mère adoptive a demandé :

« EST-CE QUE TU NE VEUX PAS NOUS AIDER À L'AIDER ? »

Et l'alarme s'est arrêtée.

Une dame a passé la tête à la porte et dit : « Paniquez pas, les mecs. C'est qu'une nouvelle fausse alarme, apparemment. »

Une alarme incendie ne concerne jamais un incendie, plus maintenant.

Et ce foutu petit taré de petit garçon dit : « Est-ce que je peux aller aux toilettes ? »

26.

La demi-lune nous regarde d'en bas, réfléchie dans une coupelle argentée en fer-blanc pleine de bière. Denny et moi sommes à genoux dans une arrière-cour, et Denny chasse les limaces et les escargots à coups de pichenettes de l'index. Denny lève la soucoupe en fer-blanc, pleine à ras bord, amenant son reflet et son visage réel de plus en plus près l'un de l'autre jusqu'à ce que ses fausses lèvres rencontrent ses vraies lèvres.

Denny boit environ une moitié de la bière et dit : « C'est comme ça qu'on boit la bière en Europe, Coco. »

Dans des pièges à limaces ?

« Non, Coco », dit Denny.

Il me tend la soucoupe et dit : « Éventée et tiède. »

J'embrasse mon propre reflet et je bois, la lune veillant par-dessus mon épaule.

Sur le trottoir nous attend une poussette de bébé avec les roues bien plus écartées au contact du sol qu'à leur sommet. Le bas de la poussette traîne par terre, et, enveloppé dans la couverture rose de bébé, se trouve un galet de grès trop gros pour que Denny et moi puissions le soulever. Une tête de bébé en caoutchouc rose tient en équilibre à l'intérieur du rebord supérieur de la couverture.

« Cette histoire de rapport sexuel dans une église, dit Denny, dis-moi que t'as pas fait ça. »

Ce n'est pas tellement que je ne l'aie pas fait. C'est que je n'ai pas pu.

J'ai pas pu tringler, fourrer, défoncer, tirer, foutre. Tous ces euphémismes qui n'en sont pas.

Denny et moi, nous sommes juste deux mecs tout à fait normaux qui sortent le bébé pour une promenade à minuit. Rien qu'un duo de jeunes mecs gentils comme tout dans ce beau quartier de belles et grandes maisons, chacune bien en retrait sur sa pelouse. Toutes ces maisons, chacune avec sa petite illusion de sécurité, arrogante, climatisée, autonome.

Denny et moi, nous sommes à peu près aussi innocents qu'une tumeur.

Aussi inoffensifs qu'un psilocybe.

Le quartier est tellement chic et charmant que même la bière qu'ils laissent dehors pour les animaux est importée d'Allemagne ou du Mexique. Nous sautons la clôture de l'arrière-cour voisine et nous allons fouiner sous les plantes en quête de notre prochaine tournée.

Je me plie en deux pour regarder sous les feuilles et les massifs, et je dis : « Coco. » Je dis : « Tu ne penses pas que j'aie bon cœur, hein ? »

Et Denny dit : « Bon Dieu, non, Coco. »

Après quelques blocs, après toutes ces arrière-cours de bières, je sais que Denny est parfaitement sincère. Je dis : « Tu ne penses pas que je sois en réalité une manifestation christique et secrètement sensible de l'amour parfait ?

— Y compte pas, Coco, dit Denny. T'es un connard. »

Et je dis : « Merci. C'était juste pour vérifier. »

Et Denny se relève en n'utilisant que ses jambes, au ralenti, et dans une coupelle entre ses mains se trouve un autre reflet du ciel de nuit, et Denny dit : « Gros lot, Coco. »

À propos de moi dans l'église, je lui dis, je suis bien plus déçu par Dieu que par moi-même. Il aurait dû me réduire en purée d'un coup d'éclair. Je veux dire, Dieu, c'est dieu. Moi, je ne suis qu'un connard. Je ne lui ai même pas enlevé ses vêtements, à Paige Marshall. Avec son stéthoscope toujours autour du cou, pendouillant entre ses seins, je l'ai repoussée contre l'autel. Je ne lui ai même pas enlevé sa blouse de laborantine.

Le stéthoscope contre sa propre poitrine, elle a dit : « Allez vite. » Elle a dit : « Je veux que vous restiez en synchro avec mon cœur. »

Ce n'est pas juste qu'une femme ne soit jamais obligée de penser à des conneries pour s'empêcher de jouir.

Et moi, j'ai tout simplement pas pu. Déjà, rien que cette idée de Jésus me tuait ma bandaison.

Denny me tend ma bière, et je bois. Denny recrache une limace morte et dit : « Tu ferais bien de boire dents serrées, Coco. »

Même dans une église, même étendue sur un autel, sans ses vêtements, Paige Marshall, le Dr Paige Marshall, je ne voulais pas qu'elle devienne un autre beau cul de plus à tirer comme tous les autres.

Parce que rien n'est aussi parfait que ce que vous pouvez en imaginer.

Parce que rien n'est aussi excitant que votre imaginaire fantasmatique.

On inspire. Ça entre. Et puis, ça sort.

« Coco, dit Denny. Faut que ce soit mon petit dernier d'avant dodo. On se prend la pierre et on rentre à la maison. »

Et je dis : rien qu'un bloc de plus, d'accord ? Rien qu'une autre tournée d'arrière-cour. Je suis encore loin d'être assez saoul pour oublier ma journée.

Ce quartier est tellement chic et charmant. Je saute la clôture qui me sépare de l'arrière-cour suivante et j'atterris bille en tête dans le rosier de quelqu'un. Un chien aboie quelque part.

Tout le temps que nous avons passé à l'autel, avec moi qui essayais de me faire durcir la queue, le crucifix, bois blond et ciré, nous a regardés de toute sa hauteur. Pas d'homme torturé. Pas de couronne d'épines. Pas de mouches en train de tourner ni de sueur. Pas de puanteur. Pas de sang ni de souffrance, pas dans cette église-ci. Pas de pluie de sang. Pas d'invasion de sauterelles.

Paige, tout le temps avec son stéthoscope dans les oreilles, a juste écouté son propre cœur.

Les anges au plafond avaient été recouverts de peinture. La lumière au travers de la fenêtre-vitrail était épaisse et dorée, miroitant de particules de poussière. La lumière tombait en un faisceau dense et épais, un faisceau lourd et chaud qui se déversait sur nous.

Votre attention, s'il vous plaît, le Dr Freud est prié de décrocher le téléphone blanc de courtoisie.

Un monde de symboles, pas le monde réel.

Denny me regarde, moi, encore sous le choc, saignant des éraflures d'épines de roses, les vêtements déchirés, gisant dans un massif, et il dit : « Okay, je suis sérieux. » Il dit : « C'est la dernière tournée, sûr et certain. »

L'odeur de rose, l'odeur de l'incontinence à St Anthony.

Un chien est en train d'aboyer et de gratter pour sortir par la porte de derrière de la maison. Une lumière s'allume dans la cuisine pour laisser apparaître quelqu'un à la fenêtre. Puis la lampe du perron arrière scintille à son tour, et c'est sidérant de voir la vitesse à laquelle j'arrache mes miches de ce massif et cours jusqu'à la rue.

Arrivant en sens opposé sur le trottoir, nous voyons un couple. Ils marchent penchés l'un vers l'autre, enlacés par un bras passé à la taille. La femme frotte sa joue contre le revers de l'homme, et l'homme embrasse le sommet des cheveux de la femme.

Denny est déjà en train de pousser la poussette, à une telle vitesse que les roues avant se coincent dans une fissure du trottoir, et la tête de bébé en caoutchouc jaillit sous le choc. Ses yeux de verre grands ouverts, la tête rose rebondit devant le couple et roule dans le ruisseau.

S'adressant à moi, Denny dit : « Coco, tu veux bien rattraper ça pour moi ? »

Les vêtements en lambeaux, tout gluants de sang, des épines encore piquées dans le visage, je passe devant le couple en trottinant et chope la tête au milieu des feuilles et des ordures.

L'homme pousse un jappement et se recule.

Et la femme dit : « Victor ? Victor Mancini ? Oh, mon Dieu ! »

Elle a dû me sauver la vie, parce que, nom d'un chien, je ne sais pas du tout qui elle est.

Dans la chapelle, après que j'ai laissé tomber, après que nous avons refermé nos vêtements bouton après bouton, j'ai dit à Paige : « Oubliez les tissus fœtaux. Oubliez le ressentiment contre les femmes fortes. » Je dis : « Vous voulez savoir la vraie raison pour laquelle je ne veux pas vous baiser ? »

Tout en boutonnant mes hauts-de-chausses, je lui ai déclaré : « Peut-être que la vérité, c'est que je veux vraiment vous apprécier au lieu de vous baiser. »

Et les deux mains au-dessus de la tête, resserrant son petit cerveau de cheveux noirs, Paige a dit : « Peut-être que le sexe et l'affection s'excluent mutuellement. »

Et j'ai ri. Mes mains nouant la lavallière, je lui ai dit : oui. Oui, c'est un fait.

Denny et moi, nous arrivons au bloc des numéros sept cents de, la pancarte de rue dit Birch Street. M'adressant à Denny qui pousse la poussette, je dis : « Tu te trompes de chemin, Coco. » Je montre la rue derrière nous et je dis : « La maison de ma maman est par là-bas. »

Denny continue à avancer d'un bon pas, avec le fond de la poussette qui grogne en frottant le trottoir. Le couple heureux nous suit toujours des yeux, bouche bée, mâchoire tombante, à deux blocs de distance.

Je trottine au côté de Denny, en faisant sauter la tête de poupée rose d'une main à l'autre.

« Coco, je lui dis. Fais demi-tour. »

Denny dit : « Il faut qu'on voie le bloc huit cents d'abord. »

Qu'est-ce qu'il y a, là-bas ?

« C'est censé être rien du tout, dit Denny. C'était mon oncle Don qui en était le propriétaire. »

Il n'y a plus de maisons, et le bloc huit cents n'est rien que du terrain, avec d'autres maisons dans le bloc qui vient après lui. Le terrain, c'est juste de l'herbe haute plantée en pourtour avec de vieux pommiers à l'écorce toute ridée qui tortillent leurs branches dans l'obscurité. À l'intérieur d'un massif de buissons, d'arceaux de ronces, et de broussailles avec de nouvelles épines sur chaque brindille, le milieu du terrain est dégagé.

Au coin se trouve un panneau publicitaire, du contreplaqué peint en blanc avec une photographie en partie supérieure représentant des maisons en brique rouges collées les unes aux autres et des gens qui font signe depuis les fenêtres avec jardinières fleuries. Sous les maisons, des mots noirs disent : Prochainement — Maisons de ville de Menningtown. Comme à la campagne. Sous le panneau, le sol est enneigé d'écailles de peinture qui pèle. Vu de tout près, le panneau est gondolé, les maisons de ville en brique craquelées, le rouge passé au rose.

Denny fait basculer le gros galet hors de la poussette, et la pierre atterrit dans l'herbe haute à côté du trottoir. Il secoue la couverture rose et m'en tend deux coins. Nous la replions entre nous deux, et Denny dit : « S'il est possible de se trouver le contraire d'un modèle à suivre, alors ce serait mon oncle Don. »

Puis Denny laisse tomber la couverture pliée dans la poussette et il commence à faire avancer la poussette en direction de la maison.

Et moi, derrière lui, je l'appelle : « Coco. Tu ne veux pas de cette pierre ? »

Et Denny dit : « Les mères contre l'ivresse au volant, sûr et certain qu'elles ont fait la fête quand elles ont appris que le vieux Don Menning était mort. »

Le vent soulève et écrase l'herbe haute. Il n'y a rien d'autre que des plantes qui vivent ici maintenant, et au-delà du centre obscur du bloc on voit les lumières des perrons des maisons de l'autre côté. Les zigzags noirs des vieux pommiers ne sont que des silhouettes entre les deux.

« Alors, je lui dis, est-ce que c'est un parc ? »

Et Denny dit : « Pas vraiment. » Il continue à s'éloigner et dit : « C'est à moi. »

Je lui lance la tête de poupée et je dis : « Sans blague, c'est vrai ?

— Depuis que mes vieux ont appelé il y a deux jours », dit-il, et il attrape la tête et la laisse tomber dans la poussette. Sous les lampadaires, longeant les maisons obscures de tout le monde, nous marchons.

Mes chaussures à boucles brillant de reflets, les mains fourrées dans les poches, je dis : « Coco ? » Je dis : « Tu ne penses pas vraiment que je ressemble en quoi que ce soit à Jésus-Christ, n'est-ce pas ? »

Je dis : « S'il te plaît, non. »

Nous marchons.

Et poussant sa poussette vide, Denny dit : « Accepte-le, Coco. T'as failli avoir un rapport sexuel sur la table de Dieu. T'es déjà entraîné dans la spirale de la honte vitesse grand V. »

Nous marchons, et les effets de la bière commencent à se dissiper, et c'est une surprise de constater combien l'air de la nuit est sacrément froid.

Et je dis : « S'il te plaît, Coco. Dis-moi la vérité. »

Je ne suis pas bon, ni gentil, ni aimant, ni rien du tout de ces conneries à la noix.

Je ne suis rien qu'un gugusse de perdant à la cervelle morte, qui ne pense pas plus loin que le bout de son nez. Ça, je peux vivre avec. C'est ça que je suis. Rien d'autre qu'un putain de connard irrécupérable accro au sexe, un défonceur de chatte, un fourreur de fente, une queue en marche, et je ne peux pas me permettre, jamais, au grand jamais, d'oublier ça.

Je dis : « Redis-moi que je suis un connard insensible. »

27.

Ce soir, les choses sont censées se passer comme
ça : je me cache dans le placard de la chambre à
coucher pendant que la fille prend une douche.
Ensuite, elle sort toute brillante de sueur, l'air chargé
de vapeur d'eau et d'un brouillard de laque et de
parfum, elle sort nue hormis un peignoir de bain à
trou-trous comme une dentelle. C'est alors que je
jaillis, la tête couverte d'un quelconque collant étiré
sur le visage et des lunettes de soleil sur le nez. Je la
balance sur le lit. Je lui colle un couteau contre la
gorge. Et puis je la viole.

Aussi simple que ça. La spirale de la honte continue.

Simplement, continuez à vous poser la question :
Qu'est-ce que Jésus n'irait PAS faire ?

Seulement, voilà, je n'ai pas le droit de la violer
sur le lit, dit-elle, le couvre-lit est en soie rose pâle
et les taches se verront. Et pas non plus par terre
parce que la moquette lui irrite la peau. Nous nous
sommes mis d'accord pour par terre, mais sur une
serviette. Pas non plus une belle serviette pour invi-
tés, a-t-elle déclaré. Elle m'a dit qu'elle laisserait sur

la commode une serviette bien râpée qu'il faudrait que j'étale par terre à l'avance pour ne pas briser l'atmosphère de l'instant.

Elle laisserait la fenêtre de la chambre déverrouillée avant d'entrer dans la douche.

Ainsi donc je me cache à l'intérieur du placard, nu, avec tous ses vêtements de retour du pressing qui me collent à la peau, le collant sur la tête, les lunettes sur le nez, armé du couteau le plus émoussé que j'aie pu trouver, et j'attends. La serviette est étalée par terre. Le collant me tient tellement chaud que mon visage dégouline de sueur. Les cheveux plaqués sur mon crâne commencent à me démanger.

Pas non plus près de la fenêtre, a-t-elle dit. Et pas non plus près de la cheminée. Elle a dit de la violer près de l'armoire, mais pas trop trop près. Elle a dit d'essayer d'étaler la serviette dans une zone à grande circulation où la moquette ne laisserait pas voir de traces d'usure aussi aisément.

Il s'agit ici d'une fille prénommée Gwen que j'ai rencontrée au rayon Convalescence d'une librairie. Il est difficile de dire qui a dragué qui, mais elle faisait semblant de lire un livre à douze étapes sur l'addiction sexuelle, et moi, j'étais vêtu de ma tenue camouflage fétiche et je la filais avec, en main, un exemplaire du même livre, et je me disais : quel mal y a-t-il à une liaison dangereuse de plus ?

Les oiseaux le font. Les abeilles le font.

J'ai besoin de cette poussée d'endorphines. Pour me tranquilliser. Je crève d'envie de ce peptide de phényléthylamine. Voilà bien celui que je suis. Un drogué absolu. Un accro. Je veux dire, quel est celui qui tient bien un décompte exact ?

Dans la cafétéria de la librairie, Gwen a dit de me procurer un peu de corde, mais pas de la corde en nylon parce que ça faisait trop mal. Le chanvre lui enflammait la peau et lui donnait des rougeurs. Le chatterton noir d'électricien conviendrait également, mais pas sur sa bouche, et pas non plus d'adhésif de plombier grande largeur.

« Arracher de l'adhésif grande largeur, a-t-elle dit, c'est à peu près aussi érotique que de me faire épiler les jambes à la cire. »

Nous avons comparé nos emplois du temps respectifs, et jeudi était à éliminer. Vendredi, j'avais ma réunion habituelle de sexooliques. Rien que je puisse placer cette semaine. Samedi, je passais la journée à St Anthony. Le dimanche soir, la plupart du temps, elle donnait un coup de main à un loto paroissial, donc nous nous sommes mis d'accord sur lundi. Lundi, vingt et une heures, pas vingt heures, parce qu'elle travaillait tard ce soir-là, et pas vingt-deux heures parce qu'il fallait que je sois au boulot de bonne heure le lendemain matin.

Et donc arrive lundi. Le chatterton est prêt. La serviette est étalée, et quand je bondis sur elle avec mon couteau à la main, elle dit : « C'est mes collants que vous portez, là ? »

Je lui tords un bras derrière le dos et je place la lame rafraîchie contre sa gorge.

« Pour l'amour du ciel, dit-elle. Vous dépassez les limites, et de très loin. J'ai dit que vous pouviez me violer. Je *n'ai pas dit* que vous pouviez bousiller mes collants. »

De ma main couteau, j'agrippe son peignoir de

bain à trou-trous par le rebord et j'essaie de le faire glisser sur son épaule.

« Arrêtez, arrêtez, arrêtez, dit-elle en me chassant la main d'une tape. Là, laissez-moi faire. Tout ce que vous allez réussir à gagner, c'est de le bousiller. »

Elle se tortille pour se libérer de ma prise.

Je demande si je peux enlever mes lunettes de soleil.

« Non », dit-elle, et elle se dégage de son peignoir.

Ensuite, elle va au placard ouvert et accroche le peignoir à un cintre capitonné.

Mais c'est à peine si je vois quelque chose.

« Ne soyez pas aussi égoïste », dit-elle. Maintenant nue, elle me prend la main et la presse autour d'un de ses poignets. Puis elle glisse le bras dans le dos, en pivotant pour coller son dos nu à ma personne. Ma queue relève le nez, de plus en plus haut, et la fente chaude de son cul lisse se glue à moi, et elle dit : « J'ai besoin que vous soyez un agresseur sans visage. »

Je lui dis que c'est trop gênant d'acheter une paire de collants. Un mec qui achète des collants est soit un criminel, soit un pervers ; d'une manière comme de l'autre, c'est tout juste si la caissière accepte de prendre votre argent.

« Mais bon sang, arrêtez de gémir, dit-elle. Tous les violeurs que j'ai connus avaient fourni leur propre collant. »

En plus, je lui dis, quand on est en face du présentoir à collants, il y a toutes sortes de couleurs et de tailles. Chair, anthracite, beige, bronze, noir, cobalt, et aucun d'eux ne porte simplement l'étiquette « taille tête ».

Elle tord le cou et détourne le visage en gémissant. « Puis-je vous dire une chose ? Puis-je vous dire une *seule petite* chose ? »

Je dis : quoi ?

Et elle dit : « Vous avez *vraiment* mauvaise haleine. »

Alors que nous étions dans la cafétéria de la librairie, occupés à rédiger le script, elle a dit : « Assurez-vous de mettre le couteau dans le congélateur bien à l'avance. J'ai besoin qu'il soit très très froid. »

J'ai demandé si peut-être nous pouvions utiliser un couteau en caoutchouc.

Et elle a dit : « Le couteau est très important pour que mon expérience soit totale. »

Elle a dit : « Il est préférable que vous mettiez le tranchant du couteau contre ma gorge avant qu'il n'atteigne la température ambiante. »

Elle a dit : « Mais faites bien attention, parce que si vous me coupez accidentellement », elle s'est penchée vers moi par-dessus la table, en me poignardant d'un coup de menton en avant, « si vous m'égratignez seulement, ne serait-ce qu'une fois, je vous jure que vous vous retrouverez en prison avant d'avoir pu renfiler votre pantalon. »

Elle a siroté sa tisane *chai* et reposé la tasse sur la soucoupe, avant de dire : « Mes sinus apprécieraient que vous ne mettiez pas d'eau de toilette, d'après-rasage ou de déodorant fortement parfumés, parce que je suis très sensible. »

Ces nanas sexoliques en chaleur, elles ont un seuil de tolérance très élevé. Elles ne peuvent tout bonnement pas ne pas se faire défoncer. Elles ne peuvent tout bonnement pas arrêter, et peu importe que les choses en arrivent à un stade très dégradant.

Seigneur, qu'est-ce que j'aime être codépendant.

Dans la cafétéria, Gwen ramasse son sac à main pour le mettre sur ses genoux et elle farfouille à l'intérieur.

« Tenez », dit-elle, et elle déplie une liste photocopiée de tous les détails qu'elle veut voir inclus. Au sommet de la liste, ça dit :

Le viol est une question de pouvoir. Ce n'est pas romantique. Ne tombez pas amoureux de moi. Ne m'embrassez pas sur la bouche. N'espérez pas traîner dans les parages à l'issue de l'événement. Ne demandez pas à passer à la salle de bains.

Ce lundi soir-là dans sa chambre, pressée au creux de moi, nue, elle dit : « Je veux que vous me frappiez. » Elle dit : « Mais pas trop fort et pas trop doucement. Frappez-moi juste assez fort pour que je jouisse. »

Une de mes mains lui tient le bras derrière le dos. Elle tortille son popotin contre moi, et elle a un petit corps bronzé à vous laisser sur le cul sauf que son visage est trop pâle et tout cireux à cause d'un excès de crème hydratante. Dans le miroir de la porte du placard, je vois son côté face avec mon visage qui reluque par-dessus son épaule. Ses cheveux et sa sueur se rassemblent en petite flaque dans le creux où ma poitrine et son dos se pressent l'une contre l'autre. Sa peau a l'odeur de plastique chaud d'un lit à UV. Mon autre main tient le couteau, et donc je demande : est-ce qu'elle veut que je la frappe avec le couteau ?

« Non, dit-elle. Ça, ce serait du poignardage. Frapper quelqu'un avec un couteau, c'est du poignardage. »

Elle dit : « Posez le couteau et servez-vous de votre main, ouverte. »

Et donc je m'apprête à balancer le couteau.

Et Gwen dit : « *Pas* sur le lit. »

Aussi je balance le couteau sur la commode, et je lève la main pour frapper. Vu ma position, derrière elle, ce n'est vraiment pas commode.

Et elle dit : « Pas sur le visage. »

Et donc je baisse un peu la main.

Et elle dit : « Et ne frappez pas mes seins, sinon vous allez me donner des grosseurs. »

Voir aussi : Mastite à kystes.

Elle dit : « Et si vous vous contentiez de me frapper sur le cul ? »

Et je lui dis : et si elle se contentait de la fermer tout simplement pour me laisser la violer à ma manière ?

Et Gwen dit : « Si c'est comme ça que vous le sentez, autant que vous retourniez à la maison tout de suite en emportant votre petit pénis. »

Dans la mesure où elle vient tout juste de sortir de la douche, sa toison est douce et gonflée, et pas complètement raplatie comme quand on enlève les dessous d'une femme la première fois. Ma main libre se faufile en douceur et la contourne jusqu'entre ses jambes, et elle touche du faux, caoutchouteux et plastique. Trop lisse. Un peu graisseux.

Je dis : « Qu'est-ce qu'il a, votre vagin ? »

Gwen baisse les yeux sur sa propre personne et dit : « Quoi ? » Elle dit : « Oh, ça. C'est un Fémidom. Un condom féminin. C'est les rebords qui ressortent comme ça. Je n'ai pas envie que vous me refiliez des maladies. »

Est-ce que c'est juste moi qui suis comme ça, je dis, mais je pensais que le viol était censé être quelque chose de plus spontané, vous voyez, quelque chose comme un crime de passion.

« Ce qui montre bien que vous connaissez que dalle sur la manière de violer quelqu'un, dit-elle. Un bon violeur va planifier son crime méticuleusement. Il ritualise jusqu'au plus petit détail. Cela devrait pratiquement ressembler à une cérémonie religieuse. »

Ce qui se passe ici, dit Gwen, est sacré.

Dans la cafétéria de la librairie, elle m'avait passé la feuille photocopiée et dit : « Pouvez-vous accepter de satisfaire à toutes ces clauses ? »

La feuille disait : *Ne demandez pas où je travaille.*

Ne demandez pas si vous me faites mal.

Ne fumez pas dans ma maison.

N'espérez pas passer la nuit chez moi.

La feuille dit : *le mot de sûreté est* CANICHE.

Je lui demande ce qu'elle entend par *mot de sûreté*.

« Si les événements vont un peu trop loin, ou que ça ne marche pas pour l'un de nous, dit-elle, il suffit de prononcer le mot "caniche" et tout s'arrête. »

Je lui demande si j'ai le droit de cracher ma purée.

« Si c'est tellement important pour vous », dit-elle.

Ensuite, je dis : okay, où est-ce que je signe ?

Ces nanas sexooliques pathétiques. Elles ont une telle fringale de queues.

Sans ses vêtements, elle a l'air un peu osseuse. Sa peau est chaude et moite, on croirait presque que va en jaillir de l'eau tiède et savonneuse si on presse un peu. Ses jambes sont tellement minces qu'elles ne se touchent pas avant d'arriver au cul. Ses petits seins plats semblent s'accrocher à sa cage thoracique. Son bras toujours derrière le dos, en nous observant tous les deux dans le miroir de la porte de placard, elle présente le long col et les épaules arrondies et tombantes d'une bouteille de vin.

« Arrêtez, s'il vous plaît, dit-elle. Vous me faites mal. S'il vous plaît, je vous donnerai de l'argent. »

Je demande : combien ?

« Cessez, s'il vous plaît, dit-elle. Sinon, je hurle. »

Et donc je lâche son bras et je me recule : « Ne hurlez pas, je dis. Simplement, ne hurlez pas. »

Gwen soupire, se dégage et me colle un coup de poing dans la poitrine.

« Espèce d'idiot ! dit-elle. Je n'ai pas dit "caniche". »

C'est l'équivalent sexuel de Jacadi.

Elle se re-tortille pour reprendre sa pose de prisonnière. Puis elle nous fait avancer jusqu'à la serviette et dit : « Attendez. »

Elle va à la commode et en revient avec un vibromasseur en plastique rose.

« Hé, je lui dis, vous n'allez pas vous servir de ça sur moi. »

Gwen hausse les épaules et dit : « Bien sûr que non. C'est le mien. »

Et je dis : « Et moi, alors ? »

Et elle dit : « Désolée, la prochaine fois, apportez votre propre vibromasseur.

— Mais, et *mon pénis*, alors ? »

Et elle dit : « *Quoi*, votre pénis ? »

Et je demande : « Comment trouve-t-il sa place dans tout ça ? »

En s'installant sur la serviette, Gwen secoue la tête et dit : « Pourquoi est-ce que je fais ça ? Pourquoi est-ce que je tombe toujours sur le mec qui veut se montrer gentil et conventionnel ? Le prochain truc que vous allez me demander, ce sera de m'épouser. » Elle dit : « Rien qu'une fois, une toute petite fois, j'aimerais bien avoir une relation agressive violente. Une fois ! »

Elle dit : « Vous pouvez vous masturber pendant que vous me violerez. Mais uniquement sur la serviette et uniquement si vous n'en dégorgez pas une goutte sur moi. »

Elle étale bien la serviette tout autour de son cul et tapote un petit carré de tissu éponge tout à côté d'elle. « Quand ce sera le moment, dit-elle, vous pourrez déposer votre orgasme ici. »

Et sa main y va, tapotis, tapota, et puis voilà.

Euh, okay, dis-je, et maintenant quoi ?

Gwen soupire et me colle son vibromasseur à la figure. « Servez-vous de moi, dit-elle. Dégradez-moi, espèce d'idiot ! Avilissez-moi, espèce de branlotin ! Humiliez-moi ! »

L'emplacement de l'interrupteur n'est pas très évident, elle est donc obligée de me montrer comment on le met en marche. Et alors l'animal se met à vibrer si fort que je le laisse tomber. Et il se met à bondir par terre dans tous les sens, et je suis obligé de courir après pour le rattraper, ce foutu truc.

Gwen remonte ses jambes repliées et les laisse retomber de chaque côté à la manière dont un livre s'ouvre en tombant, et moi, je m'agenouille au bord de la serviette et j'engage le bout vibrant juste au bord de ses revers en plastique souple. Je me travaille la queue de mon autre main. Ses mollets sont rasés et s'affinent jusqu'à deux pieds incurvés aux ongles vernis de bleu. Elle s'est allongée, les yeux clos et les jambes écartées. Tenant les mains croisées et étirées au-dessus de la tête de sorte que ses seins se redressent en deux petites et parfaites poignées, elle dit : « Non, Dennis, non. Non. Ne fais pas ça. Je ne peux pas être à toi. »

Et je dis : « Je m'appelle Victor. »

Et elle, elle me dit de la fermer et de la laisser se concentrer.

Et moi, j'essaie de nous offrir à tous les deux une tranche de bon temps, mais ce que je suis en train de faire, c'est l'équivalent sexe de se tapoter l'estomac en se frottant la tête en même temps. Soit je suis concentré sur elle, soit je suis concentré sur moi. D'une façon comme de l'autre, c'est la même chose qu'une mauvaise séance de baise à trois. Il y en a toujours un qui reste sur le côté. Sans compter que le vibromasseur est glissant et difficile à maintenir en bonne place. Il commence à chauffer et dégage une odeur âcre et enfumée comme si quelque chose brûlait à l'intérieur.

Gwen entrouvre un œil, rien qu'un chouïa, elle plisse les paupières sur moi en train de me fouetter la queue, et dit : « *Moi* d'abord ! »

Je bataille avec ma queue. Je récure le conduit de Gwen. J'ai moins l'impression d'être violeur que plombier. Les rebords du Femidom ne cessent de glisser vers l'intérieur, et je dois m'arrêter pour les ressortir avec deux doigts.

Gwen dit : « Dennis, non, Dennis, arrête, Dennis », d'une voix qui remonte du fond de sa gorge.

Elle se tire les cheveux et halète. Le Femidom reglisse à l'intérieur, et je le laisse faire, point final. Le vibromasseur le dame de plus en plus profond. Elle me dit de jouer avec ses tétons de mon autre main.

Je dis : j'ai besoin de mon autre main. Mes noisettes commencent à se resserrer, prêtes à tout lâcher, et je dis : « Oh, ouais. Oui. Oh, ouais. »

Et Gwen dit : « Ne vous avisez *surtout pas* », et elle se mouille deux doigts. Elle épingle ses deux yeux aux miens et se baratte l'entrejambe de ses doigts mouillés, pour être la première.

Et moi, tout ce que j'ai à faire, c'est de me représenter Paige Marshall, mon arme secrète, et la course est terminée.

La seconde qui précède le grand lâcher, cette sensation du trou du cul qui commence à se verrouiller sur lui-même, c'est à ce moment-là que je me tourne vers le petit carré sur la serviette indiqué par Gwen. Je me sens stupide, comme l'animal bien dressé à déposer ses petits effets sur un morceau de papier, et mes petits soldats blancs se mettent à gicler, et peut-être par accident, ils se méprennent sur la trajectoire à suivre et retombent à la surface de son couvre-lit rose. Le grand paysage de Gwen, tout rose, tout gonflé, tout vaste. Arc après arc, crampe après crampe, ils jaillissent en boulettes brûlantes de toutes tailles, à travers le couvre-lit et les taies d'oreiller et les volants de soie rose.

Qu'est-ce que Jésus n'irait PAS faire ?

Graffitis de foutre.

« Vandalisme » n'est pas vraiment le mot qui convienne, mais c'est le premier qui vient à l'esprit.

Gwen s'est effondrée sur la serviette, haletante, les yeux clos, le vibromasseur bourdonnant à l'intérieur d'elle. Les yeux révulsés dans leurs orbites, elle coule et gicle entre ses propres doigts en murmurant : « Je vous ai battu... »

Elle murmure : « Espèce de salopard, je vous ai battu... »

Je suis en train de me rengoncer dans mon pantalon et j'attrape mon manteau. Les soldats blancs s'accrochent à toute la surface du lit, des rideaux, du papier peint, et Gwen est toujours là, gisante, la respiration haletante, avec son vibromasseur qui ressort à moitié à l'oblique. Une seconde plus tard, il glisse et se libère et tombe par terre comme un poisson mouillé bien en chair. C'est à ce moment-là que Gwen ouvre les yeux. Elle commence à se redresser sur les coudes lorsqu'elle voit l'étendue des dégâts.

Je suis à moitié sorti par la fenêtre quand je dis : « Oh, à propos... Caniche. »

Et dans mon dos, j'entends son premier hurlement pour de vrai.

28.

Au cours de l'été 1642, à Plymouth, Massachusetts, un adolescent a été accusé d'avoir enfifré une jument, une vache, deux chèvres, cinq moutons, deux veaux et une dinde. Il s'agit là d'une histoire vraie, qui se trouve dans les livres. Selon les lois bibliques du Lévitique, une fois le garçon passé aux aveux, on l'a obligé à assister à l'abattage de chaque animal. Puis il a été mis à mort et son corps jeté sur le tas de dépouilles des animaux avant d'être enterré dans une fosse anonyme.

Cela se passait avant qu'il y ait des thérapies verbales pour sexooliques.

Cet adolescent-là, la rédaction de sa quatrième étape a dû être une vraie collection de commérages de basse-cour.

Je demande : « Des questions ? »

Les élèves de CM1 se contentent de me regarder. Une fille du second rang dit : « C'est quoi, enfifrer ? »

Je dis : demandez à votre institutrice.

Toutes les demi-heures, je suis censé enseigner à un nouveau troupeau d'élèves de CM1 des conneries que personne ne veut apprendre, du genre comment allumer un feu. Comment sculpter une tête de poupée à partir d'une pomme. Comment faire de l'encre à partir de brou de noix. Comme si quelque chose là-dedans allait leur permettre d'entrer dans une bonne fac.

Outre qu'ils estropient les pauvres poulets, ces élèves de CM1 débarquent ici toujours avec des microbes. Ce n'est pas un mystère si Denny passe son temps à s'essuyer le nez et à tousser. Poux, vers intestinaux, chlamydia, teigne — sans blague, mais c'est vrai, ces gamins, lors des visites organisées sur le terrain, sont les quatre cavaliers de l'Apocalypse en modèle réduit.

Au lieu de conneries utiles sur les Pères Pèlerins, je leur enseigne que leur jeu de récréation, cette ronde où tout le monde doit s'asseoir au signal[1], est fondé sur la peste bubonique de 1665. La mort noire donnait aux gens de gros boutons durs, noirs et gonflés qu'ils appelaient *plague roses*, les roses de la peste, entourés d'un *ring*, un anneau de peau plus pâle. Des bubons. D'où bubonique. Les personnes infectées étaient enfermées à l'intérieur de leur maison pour y mourir. Au bout de six mois, cent mille individus étaient enterrés dans d'énormes fosses communes.

---

1. En américain, *ring-around-a-rosy*, en anglais, *ring-a-ring-o'-roses*. L'expression apparaît dans une comptine anglaise censée évoquer cette période de peste noire : *Ring a ring o'roses/A pocket full of posies/A-tishoo ! Atishoo !/We all fall down*. Le dernier vers, « Nous tombons tous », évoque les morts de la peste et se retrouve dans la ronde, quand tous doivent s'asseoir au signal.

La « poche pleine de petites fleurs [1] », c'était ce que les Londoniens portaient sur eux pour ne pas sentir l'odeur des cadavres.

Pour bâtir un feu, tout ce que vous faites, c'est d'entasser quelques brindilles et de l'herbe sèche. Vous créez une étincelle avec un silex. Vous maniez le soufflet. Ne croyez pas un instant que cette pratique habituelle d'allumage du feu fasse le moins du monde briller leurs yeux. Personne n'est impressionné par une étincelle. Des gamins du premier rang sont accroupis, penchés sur leurs petits jeux vidéo. Des gamins vous bâillent à la figure. Tous autant qu'ils sont, ils gloussent et se font des pinçons, en roulant de grands yeux devant mes hauts-de-chausses et ma chemise sale.

Je leur raconte plutôt comment, en 1672, la Peste noire a touché Naples, en Italie, et a tué quelque quatre cent mille personnes.

En 1771, dans le Saint Empire romain, la peste noire a tué cinq cent mille personnes. En 1781, des millions d'individus sont morts dans le monde à cause de la grippe. En 1792, une autre peste a tué huit cent mille personnes en Égypte. En 1793, les moustiques ont propagé la fièvre jaune à Philadelphie, où des milliers d'habitants sont décédés.

Un gamin à l'arrière chuchote : « C'est encore plus chiant que le rouet, ici. »

D'autres gamins ouvrent leur panier-déjeuner et regardent à l'intérieur de leur sandwich.

Au-dehors, par la fenêtre, Denny est plié à l'équerre sur son pilori. Cette fois-ci, uniquement par

1. *The pocket full of posies*, voir note précédente.

habitude. Le conseil des échevins a annoncé qu'il serait banni immédiatement après déjeuner. C'est juste que le pilori est l'endroit où il se sent le plus en sécurité par rapport à lui-même. Rien n'est verrouillé ni même fermé, mais il est plié en deux, les mains et le cou à l'endroit qui a été le leur depuis des mois.

Après leur visite chez les tisserands, en chemin pour venir ici, un gamin de la troupe avait fourré une baguette dans le nez de Denny et ensuite essayé de lui fourrer la même baguette dans la bouche. D'autres gamins lui frottent son crâne rasé comme porte-bonheur.

À démarrer le feu, je ne réussis qu'à tuer une quinzaine de minutes. Ensuite, je suis censé montrer à chaque grappe de gamins les gros chaudrons à cuisson, les balais en brindilles, les bassinoires pour les lits et autres conneries.

Les enfants ont toujours l'air plus grands dans une pièce au plafond d'un mètre quatre-vingts. Dans le fond un gamin dit : « Ils nous ont encore refilé leur putain de salade aux œufs. »

Ici, au dix-huitième siècle, je suis assis à côté de l'âtre de l'énorme cheminée équipée de toutes ses reliques traditionnelles dignes d'une chambre de torture, les gros crochets de suspension en fer, les tisonniers, les chenets, les fers à marquer. Mon grand feu qui flamboie. C'est le moment, parfaitement choisi, de retirer les pinces en fer des charbons ardents et de faire semblant d'examiner les marques sur leurs pointes portées à blanc. Tous les gamins reculent.

Et je leur demande : hé, les petits, est-ce que quelqu'un parmi vous peut me dire comment les gens du dix-huitième faisaient violence à des petits garçons nus jusqu'à ce que mort s'ensuive ?

Ça, ça attire toujours leur attention.

Aucune main ne se lève.

Toujours examinant les pinces, je dis : « Quelqu'un veut répondre ? »

Toujours aucune main qui se lève.

« Sans blague », mais c'est vrai, je dis, et je commence à ouvrir et refermer les pinces brûlantes. « Votre institutrice a dû vous dire comment on tuait les petits garçons à l'époque. »

Leur institutrice est dehors, elle attend. Comment ça s'est passé, eh bien, c'est qu'il y a deux heures de ça, pendant que sa classe cardait la laine, cette institutrice et moi-même avons gaspillé un peu de sperme dans le fumoir, et pour sûr qu'elle a cru que ça allait se transformer en un petit quelque chose de romanesque, mais, hé ! Moi, le visage fourré au creux de son merveilleux cul caoutchouteux, on n'a pas idée de ce qu'une femme pourrait imaginer si, par accident, vous lui dites : je t'aime.

Dix fois sur dix, un mec sous-entend : *ça, j'aime*.

Vous êtes vêtu d'une chemise en lin qui peluche avec lavallière et hauts-de-chausses, et le monde entier veut s'asseoir sur votre figure. Tous les deux en train de vous partager aux deux extrémités ce gros dard brûlant, vous pourriez faire la couverture d'un quelconque roman gothique de présentoir de gare, avec la douce héroïne en fâcheuse posture. Je lui dis : « Oh, ma belle, viens disjoindre tes chairs à l'entour de la mienne. Oh, ouais, disjoins-toi pour moi, ma belle. »

Langage cochon dix-huitième siècle.

Leur institutrice, son nom, c'est Amanda, ou Allison, ou Amy. Enfin, un nom avec une voyelle.

Contentez-vous simplement de vous demander : Qu'est-ce que le Christ n'irait *pas* faire ?

Maintenant devant sa classe, les mains bien charbonneuses, je replace les pinces dans le feu, avant d'agiter deux de mes doigts noirs en direction des gamins, en langage international, le signe qui veut dire *approchez-vous*.

Les gamins du fond poussent ceux qui se trouvent devant. Ceux de devant regardent alentour, et un gamin s'écrie : « Mademoiselle Lacey ? »

Une ombre à la fenêtre signifie que Mlle Lacey surveille les événements, mais à l'instant où je la regarde, elle se baisse et disparaît à ma vue.

Je fais signe aux gamins, plus près. La vieille comptine paillarde sur Georgie Porgie, je leur dis, traite en fait du roi d'Angleterre George IV, qui tout bonnement n'avait jamais sa dose.

« Sa dose de quoi ? » dit un gamin.

Et je dis : « Demandez à votre institutrice. »

Mlle Lacey continue à se tapir.

Je dis : « Il vous plaît le feu que j'ai là ? » et je fais un signe de tête vers les flammes. « Eh bien les gens, à l'époque, devaient tout le temps nettoyer la cheminée, sauf que les cheminées sont toutes petites à l'intérieur et qu'elles traversent la maison de toutes parts, et donc les gens forçaient les petits garçons à grimper dans les conduits pour en gratter les parois. »

Et dans la mesure où c'était un endroit vraiment très étroit, je leur dis, les garçons seraient restés coincés s'ils portaient des vêtements.

« Ainsi donc, tout comme le Père Noël..., je dis, ils remontaient dans les cheminées... », je dis, et je prends un tisonnier brûlant dans le feu... « nus. »

Je crache sur l'extrémité du tisonnier et la salive grésille, bruyamment, dans la pièce silencieuse.

« Et vous savez comment ils mouraient ? je dis. Quelqu'un sait ? »

Pas de mains qui se lèvent.

Je dis : « Vous savez ce qu'est un scrotum ? »

Personne ne dit oui, pas même d'un signe de la tête, alors je leur dis : « Demandez à Mlle Lacey. »

Lors de notre matinée spéciale dans le fumoir, Mlle Lacey jouait au bouchon flotteur sur ma queue avec une belle embouchée de salive. Ensuite, alors que nous nous sucions la langue, en suant dur avec échange respectif de bave, elle a pris un peu de recul pour me regarder en détail. Dans la lumière chiche et enfumée, tous ces énormes faux jambons en plastique pendouillaient tout autour de nous. Elle est trempée comme une soupe et me chevauche la main, sans ménagement, en soufflant entre chaque mot. Elle s'essuie la bouche et me demande si j'ai de quoi me protéger.

« Tout baigne, je lui dis. On est en 1734, tu te souviens ? Cinquante pour cent des enfants meurent à la naissance. »

Elle souffle sur une mèche de cheveux mollasse qui lui retombe sur la figure, et dit : « Ce n'est pas ce que je veux dire. »

Je la lèche par le milieu de sa poitrine, remonte la gorge et ensuite étire la bouche autour de son oreille. Toujours en train de la branler de mes doigts marécageux, je dis : « Donc, aurais-tu quelque affliction malfaisante dont tu aimerais m'entretenir ? »

Elle est en train de m'écarter mes arrières, elle mouille un doigt dans sa bouche et dit : « Je tiens à me protéger. »

Et j'y vais de mon : « Ça baigne. »

Je dis : « Je pourrais me retrouver au trou pour ça », et je déroule une capote sur ma queue.

Elle me vrille son doigt mouillé dans le trou du cul et, me claquant le cul de son autre main, dit : « Comment crois-tu que je me sente ? »

Pour m'empêcher de tout lâcher, je suis en train de penser à des rats morts, des choux pourris, et des fosses d'aisances en plein air, et je dis : « Ce que je veux dire, c'est que le latex ne sera pas inventé avant un siècle. »

Je pointe mon tisonnier sur les élèves de CM1 et je dis : « Ces petits garçons sortaient des conduits de cheminée couverts de suie noire. Et la suie s'incrustait dans leurs mains, leurs genoux, leurs coudes, et personne n'avait de savon, alors ils restaient noirs tout le temps. »

C'était ça toute leur vie à l'époque. Tous les jours, quelqu'un les forçait à grimper dans une cheminée et ils passaient la journée à ramper dans les ténèbres avec la suie qui leur entrait dans la bouche et dans le nez, et ils n'allaient jamais à l'école, et ils n'avaient pas de télévision, ou de jeux vidéo, ou de boîtes de jus de mangue-papaye, et ils n'avaient pas de musique ni rien à télécommande ni de chaussures et tous les jours étaient pareils.

« Ces petits garçons », je dis, et j'agite mon tisonnier devant la foule des gamins, « ces petits garçons étaient pareils à vous. Exactement pareils à vous. »

Mes yeux passent de gamin en gamin, et touchent leurs yeux un bref instant.

« Et un jour, chaque petit garçon se réveillait avec un emplacement douloureux sur ses parties intimes. Et ces emplacements douloureux ne guérissaient pas. Et ensuite, ils métastasaient et suivaient les vésicules séminales jusque dans l'abdomen de chaque petit garçon, et à ce stade, je dis, il était trop tard. »

Voici les restes, les épaves, les traînées de ma formation en fac de médecine.

Et je leur raconte comment on essayait parfois de sauver le petit garçon en procédant à l'ablation du scrotum, mais ça se passait avant les hôpitaux et les médicaments. Au dix-huitième siècle, on appelait encore ces tumeurs « grosseurs de suie ».

« Et ces grosseurs de suie, je dis aux gamins, ont été la première forme de cancer jamais inventée. »

Ensuite je demande : est-ce que quelqu'un sait pourquoi on appelle ça cancer ?

Pas de mains.

Je dis : « Ne m'obligez pas à désigner quelqu'un. »

Dans le fumoir, Mlle Lacey passait les doigts au travers des grosses liasses humides de ses cheveux, quand elle a dit : « Alors ? » Comme s'il s'agissait là d'une question innocente, elle dit : « Tu as une vie en dehors d'ici ? »

Et moi, essuyant mes aisselles de ma perruque poudrée, je dis : « Ne faisons pas semblant, tu veux bien ? »

Elle est en train de rouler son collant ainsi que font les femmes pour enfiler ensuite leurs jambes à l'intérieur comme deux serpents, et dit : « Ce genre de sexe anonyme est le symptôme d'un drogué du sexe. »

Je préférerais me voir en play-boy, le genre de mec à la James Bond.

Et Mlle Lacey dit : « Eh bien, peut-être que James Bond était un drogué du sexe. »

Ici, je suis censé lui dire la vérité. J'admire les drogués. Les accros. Dans un monde où tout un chacun attend quelque désastre aveugle, aléatoire, ou quelque maladie soudaine, le drogué a le confort de savoir ce qui l'attend avec le plus de probabilité au bout de sa route. Il assure une certaine maîtrise sur sa destinée ultime, et son addiction empêche la cause de sa mort d'être une totale surprise.

D'une certaine manière, être drogué c'est anticiper.

Une bonne addiction enlève à la mort tout son jeu des devinettes. C'est pour de vrai qu'on planifie sa propre échappée.

Et, sérieusement, c'est tellement un truc de gonzesse que de penser qu'une vie humaine devrait se poursuivre indéfiniment.

Voir aussi : Dr Paige Marshall.

Voir aussi : Ida Mancini.

La vérité, c'est que le sexe n'est pas du sexe à moins de changer de partenaire à chaque fois. La seule séance où votre tête et votre corps sont là tous les deux, c'est la première. Même lors de la deuxième heure de cette première fois, votre tête peut déjà se mettre à vagabonder. Vous n'obtenez pas la pleine qualité anesthésiante du bon sexe anonyme de la première fois.

Qu'est-ce que Jésus n'irait PAS faire ?

Mais au lieu de tout ça, j'ai simplement menti à Mlle Lacey et j'ai dit : « Comment je peux te joindre ? »

Je dis aux élèves de CM1 qu'on appelle ça cancer parce que, quand le cancer commence à grandir à l'intérieur de vous, quand il fait éclater votre épiderme, il ressemble à un gros crabe rouge. Ensuite le crabe se casse et s'ouvre et l'intérieur est tout blanc et sanguinolent.

« Quoi que les médecins aient pu essayer, je dis aux petits gamins silencieux, chaque petit garçon se retrouvait tout sale, malade, et hurlant de douleurs atroces. Et qui peut me dire ce qui arrivait ensuite ? »

Aucune main ne se lève.

« Il est sûr, je dis, qu'il mourait, naturellement. »

Et je remets le tisonnier dans le feu.

« Alors, je dis, des questions ? »

Aucune main ne se lève, alors je leur raconte des histoires de recherche bidon au cours desquelles les savants rasaient des souris et les barbouillaient de smegma de cheval. C'était censé prouver que les prépuces causaient le cancer.

Une douzaine de mains se lèvent, et je leur dis : « Demandez à votre institutrice. »

Quel putain de boulot ça devait être, de raser ces pauvres souris. Et ensuite de trouver un paquet de chevaux non circoncis.

L'horloge sur le manteau de la cheminée indique qu'une demi-heure s'est pratiquement écoulée. Par la fenêtre, au-dehors, je vois toujours Denny plié en deux sur son pilori. Il n'a que jusqu'à treize heures. Un chien de village égaré s'arrête tout à côté de lui et lève la patte, et le filet de jaune fumant descend droit dans la chaussure en bois de Denny.

« Autre chose, je dis. C'est que George Washington

avait des esclaves, qu'il n'a jamais coupé de cerisier à la hache, et qu'en réalité c'était une femme. »

Et tandis qu'ils se bousculent vers la porte, je leur dis : « Et fichez la paix au gus sur son pilori. » Je crie : « Et arrêtez de secouer ces foutus œufs de poule. »

Rien que pour remuer la merde, je leur dis de demander au fromager pourquoi il a les yeux toujours tout rouges et dilatés. De demander au forgeron la raison des lignes dégueulasses sur toute la longueur de l'intérieur de ses avant-bras. Je continue à crier à ces petits monstres infectieux que les grains de beauté ou les taches de rousseur qu'ils ont, c'est rien que des cancers qui attendent de se déclarer. Je leur crie encore : « Le soleil est votre ennemi. Et quand vous êtes dans la rue, ne marchez pas côté soleil. »

29.

Après que Denny a emménagé, je découvre un bloc de granit poivre et sel dans le frigo. Denny transbahute jusqu'à la maison des morceaux de basalte, les mains tachées de rouge par l'oxyde de fer. Il enveloppe sa couverture rose de bébé autour de palets de granit noir, de galets de rivière lisses et lavés et de dalles de quartzite au mica étincelant, et il les ramène à la maison en bus.

Tous ces bébés que Denny adopte. Toute une génération qui s'entasse.

Denny ramène en poussette jusqu'à la maison des blocs rose tendre de grès et de calcaire. Dans l'allée à voitures, il les nettoie de leur boue au tuyau d'arrosage. Denny les empile derrière le canapé du salon. Il les empile dans les coins de la cuisine.

Tous les jours, je rentre au foyer après une dure journée au dix-huitième siècle, et voilà un gros roc en lave sur le plan de travail de la cuisine à côté de l'évier. Il y a ce petit roc rond et gris sur la deuxième clayette du frigo.

« Coco, je dis. Pourquoi est-ce qu'il y a un caillou dans le frigo ? »

Denny est ici, dans la cuisine, occupé à sortir des roches propres du lave-vaisselle avant de les essuyer à l'aide d'un torchon, et il dit : « Parce que c'est ma clayette, tu l'as dit toi-même. » Il dit : « Et d'abord, ce n'est pas un caillou, c'est du granit.

— Mais pourquoi dans le frigo ? » je lance.

Et Denny dit : « Parce que le four est plein. »

Le four est plein de pierres. Le congélateur est plein. Les placards de la cuisine sont tellement bourrés qu'ils commencent à se décrocher du mur.

Au départ, ce devait être un seul roc à la fois, mais la personnalité de Denny est tellement sujette à la toxicomanie. Maintenant, il est obligé de ramener en poussette à la maison une demi-douzaine de pierres tous les jours rien que pour satisfaire son addiction. Tous les jours, le lave-vaisselle fonctionne et sur les plans de travail de la cuisine s'étalent les bonnes serviettes de bain de ma maman, couvertes de roches, de manière que ces dernières puissent sécher. Des roches rondes et grises. Des roches noires et carrées. Des roches brisées marron et zébrées de jaune. Du travertin calcaire. Chaque nouvelle fournée que Denny rapporte à la maison, il la fourre dans le lave-vaisselle et jette les pierres propres et sèches de la veille dans le sous-sol.

Au départ, le sol du sous-sol, on ne le voyait plus, à cause de toutes ces pierres. Puis elles se sont entassées autour de la première marche. Puis le sous-sol s'est rempli jusqu'à mi-hauteur de l'escalier. Maintenant, on ouvre la porte du sous-sol et les pierres qui s'empilent à l'intérieur se déversent dans la cuisine. C'est fini, il n'y a plus de sous-sol.

« Coco, cet endroit se remplit, je dis. On a l'impression de vivre dans le réservoir inférieur d'un sablier. »

De sorte que nous allons bientôt manquer de temps, d'une certaine façon.

En train d'être enterrés vivants.

Denny dans ses vêtements sales, son gilet partant en quenouille sous les aisselles, sa lavallière pendouillant en lambeaux, il attend à chaque arrêt de bus avec, niché au creux du bras, contre sa poitrine, un ballot rose. Il réajuste la position de son chargement quand ses bras commencent à s'endormir. Après que le bus est arrivé, Denny, les joues barbouillées de terre, ronfle, appuyé contre le métal bourdonnant à l'intérieur du bus, toujours tenant son bébé.

Au petit déjeuner, je dis : « Coco, tu as dit que ton plan était *une* pierre par jour. »

Et Denny dit : « C'est tout ce que je fais. Rien qu'une. »

Et : « Coco, t'es un tel camé. » Et aussi : « Ne mens pas. Je sais que tu te fais au moins dix pierres chaque jour. »

Occupé à placer une pierre dans la salle de bains, dans l'armoire à pharmacie, Denny dit : « D'accord, je suis un peu en avance sur mon programme. »

Il y en a cachées dans le réservoir d'eau des toilettes, je lui dis.

Et je dis : « Je suis d'accord, c'est seulement des pierres, mais, malgré tout, c'est un abus de substances nocives. »

Denny, avec son nez qui coule, sa tête rasée, sa couverture de bébé mouillée, attend sous la pluie, à chaque arrêt de bus, en toussant. Il fait passer son balluchon d'un bras à l'autre. Le visage penché, collé tout près, il remonte la ganse de satin rose de la couverture. Pour mieux protéger son bébé, dirait-on, mais en réalité pour cacher le fait qu'il s'agit de tuf volcanique.

La pluie dégouline de l'arrière de son tricorne. Les pierres lui déchirent la doublure des poches.

À l'intérieur de ses vêtements imprégnés de sueur, à porter toutes ces charges, Denny ne cesse de se décharner, encore, encore et encore.

À soulever ainsi, sans ménagement, ce qui ressemble à un bébé, ce n'est qu'un petit jeu de patience que d'attendre le jour où quelqu'un du voisinage le fera épingler pour maltraitance à enfant et négligence. Les gens, ça les démange de dénoncer quelqu'un comme parent indigne et d'obliger ainsi un gamin à se retrouver placé en famille d'accueil, hé, ce que j'en dis là ne vient que de mon expérience personnelle.

Tous les soirs, je rentre à la maison après une longue soirée de mort par étranglement, et voilà Denny avec quelque nouvelle pierre. Quartz ou agate ou marbre. Feldspath ou obsidienne ou pierre argileuse.

Tous les soirs, je rentre à la maison après avoir forgé des héros à partir de gens de rien, et le lave-vaisselle tourne. Et il faut encore que je m'installe devant ma table et que je fasse les comptes de la journée, que je totalise mes chèques, que j'envoie les lettres de remerciements pour aujourd'hui. Une pierre est assise sur mon fauteuil. Mes papiers et mes affaires sur la table de salle à manger, ils sont recouverts de pierres.

Au début, je dis à Denny : pas de cailloux dans ma chambre. Il peut mettre ses cailloux partout ailleurs.

Dans les couloirs. Dans les placards. Et après ça, je me retrouve à lui dire : « Simplement, ne mets pas de cailloux dans mon lit.

— Mais... Ce côté-là, t'y dors jamais », dit Denny.

Je dis : « Là n'est pas la question. Je ne veux pas de cailloux dans mon lit, voilà la question. »

Je reviens à la maison après deux heures de thérapie de groupe en compagnie de Nico, Leeza ou Tanya, et il y a des cailloux à l'intérieur du four à micro-ondes. Il y a des cailloux à l'intérieur du séchoir. Des cailloux à l'intérieur de la machine à laver.

Parfois, il est trois ou quatre heures du matin et il y a Denny dans l'allée à voitures qui nettoie au tuyau une nouvelle pierre, certaines nuits tellement imposante qu'il est obligé de la faire rouler pour la rentrer dans la maison. Ensuite il l'empile sur le tas d'autres pierres dans la salle de bains, dans le sous-sol, dans la chambre de ma maman.

C'est là l'occupation à plein temps de Denny, cette collecte qu'il rapporte à la maison.

La dernière journée de boulot de Denny, lors de son bannissement, Sa Gouvernance royale de la Colonie s'est postée devant les portes de la maison de l'Octroi et elle a lu dans un petit livre en cuir. Ses mains masquaient presque la petite chose, mais c'était un livre en cuir noir aux tranches passées à l'or fin, avec quelques rubans marque-page qui pendouillaient depuis le haut du dos, un noir, un vert et un rouge.

« Comme la fumée qui se dissipe, ainsi vas-tu les chasser, et comme la cire à la flamme se fond, lisait-il, que les impies périssent en la présence de Dieu. »

Denny s'est penché vers moi et il a dit : « Ce passage sur la fumée et la cire, a dit Denny, je crois qu'il veut parler de moi. »

À treize heures, sur la place de la ville, Sa Seigneurie Charlie, le gouverneur de la Colonie, nous faisait la lecture, debout, le visage penché au creux de son petit livre. Un vent froid entraînait la fumée à l'oblique au sortir de chaque conduit de cheminée. Les laitières étaient là. Les cordonniers étaient là. Le forgeron était là. Tous autant qu'ils étaient, avec les vêtements et les cheveux, l'haleine et les perruques qui puaient le hash. Qui puaient la marie-jeanne. Tous autant qu'ils étaient, les yeux rouges et déglingués.

Gente Dame Landson et Maîtresse Plain pleuraient dans leur tablier, mais uniquement parce que leur chagrin de pleureuses faisait partie des obligations de leur charge. Il y avait aussi une garde d'hommes armés de mousquets tenus par deux mains fermes, prêts à escorter Denny jusque dans le monde sauvage et hostile du parc de stationnement. Le drapeau de la colonie claquait au vent, en berne à mi-hauteur de son poteau sur le toit de la maison de l'Octroi. Une foule de touristes observaient la scène derrière leur caméra vidéo. Ils sont en train de manger du pop-corn à même des boîtes avec des poulets mutants en train de picorer les miettes à leurs pieds. Ils lèchent la barbe à papa qu'ils ont sur les doigts.

« Au lieu de me bannir, s'est écrié Denny, peut-être qu'on pourrait simplement me lapider, non ? Une belle défonce à coups de pierres ? Je veux dire par là, les pierres feraient un gentil cadeau d'adieu. »

Tous les colons déglingués ont sursauté quand Denny a parlé de « défonce ». Ils ont regardé le gouverneur de la Colonie, et ensuite ils ont regardé leurs godasses, et il a fallu un petit moment pour que le rouge qui leur était monté aux joues se dissipe.

« En conséquence nous remettons son corps à la terre, qu'il se corrompe... », lisait le gouverneur tandis qu'un avion à réaction rugissait à basse altitude, préparant son atterrissage et lui noyant son petit discours dans le tintamarre.

Le garde a escorté Denny jusqu'aux grilles de Dunsboro la Coloniale, deux files d'hommes en armes au pas avec Denny entre les deux. Au-delà les grilles, au-delà du parc de stationnement, ils l'ont fait avancer, en ordre de marche, au pas, jusqu'à un arrêt de bus en bordure du vingt et unième siècle.

« Alors, Coco, je crie depuis les grilles de la colonie, maintenant que tu es mort, qu'est-ce que tu vas faire de tout ton temps libre ?

— Ce qui importe, dit Denny, c'est ce que je ne vais *pas* faire. Et bon Dieu, il est sûr que je vais pas passer à l'acte. »

Ce qui impliquait chasse aux cailloux en lieu et place de branlettes. En restant aussi occupé, aussi affamé, aussi fatigué, et pauvre, il ne lui restera plus d'énergie pour courir le porno et se palucher le poteau.

La nuit qui a suivi son bannissement, Denny débarque à la maison de ma maman avec une pierre dans les bras, et un policier à ses côtés. Denny s'essuie le nez sur sa manche.

Le flic dit : « Excusez-moi, mais est-ce que vous connaissez cet homme ? »

Puis le flic dit : « Victor ? Victor Mancini ? Hé, Victor, comment ça va ? Votre vie, je veux dire ? »

260

Et il lève une main avec sa grosse paume plate qui me fait face.

J'imagine que le flic fait ça pour que je lui en claque cinq, ce que je fais, mais il faut que je saute un peu, tellement il est grand. Et malgré tout, ma main rate la sienne. Puis je dis : « Ouais, c'est Denny. Pas de problème. Il vit ici. »

S'adressant à Denny, le flic dit : « Vous vous rendez compte ? Je sauve la vie d'un mec, et y se souvient même pas de moi. »

Naturellement.

« La fois où j'ai failli m'étrangler ! »

Et le flic dit : « Vous vous en souvenez !

— Eh bien, merci d'avoir ramené ce bon vieux Denny ici présent jusqu'à la maison sain et sauf. »

Je tire Denny à l'intérieur et je m'apprête à refermer la porte.

Et le flic dit : « Tout va bien maintenant, Victor ? Y a-t-il quelque chose dont vous ayez besoin ? »

Je vais jusqu'à la table de salle à manger et j'écris un nom sur un morceau de papier. Je le tends au flic et je dis : « Est-ce que vous pourriez vous arranger pour rendre la vie de ce mec infernale ? Peut-être qu'en tirant quelques ficelles, vous réussirez à lui faire passer une vraie fouille à corps, avec examen de la cavité rectale et tout ça ? »

Le nom sur le bout de papier est celui de Sa Seigneurie Charlie, le gouverneur de la Colonie.

Qu'est-ce que Jésus n'irait PAS faire ?

Et le flic sourit et dit : « Je vais voir ce que je peux faire. »

Et je lui ferme la porte au nez.

Denny dépose maintenant avec effort la pierre par

terre, et il me demande : est-ce que j'aurais un ou deux sacs à lui filer. Il y a un morceau de granit équarri dans un entrepôt de matériaux de maçonnerie. De la bonne pierre à bâtir, de la pierre à fort taux de compression, qui coûte tant la tonne, et Denny pense qu'il peut l'avoir, ce gros caillou, pour dix sacs.

« Une pierre est une pierre, dit-il, mais une pierre carrée est une bénédiction. »

Le salon donne l'impression d'avoir été envahi par une avalanche. D'abord les cailloux ont commencé à entourer le canapé. Ensuite les tables basses aux extrémités se sont retrouvées enterrées avec seuls les abat-jour qui ressortaient des cailloux. Granit et grès. Pierres grises, bleues, noires, marron. Dans certaines pièces, nous marchons voûtés, la tête collée au plafond.

Donc je demande : qu'est-ce qu'il va construire ?

« Donne-moi les dix sacs, dit Denny, et je te permettrai de m'aider.

— Tous ces stupides cailloux, quel est ton but ?

— Tout ceci ne concerne pas l'accomplissement de quoi que ce soit, ni sa réalisation, dit Denny. Ce qui importe, c'est *le faire*, tu sais, le processus.

— Mais qu'est-ce que tu vas faire avec tous ces cailloux ?

— Je ne sais pas, tant que je n'en ai pas amassé suffisamment.

— Mais suffisamment, c'est quoi ?

— Je ne sais pas, Coco. Je veux juste que les journées de mon existence sur cette terre s'additionnent pour, au total, rimer à quelque chose. »

À cette manière dont chaque journée de votre vie peut tout simplement disparaître devant la télévision,

Denny dit qu'il veut un caillou pour marquer chaque jour. Quelque chose de tangible. Rien qu'une chose. Un petit monument pour marquer la fin de chaque journée. Chaque jour qu'il ne passe pas à se branler.

« Pierre tombale » n'est pas vraiment le mot qui convienne, mais c'est le premier qui vient à l'esprit.

« De cette façon, peut-être que ma vie finira par rimer à quelque chose, il dit, quelque chose qui va durer. »

Je dis qu'il est nécessaire d'instituer un programme en douze étapes pour les drogués aux cailloux.

Et Denny dit : « Pour ce que ça sert. »

Il dit : « C'est quand, la dernière fois que t'as seulement pensé à ta quatrième étape ? »

30.

La Man-man et le petit chiard stupide se sont arrêtés au zoo, une fois. Ce zoo était tellement célèbre qu'il était entouré par des hectares de parc de stationnement. Ça se situait dans une ville qu'on peut rejoindre en voiture, où une file de gamins et de mamans attendaient d'entrer avec leur argent.

Cela se passait après la fausse alarme au poste de police, lorsque les inspecteurs avaient laissé le gamin partir chercher les toilettes tout seul comme un grand, alors que dehors, rangée contre le trottoir, se trouvait la Man-man qui disait : « Tu veux aider à libérer des animaux ? »

Ceci devait être la quatrième ou cinquième fois qu'elle revenait le réclamer.

Cet événement-ci, les tribunaux allaient par la suite appeler ça « Dégradation dangereuse de biens municipaux ».

Ce jour-là, le visage de la Man-man ressemblait à celui de ces chiens aux paupières qui tombent, avec un trop-plein de peau qui donne aux yeux un aspect ensommeillé.

« Un foutu saint-bernard », avait-elle dit, le rétroviseur intérieur pointé sur elle.

Elle avait trouvé un tee-shirt blanc quelque part qu'elle avait commencé à porter et qui disait *Fauteuse de troubles*. Il était neuf avec une manche déjà tachée par du sang de nez.

Les autres gamins et les autres mamans se contentaient de bavarder.

La file s'est poursuivie un long long moment. Et pas de policiers visibles à l'horizon.

Pendant qu'ils étaient plantés là, la Man-man a dit : si jamais tu veux être la première personne à monter à bord d'un avion et si tu veux voyager avec ton animal favori, tu peux réussir les deux, facile. Les compagnies aériennes sont obligées de laisser les individus givrés transporter leur animal favori sur les genoux. C'est le gouvernement qui dit ça.

Encore une info de plus dans la catégorie des informations importantes qui vous guident dans la vie.

Comme ils attendaient dans la queue, elle lui a donné quelques enveloppes et étiquettes d'adresses à assembler par collage. Ensuite elle lui a donné quelques bons et lettres à plier et à mettre à l'intérieur.

« Tu appelles simplement la compagnie aérienne, a-t-elle dit, et tu leur dis que tu as absolument besoin d'emporter ton "animal-réconfort". »

C'est en fait le véritable nom que les compagnies aériennes donnent à ces bestioles. Ça peut être un chien, un singe, un lapin, mais en aucun cas un chat. Le gouvernement ne considère pas qu'un chat puisse réconforter quiconque.

La compagnie aérienne n'est pas autorisée à te

demander si tu es particulièrement givré, dit la Manman. Ce serait de la discrimination. Tu ne vas pas aller demander à un aveugle de prouver qu'il est aveugle.

« Quand tu es givré, a-t-elle dit, ton allure, ton aspect ou ta manière de te comporter ne sont pas de ta faute. »

Les coupons disaient : *Valable pour un repas gratuit à la Clover Inn.*

Elle disait que les givrés et les estropiés obtiennent la priorité sur les sièges d'avion, de sorte que toi et ton singe, vous vous trouverez juste en tête de queue, et ce, peu importe le nombre de gens devant toi. Elle a tordu la bouche sur le côté et reniflé bien fort, puis elle s'est tordue de l'autre côté et a de nouveau reniflé. Elle avait toujours une main qui traînait autour de son nez, à le toucher, à le frotter. Elle en pinçait le bout. Elle reniflait le dessous de ses nouveaux ongles brillants. Elle a levé les yeux au ciel et réaspiré une goutte de sang noir d'une bonne reniflette. C'est les givrés, disait-elle, qui avaient tout le pouvoir.

Elle lui a donné des timbres à lécher et à coller sur les enveloppes.

La file avançait un peu à chaque fois, et au guichet, la Manman a dit : « Est-ce que je pourrais avoir un mouchoir en papier ? »

Elle a tendu les enveloppes timbrées au guichetier et dit : « Auriez-vous l'obligeance de poster cela pour nous ? »

À l'intérieur du zoo, il y avait des animaux derrière les barreaux, derrière du plastique épais, de l'autre côté de fossés profonds emplis d'eau, et les animaux,

266

pour la plupart, étaient vautrés par terre, et se tirail-
laient le machin entre leurs pattes arrière.

« Mais pour l'amour du ciel », a dit la Man-man
d'une voix trop forte. « Tu donnes à un animal sauvage un bel endroit à vivre, tout propre, sans danger,
tu lui donnes tout plein de bonne et saine nourriture,
a-t-elle dit, et voilà comment il te récompense. »

Les autres mamans se sont penchées pour murmurer à l'oreille de leurs gamins, avant de leur faire
prendre le large pour aller voir d'autres animaux.

En face d'eux, les singes se secouaient la viande
et crachotaient de petites giclées d'épaisse purée
blanche. La purée glissait sur la paroi intérieure des
fenêtres en plastique. Il y avait déjà là de l'ancienne
purée blanche, en éclaboussures toutes minces, et
sèches au point de presque y voir à travers.

« Tu leur enlèves leur instinct de survie, et voilà ce
que tu te récupères », a dit la Man-man.

La manière dont les porcs-épics s'envoient au sep-
tième ciel, a-t-elle dit pendant qu'ils regardaient, c'est
en chevauchant une baguette de bois. De la même
façon qu'une sorcière à califourchon sur son manche
à balai, les porcs-épics se frottent une baguette
jusqu'à ce que celle-ci pue bien et devienne toute
gluante de pipi et de jus de glandes. Une fois qu'elle
pue suffisamment, plus jamais ils ne l'abandonneront
pour une autre baguette.

Toujours regardant le porc-épic chevauchant sa
baguette, la Man-man a dit : « Et la métaphore est
d'une telle subtilité. »

Le petit garçon les a imaginés tous les deux en
train de libérer tous les animaux. Les tigres et les
pingouins, tous en train de se battre. Les léopards et

les rhinos, en train de se mordre. Le petit merdaillon se sentait tout chose à cette idée. Ça le démangeait vraiment de voir ça.

« La seule chose qui nous sépare des animaux, a-t-elle dit, c'est que nous avons, nous, la pornographie. »

Simplement des symboles en plus, a-t-elle dit. Elle n'était pas sûre de savoir si cela nous rendait meilleurs que les animaux, ou pires.

Les éléphants, a dit la Man-man, peuvent se servir de leur trompe.

Les singes-araignées peuvent se servir de leur queue. Le petit garçon voulait juste voir quelque chose de dangereux tourner au vinaigre.

« La masturbation, a dit la Man-man, est leur seul moyen d'évasion. »

Jusqu'à ce qu'on arrive tous les deux, a pensé le garçon.

Les animaux tristes en pleine transe-défonce, les ours, les gorilles, les otaries, aux yeux de travers, tous tout tapis sur eux-mêmes, leurs petits quinquets en boutons de bottine presque fermés, ne respirant presque plus. Leurs pattes, paluches, griffes, épuisées étaient gluantes. Leurs yeux, encroûtés.

Les dauphins et les baleines, eux, vont se frotter contre les parois lisses de leur réservoir, a dit la Man-man.

Les cervidés, eux, vont frotter leur ramure dans l'herbe jusqu'à ce que, dit-elle, ils orgasment.

Juste devant eux, un ours des cocotiers a balancé son petit foutoir intime sur les rochers. Ensuite il s'est renversé en arrière, étalé de tout son long, les yeux fermés. Sa minuscule flaque abandonnée là, pour mourir au soleil.

Le petit garçon a murmuré : est-ce que c'est triste ?

« C'est pire », a dit la Man-man.

Elle a raconté l'histoire d'une célèbre baleine tueuse qui avait joué dans un film et qu'on avait ensuite transportée dans un nouvel aquarium chicos, mais qui n'arrêtait pas de dégueulasser son réservoir. Les gardiens étaient gênés ! Ça prenait une tournure telle, à un tel rythme, qu'aujourd'hui ils essayaient de la remettre en liberté.

« Se masturber son chemin vers la liberté, a dit la Manman. Michel Foucault aurait adoré ! »

Elle a dit que quand un chien garçon et un chien fille copulent, la tête du pénis du garçon gonfle et les muscles vaginaux de la fille se contractent. Même après le sexe, les deux chiens restent verrouillés l'un à l'autre, impuissants et malheureux pendant une brève période.

La Man-man a dit que ce même scénario était une description de la plupart des mariages.

À ce stade, les dernières mères restantes avaient rameuté leurs enfants pour prendre la fuite. Lorsqu'il n'était plus resté qu'eux deux tout seuls, le garçon a chuchoté : comment pourraient-ils mettre la main sur les clés et ainsi libérer tous les animaux ?

Et la Man-man a dit : « Je les ai là sur moi. »

Devant la cage des singes, la Man-man a mis la main dans son sac et en a sorti une poignée de cachets, de petits cachets ronds et violets. Elle a balancé sa poignée à travers les barreaux, les cachets se sont éparpillés et ont roulé sur le sol de la cage.

Quelques-uns parmi les singes ont rampé pour aller jeter un œil.

Pendant un bref instant, la trouille au ventre, sans chuchoter cette fois, le petit garçon a dit : « Est-ce que c'est du poison ? »

Et la Man-man a éclaté de rire. « Tiens, *ça*, c'est une idée, a-t-elle dit. Non, chéri, nous ne voulons quand même pas *trop* les libérer, ces petits singes. »

Les singes faisaient maintenant foule, et mangeaient les cachets.

Et la Man-man a dit : « Relax, petit. » Elle a fouillé dans son sac à main et en a ressorti son tube blanc, le trichloroéthane. « Ça ? » a-t-elle dit, en mettant un cachet violet sur sa langue. « Ça, c'est juste une variété bien ordinaire de LSD. Tout ce qu'il y a de plus banal. »

Et elle a fourré le tube de trichloroéthane d'un côté de son nez. Ou peut-être qu'elle n'en a rien fait. Peut-être que ça ne s'est pas du tout passé comme ça.

31.

Denny est déjà assis dans l'obscurité au premier rang, en train de griffonner sur le carnet de feuilles jaunes sur ses genoux, trois bouteilles et demie de bière vides sur la table à côté de lui. Il ne relève pas les yeux sur la danseuse, une brunette aux cheveux noirs et raides, à quatre pattes. Elle agite la tête à petits coups secs de gauche et de droite pour fouetter la scène de sa crinière, sa crinière qui a l'air violine à la lumière rouge. De ses mains, elle dégage d'un geste lisse les cheveux qui lui retombent sur la figure et rampe jusqu'au bord de la scène.

La musique est de la techno-dance violente mélangée à des échantillons d'aboiements de chiens, d'alarmes de voitures, de cris de ralliement des jeunesses hitlériennes. On entend des fracas de verre brisé et de détonations d'armes à feu. On entend des hurlements de femmes et de camions à incendie dans la musique.

« Hé, Picasso ! » dit la danseuse, et elle agite un pied devant Denny.

Sans relever les yeux de son calepin, Denny sort un dollar de sa poche de pantalon et le lui glisse entre les orteils. Sur le siège tout à côté de lui, il y a encore un caillou enveloppé dans sa couverture rose.

Sans blague, mais c'est vrai, le monde ne tourne plus rond quand les gens dansent au son des alarmes à incendie. Les alarmes à incendie ne signifient plus incendie aujourd'hui.

S'il s'en déclenchait un vrai, d'incendie, il se trouverait juste quelqu'un pour annoncer d'une belle voix mélodieuse : « Break Buick, numéro d'immatriculation BRK773, vous avez laissé vos phares allumés. » Dans l'éventualité d'une vraie attaque nucléaire, on crierait juste : « Vous êtes prié de téléphoner au bar et de demander Austin Letterman. Appelez s'il vous plaît Austin Letterman. »

Le monde ne se terminera pas sur un gémissement ou un bang, mais sur une annonce de bon goût d'une discrétion exemplaire. « Bille Riverdale, un appel en attente, ligne deux. » Puis plus rien.

D'une main, la danseuse prend l'argent de Denny d'entre ses orteils. Elle s'allonge, buste en avant, les coudes en appui sur le bord de la scène, écrasant ses seins l'un contre l'autre, et elle dit : « Voyons un peu ce que ça donne. »

Denny exécute quelques lignes rapides et tourne le calepin pour qu'elle le voie.

Et elle dit : « Et c'est censé être moi ?

— Non », dit Denny, et il retourne le calepin pour l'examiner à son tour. « C'est censé être une colonne de style composite comme les faisaient les Romains. Regardez, ici », et il indique quelque chose d'un doigt barbouillé, « voyez comment les Romains ont combiné les volutes d'ordre ionique avec les feuilles d'acanthe corinthiennes tout en gardant néanmoins les mêmes proportions. »

La danseuse, c'est Cherry Daiquiri, celle de notre dernière visite ici, sauf que maintenant ses cheveux noirs sont teints en blond. À l'intérieur d'une cuisse, elle porte un petit pansement rond.

À ce stade, je me suis approché pour regarder par-dessus l'épaule de Denny, et je dis : « Coco. »

Et Denny dit : « Coco. »

Et je dis : « On dirait que t'es allé refaire un tour à la bibliothèque. »

M'adressant à Cherry, je dis : « C'est bien que vous ayez soigné ce grain de beauté. »

Cherry Daiquiri balance sa chevelure en éventail autour de sa tête. Elle s'incline, puis elle rejette ses longs cheveux au-dessus de ses épaules. « Et je me suis teint les cheveux », dit-elle. Elle tend une main derrière le dos pour prendre quelques mèches et me les tient sous le nez, en les frottant entre deux doigts.

« Ils sont noirs maintenant, dit-elle. J'ai pensé que ce serait plus sûr, puisque vous m'aviez dit que c'est les blondes qui ont le plus fort taux de cancers de la peau. »

Moi, je suis en train de secouer chaque bouteille de bière, pour trouver celle dans laquelle il resterait un fond de liquide à boire, et je regarde Denny.

Denny dessine, il n'écoute pas, il n'est même pas là.

Architraves composites toscano-corinthiennes de l'entablure... Certaines personnes ne devraient avoir accès aux bibliothèques que sur ordonnance. Sans blague, mais c'est vrai, les livres sur l'architecture sont la pornographie de Denny. Ouais, d'abord, c'est quelques pierres. Ensuite c'est les voûtes aux nervures en éventail. Ce que je veux dire, c'est qu'ici, c'est l'Amérique. On démarre par la veuve poignet et on progresse jusqu'aux orgies. On fume un peu de came, et ensuite c'est la grande H. Tout ça, c'est notre culture du plus gros, du plus grand, du meilleur, du plus rapide, du plus fort. Le mot clé est progrès.

En Amérique, si votre addiction n'est pas toujours nouvelle et améliorée, vous êtes un raté.

À l'adresse de Cherry, je me tapote la tête. Puis je pointe le doigt sur elle. Je lui fais un clin d'œil et je dis : « T'en as là-dedans. »

Elle est en train d'essayer de replier un pied derrière la tête, et dit : « On ne peut jamais être trop prudent. »

Sa toison est toujours rasée, sa peau toujours du même rose à taches de rousseur. Ses ongles d'orteils sont argent. La musique change et passe à une série de rafales de mitraillettes, puis au sifflement d'un lâcher de bombes, et Cherry dit : « C'est l'heure de la pause. » Elle trouve la fente dans le rideau et la voilà partie en coulisses.

« Regarde-nous, Coco », dis-je. Je trouve la dernière bouteille et la bière est tiède. Je dis : « Tout ce que les femmes ont à faire, c'est de se mettre nues, et nous leur donnons tout notre argent. Je veux dire, pourquoi sommes-nous de tels esclaves ? »

Denny change de page sur son calepin et commence un nouveau truc.

Je déplace son caillou que je pose par terre, et je m'assieds.

Je suis fatigué, je le lui dis. J'ai l'impression que les

femmes tout autour de moi se conduisent toujours comme de petits chefs, et moi, j'exécute. D'abord, ma maman, et maintenant le Dr Marshall. Entre, il y a Nico et Leeza et Tanya à garder heureuses. Gwen, qui n'a même pas voulu que je la viole. Elles ne s'engagent dans le truc que parce qu'elles y trouvent leur compte. Elles, rien qu'elles. Elles pensent toutes que les hommes sont dépassés. Inutiles. Ringards. Comme si nous n'étions qu'un appendice sexuel, en quelque sorte.

Rien qu'un organisme vivant servant de support à une érection. Ou à un portefeuille.

Dorénavant, je ne cède plus un pouce de terrain.

Je me mets en grève.

Dorénavant, les femmes pourront ouvrir leur portière toutes seules.

Elles pourront payer leur propre addition au restaurant pour le dîner.

Je ne déplace plus les gros canapés de personne, c'est fini, ça.

Et fini aussi l'ouverture des couvercles de pots à conserve coincés.

Et plus jamais de ma vie je ne rabaisserai un couvercle de toilettes.

Bon Dieu, dorénavant, je pisse sur tous les sièges.

De mes deux doigts, je fais à la serveuse, en langage international, le signe « deux ». Encore deux bières, s'il vous plaît.

Je dis : « Voyons un peu voir les femmes essayer de s'en sortir sans moi. Observons voir leur petit monde femelle coincer des engrenages et s'arrêter. »

La bière chaude a le goût de la bouche de Denny,

dents et beurre de cacao, c'est vous dire à quel point j'ai besoin de boire en cet instant précis.

« Et sans blague, mais vrai, je dis, si je me retrouve sur un navire qui sombre, je monte le premier dans le canot de sauvetage. »

Nous n'avons pas besoin des femmes. Il y a des tas d'autres choses en ce bas monde avec lesquelles avoir des relations sexuelles, pour ça, allez donc à une réunion de sexooliques et prenez des notes. Il y a les pastèques passées au micro-ondes. Il y a les poignées vibrantes des tondeuses à gazon juste au niveau de l'entre-deux. Il y a les aspirateurs et les fauteuils sacco. Et les sites Internet. Tous ces bons vieux queutards des forums de sexe qui se font passer pour des fillettes de seize ans. Sans blague mais c'est vrai, c'est les vieux mecs du FBI qui font les cyber-poulettes les plus sexy.

S'il vous plaît, montrez-moi juste une chose en ce bas monde qui soit ce que vous croyez qu'elle est.

À Denny, je dis, et là, c'est moi qui cause : « Les femmes ne veulent pas l'égalité des droits. Elles ont plus de pouvoir en étant *opprimées*. Elles ont *besoin* que les hommes soient la vaste conspiration ennemie. Leur identité tout entière est fondée là-dessus. »

Et Denny tourne la tête, modèle chouette, pour me regarder, les yeux tout noués sous les sourcils, et il dit : « Coco, t'es en pleine spirale de perte de contrôle.

— Non, je suis sérieux », je lui dis.

Je dis que je serais capable de tuer le mec qui a inventé le godemiché. C'est vrai, j'en serais capable.

La musique change et devient une sirène de raid aérien. Puis une nouvelle danseuse débarque en plastronnant, d'un rose chaleureux à l'intérieur d'un petit morceau de nuisette ultrafine, avec sa motte et ses seins tellement presque là.

Elle dégage une bretelle d'une épaule. Elle suçote son index. Son autre bretelle tombe, et il n'y a plus que les seins à empêcher le petit bout de lingerie de tomber par terre.

Denny et moi regardons tous deux de tous nos yeux.

32.

Quand une dépanneuse de remorquage de l'auto-mobile club arrive, la fille de la réception est bien obligée de sortir à sa rencontre, et je lui dis que, naturellement, je vais surveiller son poste.

Sans blague, mais c'est vrai, quand le bus m'a déposé à St Anthony aujourd'hui, j'ai remarqué que deux des pneus de la fille étaient à plat. Les deux roues arrière reposent sur les jantes, je lui ai dit, et je me suis obligé tout le temps de la conversation à ne pas quitter ses yeux du regard.

Le moniteur de sécurité montre la salle à manger, où de vieilles femmes sont en train d'avaler, en guise de déjeuner, différentes nuances de purée grise.

Le sélecteur de l'interphone est sur la position numéro un, et on entend de la musique d'ascenseur et de l'eau qui coule quelque part.

Le moniteur reprend son cycle et montre une vue de la salle de travail manuel, vide. Dix secondes se passent. Puis le foyer, où la télévision est sombre. Puis, dix secondes plus tard, la bibliothèque, où Paige est en train de pousser ma maman dans son fauteuil roulant devant des étagères, pleines de livres qui ont connu des jours meilleurs.

Le sélecteur de l'interphone, je le tourne et le retourne jusqu'à ce que je les entende sur le numéro six.

« J'aimerais avoir le courage de ne pas lutter ni de tout mettre en doute », dit ma maman.

Elle tend le bras et touche le dos d'un livre.

« J'aimerais, rien qu'une fois, pouvoir dire : *Ceci*. Ceci me suffit. Uniquement parce que je le *choisis*. »

Elle sort le livre du rayonnage, voit la couverture, et remet le bouquin en place en secouant la tête.

Et au sortir du haut-parleur, pleine de parasites et étouffée, la voix de ma maman dit : « Comment avez-vous décidé de devenir médecin ? »

Paige hausse les épaules. « Il faut bien qu'on troque sa jeunesse contre quelque chose... »

Le moniteur reprend son cycle et montre une vue du quai de chargement derrière St Anthony.

Maintenant en voix off, la voix de ma maman dit : « Mais comment êtes-vous parvenue à la décision de cet engagement absolu ? »

Et la voix off de Paige dit : « Je ne sais pas. Un jour, j'ai juste voulu être médecin... » avant de se perdre dans quelque autre salle.

Le moniteur reprend son cycle et montre une vue du parc de stationnement, où une dépanneuse est garée, son chauffeur agenouillé près d'une voiture bleue. La fille de la réception se tient debout sur un côté, les bras croisés.

Le moniteur reprend son cycle et me montre assis, l'oreille collée au haut-parleur de l'interphone.

On entend un cliquetis de touches sur le numéro

cinq : quelqu'un est en train de taper sur un clavier. Sur le huit, il y a le bourdonnement d'un séchoir à cheveux. Sur le deux, j'entends la voix de ma maman qui dit : « Vous connaissez cette vieille expression : "Ceux qui ne se souviennent pas de leur passé sont condamnés à le répéter" ? Eh bien, moi, je pense que ceux qui se *souviennent* de leur passé sont dans une situation encore bien pire. »

En voix off, Paige dit : « Ceux qui se souviennent de leur passé ont tendance à vraiment faire foirer toute l'histoire. »

Le moniteur reprend son cycle et les montre qui descendent un couloir, et il y a un livre ouvert sur les genoux de ma maman. Même en noir et blanc, on voit clairement qu'il s'agit de son journal intime. Et ma maman est en train de le lire, un sourire aux lèvres.

Elle relève les yeux, en se vrillant sur son siège pour voir Paige derrière le fauteuil roulant, et dit : « À mon humble avis, ceux qui se souviennent de leur passé s'en retrouvent paralysés. »

Et Paige continue à la pousser, en disant : « Et que diriez-vous de : "Ceux qui sont capables d'oublier leur passé sont bien en avance sur tout le reste d'entre nous" ? »

Et leurs voix disparaissent à nouveau.

Il y a quelqu'un qui ronfle sur le numéro trois. Sur le numéro dix, il y a le couinement d'un fauteuil à bascule.

Le moniteur reprend son cycle pour montrer l'avant du parc de stationnement, où la fille est en train de signer quelque chose sur un porte-bloc.

Avant que je puisse retrouver Paige, la fille de la réception sera de retour, en disant que ses pneus sont en parfait état. Encore une fois, elle va me regarder tout de travers.

Qu'est-ce que Jésus n'irait PAS faire ?

Il s'avère qu'un connard quelconque les a simplement dégonflés.

33.

Les mercredis signifient Nico.

Les vendredis signifient Tanya.

Les dimanches signifient Leeza, et je la rattrape dans le parc de stationnement du centre communautaire. À deux portes de distance de la réunion des sexooliques, nous gâchons un peu de sperme dans un placard de produits d'entretien, tout à côté d'un balai qu'on a laissé à tremper dans un seau d'eau grise. Il y a des cartons de papier hygiénique sur lesquels Leeza a tout loisir de prendre appui, penchée en avant, et je suis en train de lui fendre le cul en deux avec une telle violence qu'à chacun de mes ramonages elle se cogne tête la première contre une étagère pleine de chiffons pliés. Je suis en train de lécher la sueur de son dos pour m'offrir un coup de requinque à la nicotine.

Ça, c'est la vie sur cette terre telle que je la connaissais. Le genre de sexe à la dure, un peu foutraque, où on veut d'abord et avant tout étaler quelques journaux par terre. Ça, c'est moi, en pleine action, essayant de remettre les choses en place à l'identique, ainsi qu'il en était avant Paige Marshall. Retour en arrière et renaissance historique. Moi, en pleine tentative de reconstruction de ma vie telle qu'elle tournait rond jusqu'à ne serait-ce que quelques semaines. Au temps où mon dysfonctionnement fonctionnait lui aussi magnifiquement.

M'adressant à l'arrière de la chevelure embroussaillée de Leeza, je demande : « Tu me le dirais, hein, si je commençais à me montrer trop tendre, n'est-ce pas ? »

Tirant ses hanches pour les coller tout contre moi, je dis : « Tu me dirais la vérité. »

Je la défonce à un rythme bien régulier, en demandant : « Tu ne penses pas que je suis en train de me ramollir, n'est-ce pas ? »

Pour m'empêcher de tout lâcher, je me représente des sites de crashs aériens et mon pied qui marche dans la merde.

Ma queue me brûle, et je m'imagine des photos de la police représentant des carambolages de voitures et les dégâts qu'inflige un coup de fusil de chasse à bout portant. Pour m'empêcher de ressentir quoi que ce soit, je me contente de la fourrer et de la défourrer.

On fourre sa bite, on fourre ses sentiments. Quand on est sexoolique, il est sûr que c'est la même chose.

Engoncé bien profond, je passe les bras devant. Entré de force, bien à l'étroit, je tends les bras sous elle jusqu'à pouvoir tordre un téton durci en pointe dans chaque main.

Et inondant de sueur son ombre marron foncé au creux du carton de papier hygiénique marron clair, Leeza dit : « Laisse-toi aller. » Et : « Mais qu'est-ce que tu essaies de prouver à la fin ? »

Que je ne suis qu'un taré qui n'éprouve rien.

Qu'au fond je me fiche de tout.

Qu'est-ce que Jésus n'irait PAS faire ?

Leeza, Leeza, avec son formulaire de remise en liberté valable trois heures, elle agrippe le carton de papier hygiénique, elle se plie en deux, elle tousse, et mes mains palpent les spasmes de ses abdos durs comme la pierre dont les muscles roulent en vagues entre mes doigts. Les muscles de son plancher pelvien, les muscles coccy-pubiens, qu'on appelle CP pour faire plus court, se contractent et la traction ainsi exercée sur ma trique est incroyable.

Voir aussi : Point de Gräfenberg.

Voir aussi : Point de la Déesse.

Voir aussi : Point sacré tantrique.

Voir aussi : Perle noire taoïste.

Leeza écarte les mains bien ouvertes sur le mur et se repousse violemment tout contre moi.

Tous ces noms pour ce même petit endroit, tous ces symboles pour la chose réelle. La Fédération des Centres de soins pour la santé féminine appelle ça l'éponge urétrale. Reggie de Graaf, anatomiste hollandais du dix-septième siècle, a appelé cette même masse de tissus érectiles, de nerfs et de glandes, la prostate femelle. Tous ces noms pour les cinq centimètres d'urètre qu'on sent à travers la paroi avant du vagin. La paroi antérieure du vagin. Ce que certaines personnes appellent le cou de la vessie.

Et tout ça, c'est rien que la même zone en forme de haricot à laquelle tout le monde veut donner un nom.

Pour y planter le pieu de son propre étendard. Son symbole.

Pour m'empêcher de tout lâcher, je me représente le cours d'anatomie de première année, et la dissection des deux jambages du clitoris, la crura, chacun à peu près aussi long qu'un index. Je me représente en train de disséquer les corps caverneux, les deux cylindres de tissus érectiles du pénis. Nous découpions les ovaires. Nous ôtions les testicules. Vous apprenez à découper tous les nerfs pour les déposer sur le côté. Les cadavres qui puent la Formalin, le formaldéhyde. Cette odeur de voiture neuve.

Avec tous ces trucs cadavériques en esprit, vous êtes capable de maintenir votre chevauchée des heures durant sans arriver nulle part.

Vous pouvez tuer le temps d'une vie entière sans rien ressentir d'autre que de la peau. C'est ça, la magie de ces poulettes sexooliques.

Quand vous êtes drogué, vous pouvez vous abstenir de ressentir quoi que ce soit, hormis l'ivresse, la défonce ou la faim. Malgré tout, quand vous comparez ça à d'autres sentiments, à la tristesse, la colère, la peur, le souci, le désespoir et la dépression, eh bien, l'addiction ne vous paraît plus aussi méchante que ça. Elle se prend à ressembler à une option tout à fait viable.

Lundi, je reste à la maison après le boulot, et je procède à un tri parmi les vieilles bandes enregistrées de ma maman qui restent de ses séances de thérapie. Voici deux mille ans de femmes sur une étagère. Et voici la voix de ma mère, ferme, assurée, profonde, ainsi que je l'ai toujours connue quand je n'étais moi-même qu'une petite merde.

Le bordel de l'inconscient.

Les histoires qu'on raconte au coucher.

Imaginez un poids pesant sur votre corps, installant votre tête et vos bras de plus en plus profondément au creux des coussins du canapé. La bande défilant dans les écouteurs, n'oubliez pas de vous endormir sur une serviette.

Voici le nom de Mary Todd Lincoln[1] lors d'une séance de thérapie.

Pas question. Trop laide.

Voir aussi : La séance Wallis Simpson[2].

Voir aussi : La séance Martha Ray[3].

Voici les trois sœurs Brontë. Pas de vraies femmes, mais des symboles, rien que leurs noms comme autant de coquilles vides au creux desquelles vous pouvez vous projeter, que vous pouvez remplir de stéréotypes et de clichés antiques, de peaux blanches comme du lait et de tournures, de bottines à boutons et de jupes à cerceaux. Nues hormis des corsets à fanons de baleine et des résilles au crochet, voici Emily et Charlotte et Anne Brontë gisant complètement nues et mortes d'ennui sur des couches en crin de cheval dans le petit salon par un fétide après-midi brûlant. Des symboles sexuels. À vous de remplir le reste, les ustensiles et les positions, le bureau à rouleau, l'orgue à piston. Insérez-vous en tant que Heathcliff ou M. Rochester. Mettez simplement la bande en marche et décontractez-vous.

Comme si nous avions jamais été capables d'imaginer le passé. Le passé, l'avenir, la vie sur les autres

1. 1818-1882. Épouse d'Abraham Lincoln.
2. Duchesse de Windsor.
3. Chanteuse américaine.

planètes, tout est une telle extrapolation, une telle projection de la vie telle que nous la connaissons.

Moi enfermé dans ma chambre, Denny qui va et qui vient.

Comme s'il ne s'agissait là que d'une coïncidence innocente, je me surprends à feuilleter les Marshall dans l'annuaire. Elle n'a pas de numéro répertorié. Après le boulot, certains soirs, je prends le bus qui passe devant St Anthony. Elle ne se trouve jamais dans l'embrasure d'aucune fenêtre. Et passant sans m'arrêter, il est impossible de deviner quelle est sa voiture dans le parc de stationnement. Je ne descends pas.

Lui tailladerais-je ses pneus, ou lui laisserais-je un petit mot, je ne sais pas.

Denny va et Denny vient, et à chaque jour qui passe il y a de moins en moins de cailloux dans la maison. Et quand on ne voit pas quelqu'un tous les jours, on le voit changer. Moi qui observe depuis une fenêtre à l'étage, Denny va et Denny vient, poussant des pierres de plus en plus imposantes dans un chariot de supermarché, et chaque jour Denny donne l'impression d'avoir de plus en plus de substance à l'intérieur de sa vieille chemise écossaise. Son visage se hâle, ses épaules et sa poitrine deviennent suffisamment imposantes pour étirer le tissu de la chemise de sorte que celle-ci ne se répand plus en plis. Il n'est pas énorme, mais il est plus imposant, imposant pour un Denny.

Observant Denny depuis la fenêtre, je suis un roc. Je suis une île.

J'appelle : est-ce qu'il a besoin d'un coup de main ?

Sur le trottoir, Denny regarde autour de lui, les bras serrés-câlins autour d'une pierre contre sa poitrine.

« Par ici, lève le nez, je lui dis. Est-ce que tu as besoin d'un coup de main ? »

Denny soulève avec effort sa pierre pour la déposer dans son chariot et hausse les épaules. Il secoue et lève la tête vers moi, une main en visière au-dessus des yeux. « Je n'ai pas besoin d'aide, dit-il, mais tu peux m'aider si tu veux. »

Aucune importance.

Ce que je veux, c'est qu'on ait besoin de moi.

Ce dont j'ai besoin, c'est être indispensable à quelqu'un. Ce dont j'ai besoin, c'est de quelqu'un qui me dévorera tout mon temps libre, mon ego, mon attention. Quelqu'un qui serait accro à moi. Une addiction mutuelle.

Voir aussi : Paige Marshall.

C'est tout pareil à une drogue qui peut être quelque chose de bien et quelque chose de mal tout à la fois.

Vous ne mangez pas. Vous ne dormez pas. Manger Leeza à pleine bouche n'est pas vraiment manger. Et à dormir avec Sarah Bernhardt, vous n'êtes pas vraiment endormi.

La magie de l'addiction sexuelle est que vous n'éprouvez jamais de sensation de faim, de fatigue, d'ennui ou de solitude.

Sur la table de salle à manger, toutes les nouvelles cartes s'entassent. Tous les chèques et les meilleurs vœux d'un paquet d'inconnus qui veulent se convaincre qu'ils sont le héros de quelqu'un. Qui croient qu'on a besoin d'eux. Une femme m'écrit comme quoi elle a démarré une chaîne de prières à mon intention. Une pyramide spirituelle. Comme si on pouvait se mettre à plusieurs contre Dieu. Pour Lui secouer les puces.

La frontière est fragile qui sépare la prière du harcèlement.

Mardi soir, une voix sur le répondeur demande ma permission pour déplacer ma maman au deuxième étage de St Anthony, l'étage où l'on s'en va mourir. Ce que j'entends en tout premier, c'est qu'il ne s'agit pas de la voix du Dr Marshall.

En hurlant à l'adresse du répondeur, je dis : bien sûr. Montez-la d'un étage, cette salope givrée. Faites en sorte qu'elle soit bien à son aise, mais il est hors de question que je paie pour d'éventuelles mesures héroïques. Des sondes d'alimentation. Des assistances respiratoires. J'aurais réagi plus gentiment, s'il n'y avait pas eu cette façon douceureuse dont Mme l'Administrateur s'adresse à moi, ce chuchotement dans sa voix. Cette façon de considérer comme argent comptant que je suis quelqu'un de gentil.

Je dis à sa douce petite voix enregistrée de ne plus me rappeler jusqu'à ce que Mme Mancini soit bel et bien morte.

Sauf à être en pleine arnaque et en quête de pognon, je préfère de loin voir les gens me haïr plutôt que de les sentir désolés pour moi.

En entendant ça, je ne suis pas en colère. Je ne suis pas triste. Je n'éprouve plus rien dorénavant que mon état de bête en rut.

Et les mercredis signifient Nico.

Dans les toilettes pour femmes, le poing capitonné de l'os pubien me cognant le nez, coup après coup, Nico s'essuie et se débarbouille de haut en bas sur ma figure. Deux heures durant, Nico croise les doigts à l'arrière de ma tête et tire mon visage au creux d'elle jusqu'à ce que je m'étrangle sur des poils pubiens.

Léchotant l'intérieur de ses petites lèvres, je lèche ce faisant les plis et replis de l'oreille du Dr Marshall. Respirant par le nez, j'étire ma langue vers le salut.

Jeudi, c'est Virginia Woolf, d'abord. Ensuite, c'est Anaïs Nin. Ensuite, il reste juste assez de temps pour une séance avec Sacajewa [1] avant que vienne le matin, et il faut que j'aille bosser en 1734.

Entre-temps, je note mon passé dans mon calepin. C'est l'accomplissement de ma quatrième étape, mon inventaire moral intégral et sans peur.

Les vendredis signifient Tanya.

Arrivé vendredi, il n'y a plus de pierres dans la maison de ma maman.

Tanya passe par la maison, et Tanya signifie anal.

La magie de pouvoir s'offrir de l'oignon, c'est que Tanya est aussi étroite qu'une vierge, et ce, à chaque fois. Et Tanya ne vient jamais sans jouets. Des perles de geisha, des tiges, des sondes, tous ces objets sentent l'eau de Javel, et elle les passe en douce dans un sac en cuir noir qu'elle conserve dans le coffre de sa voiture. Tanya me travaille la trique d'une main et de la bouche tandis qu'elle presse la première boule d'une longue guirlande en caoutchouc rouge bien lubrifiée contre mon sas d'accès.

Les yeux fermés, j'essaie de me décontracter suffisamment.

---

1. « Femme-Oiseau » (1787-1812), guide et interprète indienne, de la tribu des Shoshone, qui a accompagné l'expédition de Lewis et Clarke en 1804-1805.

On inspire. Puis on expire.

Penser au singe et aux châtaignes.

Doucement, d'un mouvement égal, ça entre, et puis ça sort.

Tanya vrillant sa première boule tout contre moi, je dis : « Tu me dirais si je te donnais l'impression d'être vraiment trop dans le besoin d'affection, n'est-ce pas ? »

Et le première boule passe le cap, pop.

« Mais pourquoi les gens ne veulent-ils pas me croire, je dis, quand je leur répète que tout m'indiffère, bon sang ? »

Et la deuxième boule passe le cap, pop.

« Je ne peux vraiment vraiment pas me permettre d'en avoir quoi que ce soit à branler à propos de quoi que ce soit », dis-je.

Une autre boule passe le cap, pop.

« Il est hors de question que j'accepte d'être blessé, encore une fois », je dis.

Quelque autre chose fait pop à l'intérieur de moi.

Toujours engorgeant ma queue, Tanya serre le poing autour de la ficelle qui pendouille et tire brutalement.

Imaginez une femme qui vous fait sortir les tripes d'une seule traction.

Voir aussi : Ma mère mourante.

Voir aussi : Dr Paige Marshall.

Tanya tire à nouveau, et ma tige lâche le morceau, ses petits soldats blancs mollardant le papier peint de la chambre juste à côté de sa tête. Elle tire encore une fois, et ma bite toussote en quintes sèches et continue à toussoter.

Et toujours lâchant le morceau maintenant à sec,

je dis : « Nom de Dieu. Sans blague, mais c'est vrai. Ça, je l'ai senti. »

Qu'est-ce que Jésus n'irait PAS faire ?

Penché en avant, les deux mains en appui bien écartées sur le mur, les genoux légèrement ployés, je dis : « Vas-y mollo. »

Je dis à Tanya : « Tu n'es pas en train de démarrer une tondeuse à gazon. »

Et Tanya, agenouillée sous moi, toujours regardant les boules puantes bien lubrifiées par terre, dit : « Nom d'un chien. »

Elle soulève la guirlande de boules pour que je voie de mes yeux, et elle dit : « Il est censé y en avoir dix au total. »

Il n'y en a que huit, avec ce qui ressemble à une belle longueur de ficelle vide.

Mon cul me fait tellement mal, je me tripatouille d'un doigt à l'emplacement idoine et j'inspecte ensuite mon doigt pour voir s'il n'y a pas de sang. Vu la douleur abominable qui est la mienne, vous seriez surpris de constater qu'il n'y a pas du sang partout.

Et grinçant des dents, je dis : « C'était chouette, tu trouves pas ? »

Et Tanya dit : « J'ai besoin que tu me signes mon formulaire d'autorisation de sortie pour que je puisse retourner en cellule. »

Elle laisse retomber la guirlande de boules dans son sac noir et dit : « Tu vas avoir besoin de faire un saut dans une salle d'urgences. »

Voir aussi : Côlon en surpression.

Voir aussi : Blocage intestinal.

Voir aussi : Crampes, fièvre, choc septique, arrêt cardiaque.

Il y a maintenant cinq jours que je ne me suis pas senti assez affamé pour manger. Je n'ai pas été fatigué. Je n'ai éprouvé ni souci, ni colère, ni crainte, ni soif. Si l'air ici sent mauvais, je suis incapable de le dire. Je sais que c'est vendredi uniquement parce que Tanya est là.

Paige et son fil dentaire. Tanya et ses jouets. Gwen avec son mot de sûreté. Toutes ces femmes me tirent et me retirent sur la ficelle, et moi, je pendouille.

« Non, sans façon », je dis à Tanya.

Je signe le formulaire, dans la case *répondant*, et je dis : « Sans façon, vraiment, je t'assure, tout va très bien. Je ne sens rien qui aurait été abandonné à l'intérieur de ma personne. »

Et Tanya prend le formulaire et dit : « Je n'arrive pas à croire une chose pareille. »

Ce qu'il y a de drôle, c'est que je ne suis pas non plus sûr de le croire moi-même.

34.

Sans assurance ni même permis de conduire, j'appelle un taxi pour qu'il vienne démarrer la vieille voiture de maman en branchant deux câbles entre les deux batteries. À la radio, ils sont en train de détailler tous les endroits où on peut trouver des bouchons, un accident entre deux voitures sur la voie de contournement, un semi-remorque qui a calé sur l'autoroute de l'aéroport. Une fois que j'ai fait le plein d'essence, je me trouve un petit accident et je prends la queue. Rien que pour m'offrir la sensation d'être partie prenante de quelque chose.

Immobilisé que je suis en pleine circulation, mon cœur bat à un rythme régulier. Je ne suis pas seul. Pris au piège, là, je pourrais parfaitement être un individu normal qui rentre chez lui retrouver une épouse, des enfants, une maison. Je pourrais prétendre que ma vie ne se réduit pas simplement à l'attente du prochain désastre. Prétendre que je savais comment fonctionner. De la même manière que les autres gamins jouent « au papa et à la maman », je pourrais jouer au banlieusard.

Après le boulot, je vais rendre visite à Denny sur

son terrain vide de constructions, là où il a déposé ses pierres, le vieux terrain des immeubles « Ville comme à la campagne » de Menningtown, là où il est en train de monter ses rangées au mortier, l'une après l'autre, jusqu'à ce qu'il ait déjà un mur, et je dis : « Hé ! »

Et Denny dit : « Coco. »

Denny dit : « Comment va ta maman ? »

Et je dis que je m'en fiche.

Denny étale à la truelle une couche de boue grise et grossière sur la dernière rangée de pierres. De la pointe de sa truelle, il patouille son mortier jusqu'à l'égaliser uniformément. À l'aide d'un bâtonnet, il lisse les joints entre les pierres qu'il a déjà posées.

Sous un pommier, une fille est assise, assez proche pour qu'on puisse voir qu'il s'agit de Cherry Daiquiri de la boîte de strip. Une couverture est étalée sous elle, et d'un sac à épicerie en papier marron elle tire des cartons blancs contenant des repas à emporter, qu'elle ouvre l'un après l'autre.

Denny commence à poser un nouveau lit de pierres dans le mortier frais.

Je dis : « Qu'est-ce que tu es en train de construire ? »

Denny hausse les épaules. Il vrille une pierre brune carrée au creux du mortier pour la mettre en place. À l'aide de la truelle, il dégage le mortier entre deux pierres. Occupé à assembler sa génération tout entière de bébés pour en faire une chose énorme.

Est-ce qu'il ne faut pas d'abord qu'il la bâtisse sur le papier ? Je dis : tu n'as pas besoin de plan ? Il y a des permis à obtenir et des inspections obligatoires à respecter. Il faut que tu paies des taxes. Il y a des codes de construction que tu dois connaître.

Et Denny dit : « Comment ça se fait ? »

Il fait rouler des pierres du bout du pied, puis il trouve celle qui convient le mieux et l'installe à sa juste place. Tu n'as pas besoin de permis pour peindre une toile, dit-il. Tu n'as pas besoin de faire enregistrer un plan pour écrire un livre. Il y a des livres qui font plus de dégâts que Denny ne pourrait jamais en faire. Tu n'as pas besoin de faire inspecter tes poèmes. Il existe une chose qu'on appelle la liberté d'expression.

Denny dit : « Tu n'as pas besoin de permis pour avoir un bébé. Alors pourquoi as-tu besoin d'une permission pour construire une maison ? »

Et je dis : « Et que se passe-t-il si tu construis une maison laide et dangereuse ? »

Et Denny dit : « Et si tu élèves un gamin dangereux et complètement con ? »

Je lève le poing entre nous deux et je dis : « Vaudrait mieux que tu ne parles pas de *moi*, là, Coco. »

Denny tourne le regard vers Cherry Daiquiri assise dans l'herbe et dit : « Elle s'appelle Beth. »

— Ne crois pas un instant que la municipalité va avaler ta logique Premier Amendement », je dis.

Et je dis : « Elle n'est pas vraiment aussi attirante que tu le penses. »

Du bas de sa chemise, Denny essuie la sueur de son visage. On peut voir ses abdos pareils à une cuirasse ondulée, et il dit : « Il faut que tu la voies. »

Mais d'ici, je la vois très bien.

« Ta maman, je veux dire », dit-il.

Elle ne me connaît plus. Je ne lui manquerai pas.

« Pas pour elle, dit Denny. Il faut que tu mènes tout ça à son terme, pour toi. »

Denny, ses bras miroitent d'ombres quand ses muscles se contractent. Denny, maintenant, ses bras distendent les manches de son tee-shirt aigre. Ses bras maigrelets paraissent bien gros en circonférence. Ses épaules pincées s'étalent bien larges. À chaque rangée, il lui faut devenir plus fort. Denny dit : « Tu veux rester pour manger chinois ? » Il dit : « T'as l'air un peu nase. »

Je demande : est-ce qu'il vit avec cette nana nommée Beth maintenant ?

Je lui demande s'il l'a mise enceinte ou quoi.

Et Denny, transbahutant une grosse pierre grise à deux mains contre sa taille, hausse les épaules. Il y a un mois de ça, c'était le genre de pierre qu'on pouvait à peine soulever à nous deux.

Au cas où il en aurait besoin, je lui dis que j'ai fait démarrer la vieille voiture de ma maman.

« Va voir comment se porte ta mère, dit Denny. Ensuite reviens me donner un coup de main. »

Tout le monde à Dunsboro la Coloniale lui donne le bonjour, lui dis-je.

Et Denny dit : « Pas la peine de me mentir, Coco. C'est pas moi qui ai besoin qu'on lui remonte le moral. »

35.

Je fais défiler en avance rapide les messages sur le répondeur de ma maman, et j'entends toujours cette même voix doucereuse, étouffée et si compréhensive, qui dit : « Son état se détériore... »

Qui dit : « Critique... »

Qui dit : « Mère... »

Qui dit : « Intervenir... »

Je me contente d'appuyer à chaque fois sur le bouton avance rapide.

Toujours en attente pour ce soir, il y a Colleen Moore[1], qui que cela puisse être. Il y a Constance Lloyd[2], qui que cela puisse être. Il y a Judy Garland. Il y a Eva Braun. Ce qui reste, c'est incontestablement du second rayon.

La voix sur le répondeur s'arrête et démarre.

« ... appelé certaines des cliniques spécialisées dans la fécondation artificielle répertoriées dans le journal intime de sa mère... », dit-elle.

---

1. 1902-1988. Actrice du cinéma muet, symbole de la garçonne.
2. 1858-1898. Épouse d'Oscar Wilde.

C'est Paige Marshall.

Je rembobine.

« Allô, Dr Marshall à l'appareil, dit-elle. Il faut que je parle à Victor Mancini. Veuillez dire à M. Mancini que j'ai appelé certaines des cliniques spécialisées dans la fécondation artificielle répertoriées dans le journal intime de sa mère, et toutes semblent légales. Même les médecins sont réels. »

Elle dit : « Ce qu'il y a d'étrange, c'est qu'ils semblent complètement bouleversés quand je les interroge sur Ida Mancini. »

Elle dit : « Tout ceci ressemble à un peu plus qu'un simple fantasme de Mme Mancini. »

Une voix en arrière-plan dit : « Paige ? »

Une voix d'homme.

« Écoutez, dit-elle. Mon mari est là. Victor Mancini aurait-il l'obligeance de venir me retrouver au centre de soins St Anthony aussitôt que possible ? »

La voix d'homme dit : « Paige ? Qu'est-ce que tu fabriques encore ? Pourquoi es-tu en train de chuchoter... »

Et la ligne est coupée.

36.

Et donc samedi signifie visite à ma maman.

Dans le hall d'entrée de St Anthony, m'adressant à la fille de la réception, je lui dis que je suis Victor Mancini et que je suis ici pour voir ma maman, Ida Mancini.

Je dis : « À moins, naturellement, qu'elle ne soit morte. »

La fille de la réception m'offre un de ces regards, de ceux où on se colle le menton à la poitrine avant de porter les yeux sur la personne pour laquelle on se sent tellement, tellement désolé. Vous inclinez la tête vers le bas de sorte que vos yeux sont bien obligés de se relever pour voir la personne en question. Cette attitude de soumission. Haussez les sourcils jusqu'à la racine des cheveux en relevant les yeux. C'est ça, cette expression de pitié infinie. Écrabouillez-vous la bouche pour faire un froncement de votre visage tout entier, et vous aurez une idée de la manière exacte dont la fille de la réception me regarde.

Et elle dit : « Naturellement que votre mère est encore parmi nous. »

Et je dis : « Ne le prenez surtout pas mal, mais d'une certaine façon, j'aimerais qu'il n'en fût rien. »

Le visage de la fille oublie un instant combien elle est désolée, et ses lèvres se retroussent pour dégager les dents. La manière de faire rompre un duel de regards à la plupart des femmes est de se pourlécher les lèvres. Celles qui ne se détournent pas pudiquement, sans blague, mais c'est vrai, bingo. Gros lot.

Allez la voir, tout simplement, me dit-elle. Mme Mancini est toujours au rez-de-chaussée.

C'est Mlle Mancini, je lui précise. Ma maman n'est pas mariée, sauf si vous m'intégrez dans une grosse histoire œdipienne à faire froid dans le dos.

Je demande si Paige Marshall est là.

« Naturellement », dit la fille de la réception, son visage maintenant légèrement détourné de moi, qui me regarde d'un œil un peu en coin. Un regard de méfiance.

Derrière les portes de sécurité, toutes les vieilles givrées, cette armée d'Irma et de Laverne, de Violet et d'Olive, démarrent leur lente migration de déambulateurs et de chaises roulantes dans ma direction. Toutes les déshabilleuses chroniques. Toutes les mamies larguées et les écureuils aux poches pleines de nourriture mastiquée, celles qui oublient d'avaler, les poumons pleins de nourriture solide et liquide.

Et toutes autant qu'elles sont, elles me sourient. Rayonnantes. Toutes, elles arborent ces bracelets en plastique qui gardent les portes fermées, mais malgré tout elles ont l'air en bien meilleur état que moi.

Dans le foyer, odeur de rose, de citron et de pin. Le petit monde bruyant suppliant qu'on s'intéresse à lui depuis l'intérieur de la télévision. Les puzzles éclatés en mille morceaux. Personne n'a déplacé ma maman au deuxième étage encore, à l'étage de la mort, et, dans sa chambre, Paige Marshall est installée dans un fauteuil inclinable en tweed, en train de lire son porte-bloc, les lunettes sur le nez, et quand elle me voit, elle dit : « Regardez-vous. » Elle dit : « Votre mère n'est pas la seule à avoir besoin d'une sonde stomacale. »

Je dis que j'ai eu son message.

Ma maman est. Elle est juste dans son lit. Elle est juste endormie, c'est tout, son estomac comme un petit monticule gonflé sous les couvertures. Ses os sont les seules choses qui restent de ses bras et de ses jambes. Sa tête a sombré au creux de l'oreiller, elle serre les paupières bien fermées. Les coins de ses mâchoires se gonflent un instant quand ses dents se verrouillent, et elle rassemble tout ce qui lui reste de figure pour déglutir.

Ses paupières retombent et ses yeux s'ouvrent, et elle étire ses doigts gris-vert vers moi, en un semblant de reptation sous-marine dirait-on, un geste tout ralenti en forme de mouvement de natation, tremblotant à la manière de la lumière miroitant au fond d'une piscine, quand on est petit et qu'on passe la nuit dans quelque motel perdu juste en bordure d'une grand-route. Le bracelet pendouille autour de son poignet, et elle dit : « Fred. »

Elle déglutit à nouveau, le visage tout entier se ramassant sous l'effort, et elle dit : « Fred Hastings. » Ses yeux roulent d'un côté et elle sourit à Paige. « Tammy, dit-elle. Fred et Tammy Hastings. »

Son vieil avocat et son épouse.

Toutes mes notes me concernant sous l'identité de

Fred Hastings sont à la maison. Si je conduis une Ford ou une Dodge, je ne m'en souviens pas. Combien de gamins je suis censé avoir. De quelle couleur avons-nous finalement repeint la salle à manger. Je suis incapable de me souvenir du moindre détail sur la manière dont je suis censé vivre ma vie.

Paige toujours assise dans le fauteuil, je m'approche d'elle et pose une main sur l'épaule de sa blouse de laborantine et je dis : « Comment vous sentez-vous, madame Mancini ? »

Son abominable main gris-vert remonte à l'horizontale et se balance d'un côté puis de l'autre, signe pour couci-couça en langage universel. Les yeux fermés, elle sourit et dit : « J'espérais que vous seriez Victor. »

Paige chasse ma main d'un haussement d'épaules.

Et je dis : « Je croyais que vous m'aimiez plus que lui. »

Je dis : « Personne n'aime beaucoup Victor. »

Ma mère étire ses doigts vers Paige et demande : « Est-ce que vous l'aimez ? »

Paige me regarde.

« Fred, ici présent, dit ma maman, est-ce que vous l'aimez ? »

Paige se met à cliquer et décliquer son stylo à bille, vite. Sans me regarder, regardant le porte-bloc sur ses genoux, elle dit : « Oui, je l'aime. »

Et ma maman sourit. Et étirant ses doigts vers moi, elle dit : « Et vous, est-ce que vous l'aimez ? »

Peut-être à la manière dont un porc-épic pense à sa baguette, si on peut appeler ça de l'amour.

Peut-être à la manière dont un dauphin aime les flancs lisses de son aquarium.

Et je dis : « Je crois. »

Ma maman engonce son menton au creux du cou, latéralement, en me passant à la revue de détail, de la tête aux pieds, et elle dit : « Fred. »

Et je dis : « D'accord, oui. » Je dis : « Je l'aime. »

Elle fait revenir ses abominables doigts gris-vert au repos sur la colline de son ventre et dit : « Vous avez bien de la chance, tous les deux. » Elle ferme les yeux. « Victor n'est pas très doué pour aimer les gens. »

Elle dit : « Ce que je crains le plus, une fois que je ne serai plus là, c'est qu'il ne reste plus personne en ce bas monde pour aimer Victor. »

Ces enfoirés de vieux. Ces ruines d'humains.

L'amour, c'est de la connerie. L'émotion, c'est de la connerie. Je suis un roc. Un taré. Je suis un sale trouduc qui se fout bien de tout, et qui en est fier.

Qu'est-ce que Jésus n'irait PAS faire ?

S'il faut en arriver finalement à un choix entre ne pas être aimé et être vulnérable, sensible et émotionnel, alors, votre amour, vous pouvez vous le garder.

Ce que je venais de dire concernant mon amour pour Paige, si c'était un mensonge ou un vœu, je n'en sais rien. Mais c'était une astuce. C'est encore qu'un gros tas de conneries de nana, rien de plus. Il n'y a pas d'âme chez les humains, et je ne vais absolument pas, sûr et certain, sérieux, putain, pleurer.

Ma maman, ses yeux restent fermés, et sa poitrine se gonfle et se dégonfle en longs cycles profonds.

On inspire. On expire. Imaginez un poids pesant pressant votre corps, installant votre tête et vos bras de plus en plus profondément.

Et elle dort.

Paige se relève du fauteuil et fait un signe de tête vers la porte, et je la suis dans le couloir.

Elle regarde alentour et dit : « Vous voulez aller à la chapelle ? »

Je ne suis pas vraiment d'humeur.

« Pour bavarder, dit-elle.

— D'accord. »

Marchant avec elle, je dis : « Merci pour tout à l'heure, là-bas. Pour avoir menti, je veux dire. »

Et Paige : « Qui dit que je mentais ? »

Est-ce qu'elle me fait comprendre qu'elle m'aime d'amour ? C'est impossible.

« D'accord, dit-elle. Peut-être bien que j'ai un peu raconté des bobards. Je vous aime bien. Pas trop. »

On inspire. On expire.

Dans la chapelle, Paige referme la porte derrière nous et dit : « Sentez », et elle me prend la main pour la tenir contre son ventre plat. « J'ai pris ma température. Ce n'est plus le bon moment pour moi. »

Avec tout ce qui s'entasse déjà derrière ce que j'ai dans les tripes, je lui dis : « Ouais ? »

Je dis : « Eh ben, peut-être bien que pour ça, je vous ai battue sur le fil. »

Tanya et ses joujoux de troufignon en caoutchouc.

Paige se tourne et s'éloigne de moi, lentement, et, toujours tournée : « Je ne sais comment aborder ce sujet-là. »

Le soleil au travers des vitraux, un mur tout entier en une centaine de nuances d'or. Le crucifix en bois blond. Des symboles. L'autel et la rambarde de la communion, tout est là, ne manque rien. Paige va s'asseoir sur un des bancs, un banc d'église, et elle soupire. Une de ses mains agrippe le haut de son porte-bloc, et l'autre soulève quelques feuillets de papier tenus par un trombone pour montrer une chose rouge en dessous.

Le journal intime de ma maman.

Elle me tend le journal et dit : « Vous pouvez vérifier les faits vous-même. En fait, je vous le recommande fortement. Ne serait-ce que pour avoir l'esprit en paix. »

Je prends le livre, et à l'intérieur c'est toujours du charabia. Bon, d'accord, du charabia italien.

Et Paige dit : « Le seul élément positif, c'est qu'il n'existe aucune assurance absolue que le matériau génétique utilisé provienne effectivement du personnage historique en question. »

Tout concorde, dit-elle. Les dates, les cliniques, les spécialistes. Même les gens d'Église auxquels elle a parlé ont insisté sur le fait que le matériau dérobé, le tissu que la clinique a mis en culture, était le seul prépuce authentifié. Elle dit que cela a déclenché un grenouillage politique géant à Rome.

« Le seul autre élément positif, dit-elle, c'est que je n'ai dit à personne qui vous étiez. »

Doux Jésus, je dis.

« Non. Je veux parler de celui que vous êtes aujourd'hui », dit-elle.

Et je dis : « Non, ce n'était qu'un juron, rien d'autre. »

Comment je me sens ? Exactement comme si je venais de recevoir les résultats d'une mauvaise biopsie.

Je dis : « Qu'est-ce que ça signifie ? »

Paige hausse les épaules.

« Quand on y réfléchit, rien du tout », dit-elle.

Elle a un signe de tête vers le journal intime et dit : « À moins que vous ne vouliez réduire votre vie à néant, je vous recommanderai de brûler ça. »

Je demande : comment ceci nous affecte-t-il, elle et moi ?

« Nous ne devrions plus nous voir, dit-elle, si c'est ce que vous voulez sous-entendre. »

Je dis : elle ne croit pas ces élucubrations, quand même ?

Et Paige dit : « Je vous ai vu en compagnie des patientes qu'il y a ici, cette manière qu'elles ont toutes d'être en paix une fois qu'elles vous ont parlé. »

Assise, elle se penche en avant, les coudes sur les genoux, le menton au creux des mains, et elle dit : « Je ne peux tout simplement pas me permettre de courir le risque que votre mère puisse avoir raison. Tous ceux à qui j'ai parlé en Italie ne pouvaient pas tous souffrir de psychose paranoïaque. Je veux dire par là, et si vous êtes vraiment le beau et divin fils de Dieu ? »

La manifestation mortelle parfaite et sanctifiée de Dieu.

Un rot remonte en grondant depuis mon blocage à l'entresol, et le goût que j'ai dans la bouche est acide.

« Nausée matinale » n'est pas vraiment le terme qui convienne, mais c'est le premier qui vient à l'esprit.

« Ainsi donc, vous êtes en train de me faire comprendre que vous ne couchez qu'avec des mortels ? » dis-je.

Et Paige penchée en avant, elle m'offre ce regard de grande pitié, celui que la fille de la réception fait tellement bien avec son menton engoncé dans la poitrine, les sourcils remontés jusqu'à la racine des cheveux, et elle dit : « Je regrette tellement d'avoir mis mon nez dans cette histoire. Je vous promets, je ne le répéterai pas à âme qui vive. »

Et ma maman alors ?

Paige soupire et hausse les épaules.

« Ça, c'est facile. Elle souffre de paranoïa. Personne ne la croirait. »

Non, je voulais dire, est-ce qu'elle allait mourir bientôt ?

« Probablement, dit Paige, à moins que ne se produise un miracle. »

37.

Ursula s'arrête pour reprendre son souffle et relève les yeux vers moi. Elle secoue les doigts d'une main et se serre le poignet de l'autre, et dit : « Si t'étais une baratte, on aurait eu du beurre depuis une demi-heure. »

J'y vais de mon : désolé.

Elle crache dans une main, la serre en poing à l'entour de ma queue, et dit : « Sûr que ça te ressemble pas. »

Fini, mais je ne veux même pas savoir à quoi je ressemble désormais.

Sûr encore que ce n'est qu'une autre de ces longues et lentes journées en 1734, et donc, nous sommes vautrés sur un tas de foin dans l'écurie. Moi, les bras croisés derrière la nuque, et Ursula est lovée tout contre moi. Nous ne bougeons pas beaucoup sinon le foin sec nous pique la peau à travers nos vêtements. Nous regardons tous deux en l'air, en direction des chevrons, des poutres en bois, et du tissage de chaume de la face inférieure du toit. Des araignées se balancent, suspendues aux fils de leur toile.

Ursula se met à me tirer sur la viande sans ménagement et dit : « T'as vu Denny à la télévision ? »

Quand ?

« Hier soir ? »

Qu'est-ce qu'il venait y faire ?

Ursula secoue la tête.

« Y construit quelque chose. Les gens se plaignent. Ils croient qu'il s'agit d'une sorte d'église, et lui refuse de dire quelle sorte. »

Nous sommes incapables de vivre avec les choses que nous ne pouvons pas comprendre, c'en est pathétique. À quel point nous avons besoin de voir tout étiqueté, expliqué, déconstruit. Même s'il est sûr que c'est inexplicable. Même Dieu.

« Désamorcé » n'est pas le mot qui convienne, mais c'est le premier qui vient à l'esprit.

Ce n'est pas une église, je dis. Je balance ma lavallière par-dessus l'épaule et je dégage du pantalon le devant de ma chemise.

Et Ursula dit : « À la télé ils croient qu'il s'agit d'une église. »

Du bout des doigts, je presse autour de mon nombril, mon ombilic, mais la palpation digitale n'est pas concluante. Je tapote et je prête l'oreille à d'éventuels changements de tonalité susceptibles d'indiquer la présence d'une masse solide, mais la percussion n'est pas concluante.

Le gros muscle du sas qui garde la merde à l'intérieur du corps, les médecins appellent ça le *sas rectal*, et une fois qu'on a enfoncé quelque chose au-delà de ce sas, impossible de le faire ressortir sans une vigoureuse aide extérieure. Dans les salles d'urgence des hôpitaux, on appelle ce genre d'aide « gestion de corps étrangers colo-rectaux ».

À Ursula, je dis : pourrait-elle coller l'oreille contre mon ventre nu et me dire si elle entend quelque chose.

« Denny n'a jamais été très bien dans ses baskets », dit-elle, et elle se penche pour presser son oreille contre le centre de mon ventre. Mon nombril. L'ombilic, les médecins appelleraient ça.

Le patient typique présentant ces corps étrangers colo-rectaux est un homme entre quarante et cinquante ans. Le corps étranger est pratiquement toujours ce que les médecins appellent *auto-administré*.

Et Ursula dit : « Qu'est-ce que je dois écouter ? »

Des bruits de boyaux positifs.

« Des gargouillis, des couinements, des grondements, n'importe quoi », je lui dis.

Tout ce qui est susceptible d'indiquer que je vais avoir des contractions intestinales un de ces quatre, et que les selles ne sont pas tout bonnement en train de s'accumuler derrière quelque obstruction.

Comme phénomène clinique, l'occurrence de corps étrangers colo-rectaux augmente de façon dramatique d'année en année. Il existe des rapports relatifs à des corps étrangers restés en place des années durant sans perforation des intestins ni conséquences significatives sur la santé du patient. Même si Ursula entend quelque chose, ce ne sera pas concluant. En fait, ce que cela exigerait serait une radioscopie abdominale et une sigmoïdofibroscopie.

Imaginez-vous sur la table d'examen, les genoux remontés contre la poitrine en position de ce qu'on appelle la carpe, comme un saut carpé immobile. On vous aurait séparé les fesses qu'on aurait maintenues ainsi à l'aide de sparadrap. Quelqu'un appliquerait une pression péri-abdominale pendant qu'un autre insérerait deux forceps à tissus pour tenter une manipulation trans-anale afin d'extraire le corps étranger. Naturellement, tout cela se pratique sous anesthésie locale. Naturellement, personne ne glousse ni ne prend de photos, mais quand même.

Quand même. C'est de moi que je parle, là.

Représentez-vous la vue du sigmoïdofibroscope sur un écran de télévision, une lumière brillante en train de pousser son chemin le long d'un tunnel tout resserré de tissus muqueux, humides et roses, en train de pousser au creux de ces ténèbres étriquées jusqu'à ce qu'il apparaisse, là, sur la télé, au vu et au su de tout le monde : le hamster mort.

Voir aussi : La tête de poupée Barbie.

Voir aussi : La boule à troufignon en caoutchouc rouge.

La main d'Ursula a interrompu ses soubresauts verticaux, et elle dit : « J'entends ton cœur battre. »

Et aussi : « Tu m'as l'air plutôt effrayé. »

Non. Pas question, je lui réponds, je m'éclate comme pas possible.

« Tu n'en donnes pas beaucoup l'impression », dit-elle, son haleine chaude sur ma zone péri-abdominale.

Elle dit : « J'attrape des crampes aux métacarpiens.

— Tu veux parler du *syndrome du tunnel carpien*, je lui dis. Et tu ne peux pas, parce qu'il ne sera pas inventé avant la révolution industrielle. »

Pour empêcher le corps étranger de remonter plus avant à l'intérieur du côlon, on peut exercer une traction en utilisant un cathéter de Foley afin d'insérer un ballon dans le côlon au-dessus dudit corps. Ensuite on gonfle le ballon. Il est plus fréquent de tomber sur un vide au-dessus du corps étranger ; c'est ce qui se produit habituellement lorsque le patient s'est auto-administré une bouteille de vin ou une canette de bière.

Son oreille toujours contre mon ventre, Ursula dit : « Est-ce que tu sais à qui elle appartient ? »

Et je lui dis : c'est pas drôle.

Dans le cas de bouteilles auto-administrées goulot en avant, il faut insérer un cathéter de Robinson autour de la bouteille et permettre à l'air de s'introduire afin de libérer le vide comprimé. Dans le cas de bouteilles auto-administrées culot en avant, insérer un écarteur dans l'extrémité ouverte de la bouteille, et ensuite remplir la bouteille de plâtre. Une fois que le plâtre a pris autour de l'écarteur, tirer pour enlever la bouteille.

L'utilisation de lavements est une autre méthode, mais moins fiable.

Ici, avec Ursula, dans l'écurie, on entend qu'il commence à pleuvoir au-dehors. La pluie martèle le chaume, l'eau coule dans la rue. La lumière dans les fenêtres s'est atténuée, gris sombre, et il y a le bruit d'éclaboussures répétées de quelqu'un qui court se mettre à l'abri. Les poulets noir et blanc déformés se pressent pour entrer de force entre les planches brisées des murs et ils ébouriffent leurs plumes pour en chasser l'eau.

Et je dis : « Et qu'est-ce que la télé dit d'autre à propos de Denny ? »

Denny et Beth.

Je dis : « Penses-tu que Jésus savait automatiquement qu'il était Jésus dès le départ, ou bien est-ce que sa maman ou quelqu'un d'autre le lui a appris et qu'il l'est devenu en grandissant ? »

Un doux grondement s'échappe d'entre mes cuisses, mais pas de l'intérieur de moi.

Ursula souffle, puis ronfle à nouveau. Sa main se ramollit autour de moi. Moi, mou comme une chiffe. Ses cheveux s'étalent en travers de mes jambes. Sa tendre et douce oreille est enfoncée au creux de mon ventre.

Le foin me transperce la chemise et me picote le dos.

Les poulets grattouillent dans la terre et le foin. Les araignées filent.

38.

Pour fabriquer une bougie auriculaire, on prend un morceau de papier normal que l'on roule en un mince tube. Il n'y a là aucune sorte de miracle. Il faut bien commencer par les trucs qu'on connaît déjà.

Et encore ce ne sont que des restes flottants et des séquelles brumeuses de la fac de médecine, quelque chose que j'enseigne maintenant aux gamins en sortie scolaire à Dunsboro la Coloniale.

Peut-être bien qu'il faut faire son chemin petit à petit et progresser ainsi jusqu'aux vrais miracles garantis bon teint.

Denny vient me voir après avoir passé sa journée à empiler des pierres dehors sous la pluie, et il me dit qu'il a un méchant bouchon de cérumen au point qu'il n'entend plus rien. Il s'assied sur une chaise dans la cuisine de ma maman, en présence de Beth debout près de la porte du fond, légèrement à l'oblique, le postérieur en appui contre le rebord du plan de travail. Denny s'assied, la chaise tirée latéralement par rapport à la table de cuisine, un bras posé sur ladite table.

Et je lui dis de ne pas bouger.

Roulant le papier en un mince tube, je dis : « Juste une supposition, je dis, supposons que Jésus-Christ ait dû s'entraîner à être le Fils de Dieu pour réussir dans sa fonction. »

Je dis à Beth d'éteindre les lumières de la cuisine et je tortille une des extrémités du mince tube en papier dans l'étroit conduit sombre de l'oreille de Denny. Ses cheveux ont un peu repoussé, mais le risque d'incendie ci-présent est moindre que chez la plupart des individus. Pas trop profond, je tortille le tube au creux de son oreille juste assez loin pour qu'il reste en place quand je le lâche.

Pour me concentrer, j'essaie de ne pas penser à l'oreille de Paige Marshall.

« Et si Jésus avait passé tout son temps à grandir en faisant tout de travers, je dis, avant de réussir un seul miracle dans les règles ? »

Denny est assis dans le fauteuil, dans le noir, avec le tube de papier blanc qui lui ressort de l'oreille.

« Comment se fait-il que nous n'ayons aucun compte rendu des premiers échecs des tentatives de Jésus, dis-je, ou de la manière dont il n'a pas réellement sorti de son escarcelle ses bons gros miracles avant trente ans passés ? »

Beth repousse l'entre-deux de son jean collant vers moi, et je me sers de sa fermeture Éclair pour y frotter une allumette de ménage et transporter ma petite flamme de l'autre côté de la pièce jusqu'à la tête de Denny. Me servant de l'allumette, j'enflamme l'extrémité du tube en papier.

Parce que j'ai gratté l'allumette, toute la pièce sent le soufre.

La fumée se déroule en volutes de l'extré
enflammée du tube, et Denny dit :

« Tu ne vas pas laisser ce truc me faire du mal, hein,
dis ? »

La flamme avance doucement, de plus en plus près
de sa tête. L'extrémité consumée du tube se déroule
et s'entrouvre avant de partir en morceaux. Papier
noirci en bordure duquel s'insinuent les petits vers
d'étincelles orangées, ces petits débris de papier brûlant dérivent vers le plafond. Quelques débris de
papier noirci se roulent sur eux-mêmes et tombent.

C'est vraiment ainsi qu'on l'appelle, ce truc. Une
bougie auriculaire.

Et je dis : « Et si Jésus avait simplement débuté en
faisant des trucs gentils pour ses compatriotes, tu vois,
comme aider les dames âgées à traverser la rue ou
prévenir les gens quand ils avaient laissé leurs phares
allumés ? »

Je dis : « Bon, d'accord, pas exactement ça, mais
tu saisis l'idée. »

Surveillant le feu qui rapproche de plus en plus ses
bouclettes de l'oreille de Denny, je dis : « Et si Jésus
avait passé des années à s'entraîner pour arriver à son
gros truc des poissons et des pains ? Je veux dire, son
machin avec Lazare, c'est aussi quelque chose à quoi
il a dû s'entraîner, patiemment, petit à petit, non ? »

Et Denny se vrille les yeux de côté pour tenter de
voir à quelle distance sont les flammes, et il dit :
« Beth, est-ce que c'est sur le point de me brûler ? »

Et Beth me regarde et dit : « Victor ? »

Et moi : « Tout va bien. »

S'appuyant encore plus fermement contre le plan
de travail de la cuisine, Beth se vrille le visage pour

ne pas voir et dit : « Ça ressemble à une sorte de torture un peu zarbi.

— Peut-être, je dis, peut-être bien que même Jésus ne croyait pas en lui-même au départ. »

Et je me penche vers le visage de Denny, et d'une seule bouffée d'air je souffle la flamme. Une main en coupe sous le menton de Denny, pour le maintenir immobile, je fais glisser le restant du tube de son oreille. Quand je le lui montre, le papier est gluant et sombre de tout le cérumen que le feu a aspiré comme une mèche.

Beth rallume les lumières de la cuisine.

Denny montre à Beth le petit tube consumé, Beth le renifle, et dit : « Ça pue. »

Je dis : « Les miracles, c'est peut-être comme un talent qu'on a, faut toujours commencer petit, par des choses faciles. »

Denny cache son oreille propre d'une main, puis il la découvre. Il la couvre et la découvre, et dit : « C'est incontestablement meilleur.

— Je ne veux pas dire que Jésus faisait des tours de cartes, je dis, mais juste ne pas faire de mal aux gens, ce serait un bon départ. »

Beth s'approche, retenant d'une main ses cheveux bien en arrière pour pouvoir se plier et regarder au creux de l'oreille de Denny. Elle plisse les paupières et déplace la tête en positions variées afin de voir sous divers angles.

Roulant une autre feuille de papier en mince tube, je dis : « Tu es passé à la télé, l'autre jour, je me suis laissé dire.

— Je suis désolé. »

Tortillant simplement le papier de plus en plus

serré entre mes mains, je dis : « Tout ça, c'était ma faute. »

Beth se redresse et me regarde. Elle secoue ses cheveux pour les remettre en place. Denny fourre un doigt dans son oreille propre et farfouille à l'intérieur, puis il renifle son doigt.

Et moi, simplement avec mon tube de papier, je dis : « Dorénavant, je veux essayer d'être meilleur. »

M'étrangler dans les restaurants, rouler les gens dans la farine, ce genre de conneries-là, je ne vais plus les faire. Couchailler de droite et de gauche, du sexe pour le sexe, ce genre de merdes.

Je dis : « J'ai appelé la municipalité, et je me suis plaint de toi. J'ai appelé des stations de télé et je leur ai raconté des tas de trucs. »

Mon estomac me fait mal, mais est-ce la culpabilité, ou une accumulation de selles compactées, je suis incapable de le dire.

D'un côté comme de l'autre, je suis tellement plein de merde. Un connard.

L'espace d'une seconde, il m'est plus facile de regarder la fenêtre sombre au-dessus de l'évier de la cuisine, avec la nuit au-dehors. Réfléchi dans la fenêtre, il y a moi, aussi déglingué et aussi maigre que ma maman. Le nouveau saint Moi, plein de son bon droit, et peut-être divin. Il y a Beth qui me regarde les bras croisés. Il y a Denny assis à côté de la table de cuisine, en train de farfouiller du doigt dans son oreille sale. Ensuite il inspecte le dessous de l'ongle.

« Ce à quoi je veux en venir, je dis, c'est que je voulais juste que tu aies besoin de mon aide. Je voulais que tu sois obligé de me la demander. »

Beth et Denny me regardent, cette fois pour de vrai, et je nous regarde, tous les trois, en reflets dans la fenêtre.

« Ouais, bien sûr, dit Denny. J'ai besoin de ton aide. »

À Beth, il dit : « Qu'est-ce que c'est que cette histoire, nous deux à la télé ? »

Et Beth hausse les épaules et dit : « C'était mardi, je crois. »

Elle dit : « Non, attends, ou est-ce que c'était aujourd'hui ? »

Et je dis : « Et donc tu as besoin de moi ? »

Et Denny, toujours assis dans son fauteuil, hoche la tête à l'adresse du tube en papier que j'ai préparé. Il lève son oreille sale vers moi et dit : « Coco, refais-le-moi. Ça baigne. Nettoie-moi l'autre oreille. »

39.

Il fait nuit et il se met à pleuvoir quand j'arrive à l'église, et Nico m'attend dans le parc de stationnement. Elle est en train de se démener à l'intérieur de son manteau, et pendant un instant une manche pendouille vide, avant qu'elle renfile son bras à l'intérieur. Nico glisse les doigts à l'intérieur du rebord de son autre manche et en ressort quelque chose, blanc comme une dentelle.

« Garde-moi ça un moment », dit-elle, et elle me tend une boule de dentelle et d'élastique toute tiède.

C'est son soutien-gorge.

« Rien que pour une ou deux heures, dit-elle. Je n'ai pas de poches sur moi. »

Elle sourit d'une commissure des lèvres, les dents du haut mordillant légèrement la lèvre inférieure. Ses yeux étincellent de pluie et de lueurs de lampadaires.

Son truc, je lui prends pas, je lui annonce. Je peux pas. Fini.

Nico hausse les épaules, et fourre le soutien-gorge dans la manche de son manteau. Tous les sexooliques sont déjà entrés, dans la salle 234. Les couloirs sont vides, avec leur sol en linoléum ciré miroir et des panneaux d'affichage aux murs. Avec des nouvelles de l'église et des projets artistiques de gamins affichés partout. Des peintures aux doigts de Jésus et des apôtres. Jésus et Marie-Madeleine.

Me dirigeant vers la salle 234, j'ai un pas d'avance sur Nico quand elle m'attrape l'arrière de mon ceinturon et me tire contre un tableau d'affichage.

Vu ma tripe douloureuse, avec ce satané gonflement, sans parler des crampes, quand elle tire sur mon ceinturon, la douleur me fait roter acide et ça me remonte dans le fond de la gorge. Mon dos au mur, elle glisse la jambe entre les miennes et lève les bras autour de ma tête. Ses seins en coins de force doux et tendres entre nous, la bouche de Nico prend position sur la mienne, et nous sommes tous les deux en train de respirer son parfum. Sa langue est plus dans ma bouche que dans la sienne. Sa jambe frotte, non pas mon érection, mais mes boyaux agglomérés.

Les crampes pourraient signifier cancer du côlon. Ça pourrait signifier appendicite aiguë. Hyperparathyroïdisme. Insuffisance surrénale.

Voir aussi : Occlusion intestinale.

Voir aussi : Corps étrangers dans le côlon.

Fumer la cigarette. Ronger ses ongles. C'était jadis mon traitement contre tout ce qui était sexe, mais avec Nico qui nage tout contre moi, je ne peux tout simplement pas.

Nico dit : « D'accord. On va se trouver un autre endroit. »

Elle se recule, je me plie en deux, la douleur au ventre, et j'avance d'un pas incertain jusqu'à la salle 234 avec Nico qui siffle et persifle dans mon dos.

« Non », persifle-t-elle.

À l'intérieur de la salle 234, le chef de groupe est en train de dire : « Ce soir, nous allons travailler à notre quatrième étape.

— Pas là-dedans », est en train de dire Nico jusqu'à ce que nous nous retrouvions dans l'embrasure de la porte ouverte sous les regards de la foule de gens assis autour d'une grande table basse tachée de peinture et toute grumeleuse de pâte à modeler séchée. Les chaises sont de petits paniers en plastique tellement bas que tout le monde a les genoux dans le nez. Et tous ces gens se contentent de nous dévorer des yeux. Tous ces hommes et toutes ces femmes. Ces légendes urbaines. Ces sexooliques.

Le chef de groupe dit : « Y a-t-il quelqu'un parmi nous qui travaille encore sur sa quatrième étape ? »

Nico se glisse à côté de moi et me chuchote à l'oreille : « Si tu entres là-dedans, avec tous ces paumés de perdants, dit Nico, tu peux faire une croix sur moi. Plus jamais. »

Voir aussi : Leeza.

Voir aussi : Tanya.

Et je fais le tour de la table pour me laisser tomber sur une chaise en plastique.

Sous les regards de tous ceux qui sont réunis là, je dis : « Salut. Mon nom est Victor. »

Regardant Nico droit dans les yeux, je dis : « Je m'appelle Victor Mancini, et je suis sexoolique. »

Et je dis que je suis coincé au niveau de ma quatrième étape depuis ce qui me semble une éternité.

Ce sentiment ressemble moins à une fin qu'à un nouveau point de départ, comme beaucoup d'autres.

Et toujours appuyée au chambranle de la porte, cette fois non plus avec du jus d'yeux mais avec des larmes, un roulis de larmes de mascara qui lui explosent au sortir des yeux, Nico les chasse de la main dans un frottis-barbouillis noir. Nico dit, elle crie : « Eh bien, pas moi ! » Et de la manche de son manteau tombe au sol son soutien-gorge.

Avec un signe de tête à son adresse, je dis : « Et voici Nico. »

Et Nico dit : « Vous pouvez aller vous faire foutre, tous autant que vous êtes. » Elle chope son soutien-gorge et la voilà partie.

C'est à ce moment-là que tout le monde dit : Salut, Victor !

Et le chef de groupe dit : « Très bien. »

Il dit : « Comme je le disais, le meilleur endroit pour trouver la lumière en soi est de se rappeler où l'on a perdu sa virginité... »

40.

Quelque part au nord-nord-est de Los Angeles, je commençais à me sentir endolori et tout enflammé, aussi j'ai demandé à Tracy si elle voulait bien lâcher le morceau une minute. Cela se passait dans une autre vie, il y a bien longtemps.

Avec un gros écheveau de salive blanche qui s'enroule entre mon nœud et sa lèvre inférieure, son visage brûlant tout entier et rouge de s'être étranglée, toujours tenant ma queue endolorie dans son poing, Tracy se laisse retomber sur les talons et explique comment, dans le *Kama-sutra*, on vous conseille de vous faire les lèvres bien rouges en les frottant avec la sueur des testicules d'un étalon blanc.

« Sans blague, mais c'est vrai », dit-elle.

Et voilà maintenant que j'ai un goût tout zarbi dans la bouche, alors je la regarde sans ciller, et ses lèvres et ma queue sont de la même couleur violine intense.

Je dis : « Tu fais quand même pas ces trucs-là, hein ? »

Le bouton de porte s'agite brutalement, et nous reluquons tous les deux, pour nous assurer qu'il est bien verrouillé.

Il s'agit bien ici de cette toute première fois, ce vers quoi toute addiction revient toujours. Cette première fois qu'aucune fois suivante n'égale jamais.

Le pire c'est quand un petit gamin ouvre la porte. Dans l'ordre du pire, vient ensuite un homme qui ouvre et qui ne comprend pas. Même si vous êtes encore seul, quand un gamin ouvre la porte, il faut, vite fait, croiser les jambes. Prétendre que tout ça n'est qu'un accident. Un adulte pourrait peut-être vous claquer la porte à la figure, il pourrait peut-être hurler : « Mettez le verrou la prochaine fois, espèce de débile », n'empêche que c'est lui qui va rougir.

Après ça, ce qu'il y a de pire, dit Tracy, c'est d'être une de celles que le *Kama-sutra* appelle les femmes éléphants. Tout particulièrement quand elle se trouve en compagnie de ce que le même livre appelle un homme lièvre.

Ce truc d'animaux est une référence à la taille des parties génitales.

Ensuite, Tracy dit : « Il n'était pas dans mes intentions de donner à ma phrase le sens que tu as pu y entendre. »

Une personne se trompe et ouvre la porte, et vous voilà partie prenante de ses cauchemars pour toute la semaine.

Votre meilleure défense, à moins que cette personne ne soit en train de draguer, c'est que l'individu qui ouvre la porte et vous voit assis là présumera toujours que c'est une erreur de sa part. Sa faute.

Pour moi, ç'avait toujours été le cas. Je tombais ainsi à l'improviste sur des femmes ou des hommes chevauchant les toilettes dans les avions, les trains, les bus Greyhound ou dans ces toilettes de restaurant unisexes et/ou avec un seul siège, j'ouvrais la porte et je voyais une inconnue assise là, une blonde tout en dents et yeux bleus, un anneau de piercing dans le nombril, chaussée de hauts talons, son string tendu bas entre les genoux, et le reste de ses vêtements et soutien-gorge soigneusement pliés sur la petite tablette tout à côté du lavabo. Chaque fois que la chose se produisait, je me demandais toujours : *pourquoi diable les gens ne prennent-ils pas la peine de verrouiller la porte ?*

Comme si tout ça se produisait jamais par accident. Rien sur le circuit ne se produit par accident.

Il se pourrait tout à fait que, dans le train, quelque part entre la maison et le lieu de travail, vous alliez ouvrir une porte de toilettes pour y trouver quelque brunette, les cheveux remontés en chignon, avec juste ses longues boucles d'oreilles qui tremblotent doucement le long de son cou lisse et blanc, et elle est assise juste là, avec la moitié de ses vêtements par terre. Son chemisier ouvert avec rien en dessous hormis ses mains en coupe sous chaque sein, ses ongles, lèvres et tétons, tous de la même variété de croisement entre marron et rouge. Ses jambes aussi blanc lisse que son cou, lisses comme une voiture qu'on pourrait mener à trois cents à l'heure, sa chevelure du même brun partout sans exception, et elle se pourlèche les babines.

Vous refermez violemment la porte et vous dites : « Excusez-moi. »

Et des profondeurs de son cagibi, elle dit : « Mais n'en faites rien. »

Et elle continue à ne pas verrouiller sa porte. La petite étiquette continuant à dire :

Libre.

Comment ça arrive, tout ça, c'est que jadis je prenais sans cesse des vols aller-retour, entre la côte Est et Los Angeles, à l'époque où je poursuivais encore mes études de médecine à l'USC. Lors des congés pendant l'année scolaire. À six reprises, j'ai ouvert la porte pour tomber sur la même yogi rouquine nue depuis la taille, ses jambes maigrelettes remontées en position du lotus sur la cuvette des toilettes, occupée à se limer les ongles à l'aide du craque d'une pochette d'allumettes, à croire qu'elle avait envie de partir en flammes, juste vêtue d'un chemisier en soie noué par-dessus les seins, et par six fois elle baissa les yeux sur son quant-à-elle rose moucheté de taches de rousseur avec, tout autour, le tapis d'un orange d'équipe d'entretien d'autoroute, et puis ses yeux toujours du même gris que le métal d'une boîte de conserve se relèvent vers moi, lentement, et elle me dit : « Si cela ne vous dérange pas trop, elle dit, c'est moi qui suis ici. »

Par six fois, je lui claque la porte à la figure.

Voilà tout ce qui me vient à l'esprit : « Vous ne savez donc pas lire l'anglais ? »

Par six fois.

Tout cela prend moins d'une minute. On n'a pas le temps de réfléchir.

Mais ça arrive de plus en plus fréquemment.

Lors d'un autre voyage, peut-être à altitude de croisière entre Los Angeles et Seattle, vous allez ouvrir la porte sur quelque surfeur blond, les deux mains hâlées enveloppant le gros dard violet qu'il a entre les jambes, et M. Kewl[1] secoue d'un coup de tête les cheveux filasse qui lui tombent dans les yeux, montre sa queue, engoncée serrée mouillée brillante à l'intérieur d'une capote luisante, il vous pointe ça droit dessus et dit : « Hé, mec, perds pas ton temps. Profite... »

Ça en arrive à : chaque fois que vous allez aux toilettes, la petite étiquette dit libre, mais il y a toujours quelqu'un.

Une autre femme, deux phalanges enfoncées en son milieu, en train de disparaître à l'intérieur d'elle-même.

Un homme différent, ses dix centimètres qui dansent entre pouce et index, fin prêt à toussoter ses petits soldats blancs.

Vous commencez à vous poser la question : exactement, qu'entendent-ils par *libre* ?

Même dans des toilettes vides, vous retrouvez l'odeur de mousse spermicide. Les serviettes en papier sont toutes parties. Vous verrez l'empreinte d'un pied nu sur le miroir, à un mètre quatre-vingts de hauteur, près du haut dudit miroir, la petite empreinte arquée d'un pied de femme, les cinq pastilles rondes laissées là par ses orteils, et vous allez vous poser la question : *que s'est-il donc passé ici ?*

C'est exactement pareil que les annonces codées en public, *Le Beau Danube Bleu* ou *Nurse Flamingo*, vous vous posez la question : *qu'est-ce qui se passe ?*

Vous vous posez la question : *qu'est-ce qu'ils ne nous disent pas ?*

1. Déformation de « Cool », adoptée par les amateurs de surf et de skate-board.

Vous verrez un barbouillis de rouge à lèvres sur le mur, pratiquement à toucher le sol, et vous ne pouvez que vous interroger sur ce qui a bien pu se passer là. Il y a les rayures blanc séché du dernier interruptus quand la verge de quelqu'un a balancé ses soldats blancs sur la cloison en plastique.

Sur certains vols, les cloisons seront encore humides au toucher, le miroir dans un brouillard. La moquette gluante. La bonde d'évacuation du lavabo est complètement bouchée, étranglée sous un amas de petits poils frisés, véritable nuancier de toutes les teintes. Sur le comptoir des toilettes, tout à côté du lavabo, se trouve dessiné, en gelée, gelée contraceptive et mucus, le contour parfait de l'endroit où quelqu'un a déposé son diaphragme. Certains vols, il y a deux ou trois tailles différentes de contours circulaires parfaits.

Il s'agit là de la première étape continentale de vols plus longs, transpacifiques ou vols au-dessus du pôle. Des vols longs de dix à seize heures. Des vols directs Los Angeles-Paris. Ou de n'importe où destination Sydney.

Lors de mon vol Los Angeles numéro sept, la yogi rouquine ramasse au passage sa jupe par terre et se rue à mes trousses. Encore tout occupée à se rezipper dans le dos, elle me piste tout au long de l'avion jusqu'à mon siège et s'assied à côté de moi avant de dire : « Si votre but est de me vexer, on peut dire que vous êtes passé spécialiste. Vous pourriez donner des leçons. »

Elle est coiffée tout brillant de partout, genre feuilleton télé à rallonges, sauf que maintenant son chemisier est boutonné par un gros nœud ramollo sur le devant avec tout le tralala, épinglé par une grosse broche en joyaux.

Vous le dites encore une fois : « Désolé. »

C'est direction plein ouest que ça se passe, quelque part nord-nord-ouest au-dessus d'Atlanta.

« Écoutez, dit-elle, je travaille tout simplement trop dur pour encaisser ce genre de conneries. Vous m'entendez ? »

Vous dites : « Je suis désolé.

— Je suis sur les routes trois semaines par mois, dit-elle. Je paie les mensualités d'une maison que je ne vois jamais... des vacances en camp de football pour mes gamins... rien que le prix de la maison de retraite de mon papa dépasse l'entendement. Est-ce que je ne mérite pas un petit quelque chose ? Je ne suis pas laide. Le moins que vous puissiez faire est de ne pas me claquer la porte au nez. »

Et c'est vraiment ce qu'elle me dit.

Elle se baisse de manière à mettre le visage entre moi et la revue que je fais semblant de lire.

« Ne faites pas semblant de ne pas être au courant, dit-elle. Le sexe. Il n'y a rien de secret dans le sexe. »

Et je dis : « Le sexe ? Quel sexe ? »

Et elle met la main sur sa bouche et se rassied bien au fond du fauteuil.

Elle dit : « Oh, zut, je suis tellement désolée. Je croyais juste que... », et elle tend la main pour appuyer sur le petit bouton rouge qui appelle la stewardesse.

Une hôtesse passe, et la rouquine commande deux doubles bourbons.

Je dis : « J'espère que vous avez l'intention de les boire tous les deux. »

Et elle dit : « En fait, ils sont tous les deux pour vous. »

Ce serait ma toute première fois. Cette première fois qu'aucune fois suivante n'égale jamais.

« Nous n'allons pas nous battre », dit-elle, et elle me tend sa main fraîche et blanche. « Je m'appelle Tracy. »

Le meilleur endroit pour que ceci se produise, c'est un Lockheed TriStar 500 avec son avenue de cinq postes de vastes toilettes isolées à l'arrière des cabines de la classe touriste. Spacieuses. Bonne isolation acoustique. Dans le dos de tout le monde, là où personne ne peut voir qui va et vient.

Comparé à cela, c'est à se demander quelle espèce d'animal a conçu le Boeing 747-400, où il semble que chaque toilette ouvre sur un siège. Pour faire les choses en toute discrétion, il faut s'offrir une véritable randonnée jusqu'aux toilettes arrière de la cabine touriste arrière. Oublier l'unique toilette latérale au niveau inférieur de la classe business, à moins de vouloir que tout le monde sache dans quoi on se trouve engagé.

C'est simple.

Si vous êtes mec, le meilleur truc, c'est de s'asseoir dans les toilettes avec oncle Charlie à l'air libre, vous savez, votre gros panda rouge, et vous le travaillez au corps jusqu'au garde-à-vous, vous savez, jusqu'à ce qu'il marque midi, et ensuite, vous vous contentez d'attendre, sans plus, dans votre petite chambre tout plastique, en espérant pour le mieux.

Voyez ça un peu comme une partie de pêche.

Si vous êtes catholique, c'est la même sensation

que d'être assis dans un confessionnal. L'attente, la libération, la rédemption.

Voyez ça comme une pêche où on libère le poisson après capture. Ce que les gens appellent « la pêche sportive ».

L'autre manière, c'est d'ouvrir simplement les portes jusqu'à tomber sur quelque chose qui vous plaise. C'est exactement pareil que ce vieux jeu télévisé dans lequel, quelle que soit la porte que vous ouvrez, vous tombez sur le prix que vous allez emporter à la maison. C'est exactement la même chose que la dame et le tigre.

Derrière certaines portes, vous tombez sur une chose friquée, venue là depuis la première classe s'encanailler un moment, en quête d'un petit coup de sexe à la dure en dessous de sa condition de voyageuse de luxe. Limitant ainsi les risques de tomber sur quelqu'un qu'elle connaît. Derrière d'autres portes, vous allez avoir droit à un tas de viande déjà âgé, la cravate marron par-dessus une épaule, les genoux poilus en grand écart appuyés contre les deux cloisons latérales, en train de se bichonner son serpent mort tout parcheminé, et qui vous dira alors : « Désolé, mon pote, vous sentez pas visé. »

Et ces fois-là, vous serez trop dégoûté pour même oser rétorquer : « Comme si. »

Ou : « Mais tu rêves, mon gars. »

Néanmoins, le taux de profit est juste assez élevé pour que vous continuiez à tenter le coup.

L'espace minuscule, les toilettes, deux cents inconnus à quelques centimètres de distance, c'est tellement excitant. Vu le manque d'espace de manœuvre, ça peut aider d'être contorsionniste. Servez-vous de votre imagination. Un peu de créativité et quelques exercices simples d'étirement et vous voilà fin prêt, toc, toc, toc-toc aux portes du paradis [1]. Vous serez sidéré de voir à quelle vitesse le temps fuit.

La moitié de l'excitation, c'est le défi. Le danger et le risque.

Il ne s'agit donc pas, incontestablement, du Grand Ouest américain, ni de la course vers le pôle Sud ni de la volonté d'être le premier homme à marcher sur la Lune.

Il s'agit bien d'une catégorie toute différente d'exploration spatiale.

Vous êtes en train de cartographier une variété toute différente d'espace vierge inexploré. Votre propre et vaste paysage intérieur.

C'est la dernière frontière à conquérir, d'autres personnes, des inconnus, la jungle de leurs bras et de leurs jambes, de leurs peaux et de leurs cheveux, les odeurs et les gémissements qui constituent ceux et celles que vous ne vous êtes pas encore faits. Les grandes inconnues. La dernière forêt à dévaster. Voici tout ce que vous n'avez fait qu'imaginer.

Vous êtes Chris Colomb qui navigue au-delà de l'horizon.

Vous êtes le premier homme des cavernes qui se risque à manger une huître. Peut-être bien que cette huître-ci *en particulier* n'est pas nouvelle, mais elle est nouvelle pour vous.

Suspendu dans le vaste nulle part, au mitan des quatorze heures qui séparent Heathrow et Jo-burg,

1. Référence à la chanson de Bob Dylan, *Knockin' on Heaven's Door*.

vous pouvez vivre dix aventures de la vraie vie. Douze si le film est mauvais. Plus encore si le vol est complet, moins s'il y a des turbulences. Plus, si ça ne vous dérange pas que ce soit la bouche d'un mec qui vous présente ses bons offices, moins, si vous retournez à votre siège pendant un service de repas.

Ce qui est moins terrible cette toute première fois, alors que je suis ivre pour ma grande première et que je me retrouve en train de faire le bilboquet sous la rouquine Tracy, c'est qu'on tombe dans une poche d'air. Moi, agrippé que je suis au siège des toilettes, je tombe en même temps que l'avion, mais Tracy décolle littéralement, elle explose comme un bouchon de champagne qui jaillit de moi avec la capote toujours à l'intérieur, et ses cheveux qui touchent le plafond en plastique. Ma détente se déclenche au même instant pour le grand lâcher, et mes mollards restent suspendus dans les airs, en apesanteur, avec tous ces petits soldats blancs accrochés au plafond et moi toujours sur le trône. Ensuite, vlan, nous revenons l'un à l'autre, enfin réunis, elle et la capote, moi et mes mollards, le tout replanté sur moi, en réassemblage façon motif de perles recomposé, ses cinquante bons kilos reprenant position jusqu'au dernier.

Après ce genre de moment, c'est un miracle que je ne porte pas de bandage herniaire.

Et Tracy éclate de rire et dit : « J'adore quand ça arrive, ce genre de chose ! »

Après cela, les turbulences tout à fait normales font danser sa chevelure dans ma figure, ses tétons tout contre ma bouche. Font danser les perles qu'elle porte autour du cou. La chaînette en or que je porte autour du cou. Secouent mes noisettes dans leurs bourses, toutes remontées serré au-dessus de la cuvette vide.

Ici et là, vous récoltez de petits tuyaux pour améliorer votre performance. Les anciennes Super Caravelles françaises, par exemple, avec leurs hublots triangulaires et leurs rideaux véritables, elles n'ont pas de toilettes de première classe, rien que deux cabinets à l'arrière de la classe touriste, donc mieux vaut ne pas essayer de donner dans le farfelu imaginatif. La position tantrique indienne fondamentale marche très bien. Vous êtes debout, face à face, la femme lève une jambe latéralement le long de votre cuisse. Et vous passez à l'action de la même manière que dans « la refente du roseau », ou la flanquette classique. Rédigez votre *Kama-sutra* personnel. Inventez des trucs.

Allez-y. Vous savez que vous en avez envie.

Cette position sous-entend que vous soyez l'un et l'autre approximativement de la même taille. Sinon, qu'on ne rejette pas la faute sur moi pour ce qui peut arriver.

Et ne vous attendez pas non plus ici à ce qu'on vous mâche tout le travail. Je considère que vous possédez au moins quelques notions élémentaires.

Même si vous vous retrouvez coincé dans un Boeing 757-200, même dans les minuscules toilettes à l'avant, vous pouvez réussir à exécuter une variante de la position chinoise, celle où vous êtes assis sur le trône tandis que la femme s'installe sur vous en vous tournant le dos.

Quelque part nord-nord-est au-dessus de Little Rock, Tracy me dit : « Un coup de *pompoir**, et ce

---

* En français dans le texte.

serait du gâteau. C'est un truc des femmes albanaises, quand elles te traient le jonc en contractant leurs muscles vaginaux. »

Elles te font décharger rien qu'avec leurs intérieurs ?

Tracy dit : « Ouais. »

Les femmes albanaises ?

« Ouais. »

Je dis : « Est-ce qu'il existe une compagnie aérienne albanaise ? »

Autre truc à apprendre, quand une hôtesse ou un steward vient frapper à votre porte, vous pouvez emballer le morceau vite fait grâce à la Méthode florentine, qui consiste pour la femme à agripper l'homme à sa base en lui tirant la peau en arrière, en serrant bien, pour augmenter la sensibilité. Ce simple geste accélère considérablement le processus.

Pour ralentir les choses, appuyez fortement à la base de l'homme. Même si ce geste n'arrête pas le cours des événements, tout le foutoir s'en repartira sur ses arrières jusque dans la vessie et vous épargnera à l'un et à l'autre un nettoyage fastidieux. Les experts appellent ça le « Saxonus ».

La rouquine et moi, dans les gigantesques toilettes arrière d'un McDonnell Douglas DC-10 Série 30 CF, elle me montre la position de la Négresse, au cours de laquelle elle remonte les genoux de chaque côté du lavabo tandis que je plaque mes mains ouvertes sur l'arrière de ses épaules pâles.

Son haleine en brouillard sur le miroir, le visage rouge d'être ainsi à croupetons, Tracy dit : « C'est dans le *Kama-sutra* qu'il est dit que si un homme se masse avec un mélange de jus de grenade, de citrouille et de graines de concombre, il va gonfler et rester énorme six mois durant. »

Ce conseil a une chute comme un parfum de Cendrillon.

Tracy voit mon visage dans le miroir et dit : « Seigneur, mais ne prends donc pas tout aussi personnellement ! »

Quelque part plein nord au-dessus de Dallas, j'essaie de me reconstituer un peu de rab de salive tandis qu'elle m'explique que, pour faire en sorte qu'une femme ne te quitte jamais, tu lui couvres la tête d'un mélange d'orties et de fientes de singe.

Et moi, j'y vais de mon : sans blague ?

Et si tu baignes ton épouse dans un mélange de lait de bufflesse et de bile de vache, tout homme qui s'en servira deviendra impuissant.

Je dis : ça ne me surprendrait pas.

Si une femme fait macérer un os de dromadaire dans du jus de souci et qu'elle met le liquide sur ses cils, tout homme qu'elle regardera sera ensorcelé. À la rigueur, on peut utiliser des os de paon, de faucon ou de vautour.

« Tu peux aller vérifier, dit-elle. Tout est dans le grand livre. »

Quelque part sud-sud-est au-dessus d'Albuquerque, mon visage tout confituré comme au blanc d'œuf à force de la lécher, les joues irritées-moquette à cause de ses poils, Tracy m'apprend comment les testicules de bélier bouillis dans le lait sucré te restaurent ta virilité.

Ensuite elle dit : « Je n'ai pas mis dans cette phrase le sens que tu as pu y entendre. »

Et je me disais que je me débrouillais plutôt bien.

Considérant les deux doubles bourbons, et le fait qu'à ce stade j'étais debout sur mes jambes depuis trois heures.

Quelque part au sud-sud-ouest au-dessus de Las Vegas, l'un comme l'autre avec les jambes fatiguées et toutes frissonnantes grippées, elle me montre ce que le *Kama-sutra* appelle « le broutage ». Puis « le suçotement de mangue ». Puis « la dévoration ».

Bataillant de conserve dans notre petit cagibi étriqué en plastique essuyé tout propre, suspendus dans un temps et un lieu où tout est permis, ce n'est pas vraiment du *bondage*, mais ça s'en rapproche.

Disparus, les magnifiques vieux Super Constellation de chez Lockheed, dans lesquels chaque toilette de bâbord comme de tribord était en fait une suite de deux pièces : un dressing-room, avec toilettes séparées derrière une porte.

La sueur dégoulinant de tous ses muscles si lisses. Tous les deux engagés en ruades conjointes, deux machines parfaites en train de faire le boulot pour lequel nous sommes conçus. Certaines minutes, nous ne sommes plus en contact que par la partie coulissante de ma personne et ses petits ourlets tout éclos, aux chairs de plus en plus à vif, mes épaules appuyées bien en arrière, calées contre la cloison en plastique, le reste de moi ruant de l'avant uniquement en partie inférieure, à partir de la taille. Depuis sa position debout, Tracy pose un pied sur le rebord du lavabo et se penche sur son genou en élévation.

Il est plus aisé de nous voir en miroir, tout plats, derrière le verre, en film, image téléchargée ou photo de revue, deux autres et pas nous, deux beaux individus sans vie ni avenir hormis en cet instant.

Votre meilleur choix dans un Boeing 767, c'est les vastes toilettes centrales à l'arrière de la cabine de classe touristes. Et vous n'avez vraiment pas de bol si vous tombez sur le Concorde, dans lequel les compartiments des toilettes sont minuscules, mais ça, ce n'est que mon avis personnel. Si tout ce que vous y faites se limite à pipi, mise en place de lentilles de contact ou brossage de dents, je suis certain qu'ils sont suffisamment spacieux.

Mais si vous avez la moindre ambition de parvenir à accomplir ce que le *Kama-sutra* appelle « le corbeau » ou « la *cuissade** » ou autres variantes nécessitant plus de cinq centimètres d'espace de va-et-vient, mieux vaut espérer tomber sur un Airbus européen 300/310 avec ses toilettes arrière en classe touristes de la taille d'une salle de réception. Pour le même genre de dimensions de plan de travail et d'espace pour les jambes, vous ne pourrez trouver mieux côté confort, luxe et volupté, que les deux compartiments de toilettes arrière d'un British Aerospace Un-Onze.

Quelque part nord-nord-est au-dessus de Los Angeles, je commence à être irrité et je demande donc à Tracy un petit temps mort.

Et je dis : « Pourquoi est-ce que tu fais ça ? »

Et elle dit : « Quoi ? »

Ça, là, ici.

Et Tracy sourit.

Les gens que vous rencontrez derrière les portes non verrouillées sont fatigués de discuter du temps qu'il fait. Ce sont des gens fatigués des choses sans

* En français dans le texte.

danger. Ces gens ont redécoré bien trop de maisons. Ce sont des gens bronzés qui ont laissé tomber la cigarette, le sucre raffiné, le sel, le gras et le bœuf. Ce sont des gens qui ont vu leurs parents et leurs grands-parents faire des études et travailler une vie durant uniquement pour finir par tout perdre. Tout dépenser rien que pour rester en vie alimentés par une sonde. En oubliant comment mastiquer et avaler.

« Mon père était médecin, dit Tracy. Là où il se trouve placé aujourd'hui, il n'arrive même plus à se souvenir de son nom. »

Ces hommes et ces femmes assis derrière des portes non verrouillées savent que la réponse n'est pas dans une maison plus vaste. Pas plus que dans un meilleur conjoint, plus d'argent, une peau retendue plus ferme.

« Tout ce qu'on peut acquérir, dit-elle, n'est qu'une chose de plus à perdre. »

La réponse est qu'il n'y a pas de réponse.

Sans blague, mais c'est vrai, le moment est d'une densité, d'une épaisseur, je vous dis pas.

« Non, je dis, et je laisse glisser un doigt entre ses cuisses. Je veux parler de *ceci*. Pourquoi te rases-tu la motte ?

— Oh, ça, dit-elle en roulant des yeux, tout sourire. C'est juste pour pouvoir porter des strings. »

Tandis que je m'installe sur la cuvette des toilettes, Tracy est en train d'examiner le miroir, non pas tant en s'y voyant comme reflet qu'en inspectant ce qui lui reste de maquillage, et, d'un doigt mouillé, elle essuie le contour barbouillé de son rouge à lèvres. De ses doigts, elle frotte afin de faire disparaître les petites marques de morsure autour de ses tétons. Ce que le *Kama-sutra* appellerait les Nuages éparpillés.

S'adressant au miroir, elle dit : « La raison pour laquelle je fais le circuit, c'est parce que, quand tu y penses, il n'y a aucune bonne raison de faire ceci ou cela. »

À quoi ça sert, tout ça ? À rien.

Ce sont là des gens qui cherchent moins l'orgasme que l'oubli, tout simplement. De tout. Rien que l'espace de deux minutes, vingt minutes, une demi-heure.

Ou peut-être aussi que, quand on traite les gens comme du bétail, c'est comme ça qu'ils se comportent. Ou peut-être n'est-ce qu'une excuse. Peut-être aussi qu'ils s'ennuient à mourir. Il se pourrait bien, en fait, que personne ne soit vraiment fait pour rester assis toute une journée, sans bouger le moindre muscle, dans une caisse bourrée à craquer pleine d'autres gens.

« Nous sommes des individus sains, jeunes, lucides, et bien vivants, dit Tracy. Quand tu regardes de près, quel est l'acte le moins naturel ? »

Elle est en train de remettre son chemisier, de remonter son collant roulé.

« Quelle raison y a-t-il pour que je fasse quoi que ce soit ? dit-elle. J'ai suffisamment fait d'études pour me dissuader par le discours de participer à n'importe quel plan d'action. Pour déconstruire n'importe quel fantasme. Pour expliquer n'importe quelle finalité. Je suis tellement intelligente que je suis capable de nier la réalité de n'importe quel rêve. »

Avec moi assis là, nu et fatigué, l'équipage de notre vol annonce notre descente, notre approche sur le

Grand Los Angeles, puis l'heure et la température locales, puis des renseignements sur les vols de correspondance.

Et pendant un instant, cette femme et moi, nous restons là, debout, à simplement écouter, en levant les yeux sur rien du tout.

« Je fais ça, *ça, là*, je le fais, parce que c'est bon », dit-elle, et elle boutonne son chemisier. « Peut-être qu'en définitive je ne sais pas vraiment pourquoi je le fais. D'une certaine façon, c'est cette même raison qui explique qu'on exécute les tueurs. Parce qu'une fois que tu as franchi certaines limites, tu te contentes dès lors, tout bonnement, de continuer à les franchir. »

Les deux mains dans le dos, en train de rezipper sa jupe, elle dit : « La vérité est que je ne *veux* pas vraiment savoir pourquoi je pratique le sexe au hasard des rencontres. Je continue à le pratiquer, elle dit, parce que, à l'instant précis où tu te trouves une bonne raison, tu vas commencer à en réduire le sens et la portée, tout doucettement, petit à petit. »

Elle remet ses pieds dans ses chaussures, se tapote les côtés de la chevelure et dit : « S'il te plaît, ne crois pas qu'il se soit passé quelque chose de spécial aujourd'hui. »

Déverrouillant la porte, elle dit : « Décontracte-toi. » Elle dit : « Un jour, tout ce que nous venons de faire te paraîtra de la roupie de sansonnet. »

Se glissant vers la cabine passagers, elle dit : « Aujourd'hui, c'est la première fois que tu as franchi cette limite particulière. » Me laissant seul et nu, elle dit : « N'oublie pas de reverrouiller la porte derrière moi. » Puis elle éclate de rire et dit : « Au cas où tu désirerais encore qu'elle soit verrouillée. »

41.

La fille de la réception ne veut pas de café.

Elle ne veut pas aller inspecter sa voiture dans le parc de stationnement.

Elle dit : « S'il arrive quelque chose à ma voiture, je saurai à qui la faute. »

Et je lui dis : chhhhhhhhhhhhht.

Je lui dis que j'entends quelque chose d'important, une fuite de gaz ou un bébé qui pleure quelque part.

C'est la voix de ma maman, étouffée, fatiguée, qui arrive par le haut-parleur de l'interphone de quelque chambre inconnue.

Debout à la réception du hall d'entrée de St Anthony, nous écoutons, et ma maman dit : « Le slogan de l'Amérique, c'est "Ça suffit pas". Rien n'est jamais assez rapide. Rien n'est assez grand. Nous ne sommes jamais satisfaits. Nous sommes toujours en train d'améliorer... »

La fille de la réception dit : « Je n'entends pas de fuite de gaz. »

La voix faiblarde, fatiguée dit : « J'ai passé ma vie à attaquer tout et n'importe quoi parce que le risque de créer quelque chose me faisait bien trop peur... »

Et la fille de la réception coupe le son. Elle appuie sur le bouton du microphone et dit : « Infirmière Remington à la réception. Infirmière Remington, à la réception immédiatement. »

Le garde de sécurité obèse avec sa poche-poitrine pleine de stylos.

Mais quand elle lâche le microphone, la voix de l'interphone revient, faible, chuchotante.

« Rien n'a jamais été assez bon, dit ma maman, alors aujourd'hui, à la fin de ma vie, il ne me reste rien... »

Et sa voix disparaît doucement.

Il ne reste rien. Rien que du bruit blanc. Des parasites.

Et maintenant elle va mourir.

À moins qu'il ne se produise un miracle.

Le garde déboule à travers les portes de sécurité, le regard tourné vers la fille de la réception, en demandant : « Alors ? Qu'est-ce qui se passe, ici ? »

Et sur le moniteur, en blanc et noir granuleux, elle me désigne du doigt, moi, plié en deux à cause de la douleur qui me scie les tripes, moi qui les transporte littéralement, mes tripes enflées, entre mes deux mains, et elle dit : « Lui. »

Elle dit : « Il est impératif d'interdire l'accès de la propriété à cet individu, pas plus tard que tout de suite. »

42.

La manière dont les choses avaient été présentées au cours des infos de la veille au soir, c'est qu'il y avait moi, au premier plan, moi en train de hurler, d'agiter les bras face à la caméra, avec Denny un petit peu en retrait, en plein ouvrage, occupé à mettre une pierre en place dans un mur, et Beth légèrement derrière lui, en train de marteler un gros rocher rond jusqu'à ce que poussière s'ensuive, occupée qu'elle était à essayer de tailler une statue.

À la télé, je suis jaune jaunisse, tout bossu à cause de l'enflure et du poids de mes tripes en train de partir en morceaux dans mes intérieurs. Plié en deux, je lève mon visage au creux de l'objectif, le cou dessinant une boucle depuis ma tête jusqu'à l'intérieur de mon col. J'ai le cou aussi mince que mon bras, avec la pomme d'Adam qui ressort grosse comme un coude. Cela se passait hier soir, après le boulot, et donc je porte encore ma chemise-chemisier bouffant en lin et mes hauts-de-chausses de la Coloniale Dunsboro. Les chaussures à boucles et la lavallière n'arrangent pas les choses.

« Coco », dit Denny, assis tout à côté de Beth dans

l'appartement de Beth tandis que nous nous regardons à la télé. Il dit : « T'as pas l'air aussi canon que ça. »

Je ressemble au Tarzan bouboule de ma quatrième étape, celui qui se pliait en deux avec le singe et ses châtaignes grillées. Le sauveur à la taille en bouée avec son sourire béat. Le héros qui n'avait plus rien à cacher.

À la télé, tout ce que j'essayais de faire était d'expliquer à qui voulait l'entendre qu'il n'y avait pas de controverse. J'essayais de convaincre les gens que j'avais démarré tout ce chambard en appelant la municipalité pour dire que je vivais à proximité et qu'un quelconque givré de la casquette était en train de construire sans permis, je ne savais pas quoi. Et que le chantier représentait un réel danger pour la sécurité des enfants du quartier. Et que le mec qui faisait le boulot n'avait pas l'air très ragoûtant. Et qu'il ne faisait pas de doute qu'il s'agissait d'une église satanique.

Ensuite j'avais appelé la station de télé et répété les mêmes trucs.

Et c'est comme ça que tout avait commencé.

Toute la partie comme quoi j'avais fait tout ça rien que pour que Denny ait besoin de moi, eh bien, cette partie-là, je ne l'ai pas expliquée. Pas à la télévision.

Sans blague, mais c'est vrai, toute mon explication s'est retrouvée coupée, réduite à une petite chute sur le sol de la salle de montage, parce que, à la télé, je ne suis plus rien que ce fou furieux tout bouffi, tout suant, qui tente en vain de masquer de sa main l'objectif de la caméra, qui hurle au journaliste de ficher le camp, et qui chasse de son autre main la perche du microphone qui se balance en plein champ.

« Coco », dit Denny.

Beth a enregistré en vidéo mon petit moment fossilisé, et nous le regardons, en boucle, encore et toujours.

Denny dit : « Coco, t'as l'air possédé par le démon ou quelque chose. »

En réalité, je suis possédé par une autre divinité bien différente. Là, c'est moi essayant de faire le bien. J'essaie de mettre au point quelques petits miracles de manière à pouvoir m'améliorer petit à petit en prévision du grand truc.

Assis avec mon thermomètre dans la bouche, je vérifie et il dit trente-huit cinq. La sueur coule de moi comme un mauvais jus, et m'adressant à Beth, je dis : « Je suis désolé à propos de ton canapé. »

Beth prend le thermomètre pour y jeter un œil, avant de poser sa main fraîche sur mon front.

Et je dis : « Je suis désolé d'avoir pensé que tu n'étais qu'une pouffe stupide sans rien dans la cervelle. »

Être Jésus signifie être honnête.

Et Beth dit : « T'en fais pas. »

Elle dit : « Je ne me suis jamais souciée de ce que tu pensais. Que Denny, et uniquement lui. »

Elle secoue le thermomètre et le reglisse sous ma langue.

Denny rembobine la cassette, et me revoilà, encore une fois.

Aujourd'hui, j'ai mal aux bras et j'ai les mains molles et complètement à vif d'avoir travaillé avec la chaux du mortier. M'adressant à Denny, je dis : alors comment ça fait d'être célèbre ?

Derrière moi, à la télévision, les murs de pierres se dressent et s'arrondissent pour former la base d'une tour. D'autres murs se dressent autour de trouées pour les fenêtres. Au travers d'une large embrasure de porte, on voit une large volée de marches qui montent à l'intérieur. D'autres murs s'étirent en diverses directions, laissant suggérer qu'ils sont les fondations d'autres ailes du bâtiment, d'autres tours, d'autres cloîtres, colonnades, piscines surélevées, cours encaissées.

La voix du journaliste demande : « Cette structure que vous bâtissez, est-ce que c'est une maison ? »

Et je dis : nous ne savons pas.

« Est-ce une sorte d'église ? »

Nous ne savons pas.

Le journaliste se penche plein champ de la caméra, un bonhomme aux cheveux marron coiffés en une vague figée au-dessus du front. Il tend son micro vers ma bouche en demandant : « Qu'est-ce que vous construisez en ce cas ? »

Nous ne saurons pas tant que la toute dernière pierre n'aura pas été posée.

« Mais ce sera quand ? »

Nous ne savons pas.

Après avoir vécu si longtemps seul, ça fait du bien de dire « nous ».

M'observant en train de dire ça, Denny pointe le doigt sur la télé et dit : « Parfait. »

Denny dit : plus longtemps nous pourrons poursuivre la construction, plus longtemps nous pourrons poursuivre la création, plus il y aura de possibles. Plus nous pourrons tolérer d'être incomplets. Retarder la gratification.

Envisagez l'idée de l'Architecture tantrique.

À la télé, je suis en train de dire au journaliste : « Tout ceci relève d'un processus. Il ne s'agit pas de réaliser quelque chose. »

Ce qui est drôle, c'est que je pense vraiment que je suis en train d'aider Denny.

Chaque pierre est une journée que Denny ne gaspille pas. Du granit de rivière lisse. Du bloc de basalte foncé. Chaque pierre est une petite pierre tombale, un petit monument à chaque journée, ces journées au cours desquelles le travail accompli par la majorité des gens s'évapore ou expire ou devient révolu et dépassé à l'instant même où il est accompli. Je ne parle pas de ces choses au journaliste, pas plus que je ne lui demande ce qu'il advient de son propre travail l'instant qui suit sa diffusion sur les ondes. Dans l'éther. Il se diffuse. Est retransmis. S'évapore. S'efface. Dans un monde où nous travaillons sur le papier, où nous nous exerçons sur des machines, où le temps et l'effort et l'argent quittent nos mains en laissant si peu de traces de leur passage, Denny qui colle ses pierres l'une à l'autre paraît normal.

Tout cela, je ne le raconte pas au journaliste.

Me voilà, gesticulant et disant qu'il nous faut plus de pierres. Si les gens veulent bien nous apporter des pierres, nous leur en serions reconnaissants. Si les gens veulent nous aider, ce serait super. Les cheveux raides et assombris par la sueur, le ventre bouffi qui déborde de l'avant de ma ceinture, je suis en train de déclarer que la seule chose que nous ne sachions pas est ce qu'il en adviendra. Comment les choses tourneront-elles ? Mystère. Et plus encore : nous ne voulons pas savoir.

Beth va à la cuisine faire popper un peu de pop-corn.

Je crève de faim mais je n'ose pas manger.

À la télé apparaît le plan final des murs, les bases d'une longue loggia de colonnes qui s'érigeront jusqu'à un toit, un jour. Des piédestaux pour des statues. Un jour. Des bassins pour des fontaines. Les murs se dressent pour évoquer contreforts, pignons, flèches, dômes. Arches de soutien de voûtes, un jour. Tourelles. Un jour. Les buissons et les arbres poussent déjà pour en cacher et en enterrer une partie. Des branches pénètrent par les ouvertures de fenêtres. Le gazon et les mauvaises herbes arrivent à hauteur de taille dans certaines pièces. Tout cela s'étale et s'étend hors champ de la caméra. Voici donc une fondation, rien de plus, qu'aucun de nous ne verra peut-être jamais terminée de son vivant.

Cela, je ne le raconte pas au journaliste.

Hors champ de la caméra, on entend le cameraman qui crie : « Hé, Victor ! Tu te souviens de moi ? De Chez Buffet ? La fois où tu as failli t'étrangler... »

Le téléphone sonne et Beth va décrocher.

« Coco », dit Denny, et il rembobine la cassette. « Ce que tu viens de leur dire, là, ça va en rendre certains complètement cinglés. »

Et Beth dit : « Victor, c'est l'hôpital de ta maman. Ils essaient de te joindre partout. »

Je hurle en retour : « Une minute ! »

Je dis à Denny de repasser la bande. Je suis presque prêt à régler le problème de ma maman.

43.

Pour mon miracle suivant, j'achète du pudding. Il s'agit de pudding au chocolat, de pudding à la vanille et à la pistache, de pudding au caramel, tous autant qu'ils sont chargés de matières grasses, de sucre et de conservateurs, scellés à l'intérieur de petits bacs en plastique. Il suffit d'enlever le dessus en papier et d'attaquer cuillère en avant.

Des conservateurs, voilà ce qu'il lui faut. Plus il y aura de conservateurs, je me dis, mieux ce sera.

Les bras chargés de tout un sac de courses plein de puddings, je me rends à St Anthony.

Il est tellement tôt que la fille n'est pas à la réception dans le hall d'entrée.

Comme une épave sombrée au creux de son lit, ma maman regarde depuis l'intérieur de ses yeux et dit : « Qui ? »

C'est moi, je dis.

Et elle dit : « Victor ? Est-ce que c'est toi ? »

Et je dis : « Ouais, je crois bien. »

Paige n'est pas dans le coin. Il n'y a personne dans le coin, il est trop tôt ce samedi matin. Le soleil commence tout juste à poindre à travers les persiennes.

Même la télévision du foyer est silencieuse. La compagne de chambre de maman, Mme Novak la déshabilleuse, est roulée en chien de fusil sur le côté dans le lit voisin, elle dort, et je chuchote.

Je déshabille le dessus du premier pudding au chocolat et je trouve une cuillère en plastique dans le sac de courses. La chaise poussée à côté du lit, je soulève la première cuillerée de pudding et je dis à ma maman : « Je suis ici pour te sauver. »

Je lui dis que finalement je sais la vérité sur moi-même. Je sais que je suis né bon. Une manifestation d'amour parfait. Que je peux être bon, à nouveau, mais il faut que je commence petit. La cuillère glisse entre ses lèvres et abandonne les premières cinquante calories à l'intérieur.

Avec la deuxième cuillerée, je lui dis : « Je sais ce que tu as dû faire pour m'avoir. »

Le pudding reste posé là, brun luisant sur sa langue. Ses yeux clignent, vite, et sa langue balaie le pudding au creux de ses joues, de manière qu'elle puisse dire : « Oh, Victor, tu sais ? »

Encuillérant les cinquante calories suivantes dans sa bouche, je dis : « Ne sois pas gênée. Contente-toi d'avaler. »

À travers la pâtée de chocolat, elle dit : « Je ne peux m'empêcher de penser que j'ai fait une chose abominable.

— Tu m'as donné la vie », dis-je.

Et détournant la tête devant la cuillerée suivante, se détournant de moi, elle dit : « J'avais besoin de la citoyenneté américaine. »

Le prépuce volé. La relique.

Je dis que ça n'a pas d'importance.

Allongeant le bras, j'en encuillère un peu plus dans sa bouche.

Ce que Denny dit, c'est que, peut-être, la seconde venue du Christ n'est pas quelque chose que Dieu va décider. Peut-être que Dieu a laissé aux gens l'initiative et la possibilité de retrouver la capacité de faire revenir le Christ dans leurs existences. Peut-être que Dieu voulait que nous inventions notre propre sauveur quand nous serions prêts. Quand nous en aurions le plus besoin. Denny dit que, peut-être, c'est à nous, et à nous seuls, de créer notre propre messie.

Pour nous sauver nous-mêmes.

Cinquante nouvelles calories entrent dans sa bouche.

Peut-être qu'avec un petit effort de chacun, nous pourrons finir par accomplir des miracles.

Une nouvelle cuillerée de brun entre dans sa bouche.

Elle se retourne à nouveau vers moi, ses rides écrasant ses yeux pour les rétrécir. Sa langue balaie le pudding au creux de ses joues. Du pudding au chocolat est en train de sourdre des commissures de ses lèvres. Et elle dit : « Mais bon Dieu, qu'est-ce que tu racontes ? »

Et je dis : « Je sais que je suis Jésus-Christ. »

Ses yeux en tombent ouverts, et j'encuillère un peu plus de pudding.

« Je sais que tu es venue d'Italie déjà fécondée par le prépuce sacré. »

Et encore du pudding dans sa bouche.

« Je sais que tu as écrit tout ça en italien dans ton journal pour que je ne le lise pas. »

Et encore du pudding dans sa bouche.

Et je dis : « Maintenant, je connais ma vraie nature. Je sais que je suis une personne aimante et charitable. »

Et encore du pudding qui lui entre dans sa bouche.

« Et je sais que je peux te sauver », je dis.

Ma maman, elle se contente de me regarder. Les yeux emplis d'une compréhension et d'une compassion totales infinies, elle dit : « Mais bordel de merde, où est-ce que tu veux en venir ? »

Elle dit : « Je t'ai volé dans une poussette à Waterloo, Iowa. Je voulais te sauver du genre de vie qui serait la tienne. »

La condition de parent étant l'opium des masses.

Voir aussi : Denny avec sa poussette de bébé pleine de grès volé.

Elle dit : « Je t'ai kidnappé. »

Cette pauvre chose délirante, sans plus sa tête à elle, elle ne sait pas ce qu'elle raconte.

J'encuillère cinquante nouvelles calories.

« Tout va bien, je lui dis. Le Dr Marshall a lu ton journal et m'a appris la vérité. »

J'encuillère plus de pudding brun.

Sa bouche s'étire pour parler, et j'encuillère encore plus de pudding.

Ses yeux sortent de leurs orbites, et les larmes coulent sur les côtés de son visage.

« Tout va bien. Je te pardonne, je lui dis. Je t'aime, et je suis ici pour te sauver. »

Avec une nouvelle cuillerée à mi-chemin de sa bouche, je dis : « Tout ce que tu as à faire, c'est avaler ça. »

Sa poitrine se soulève, et du pudding brun s'échappe en bulles de son nez. Ses yeux roulent en

355

arrière. Sa peau, elle est en train de bleuir. Sa poitrine se soulève à nouveau comme un soufflet de forge.

Et je dis : « Maman ? »

Ses mains et ses bras tremblent, sa tête se tend comme un arc ancré plus profond encore dans son oreiller. Le soufflet de sa poitrine se soulève, et la bouchée de pâtée brune est réaspirée dans sa gorge.

Son visage et ses mains sont plus bleus. Ses yeux révulsés ne laissent voir plus que le blanc. Tout sent le chocolat.

Je presse le bouton d'appel de l'infirmière.

Je dis à maman : « Ne panique pas. »

Je lui dis : « *Je suis désolé. Je suis désolé. Je suis désolé. Je suis désolé...*"

Soufflant et se soulevant, se débattant, les mains griffant sa gorge comme deux serres. C'est ça, l'allure que je dois avoir quand je m'étrangle en public.

Et puis voilà le Dr Marshall debout de l'autre côté du lit, inclinant d'une main la tête de ma maman en arrière. De l'autre, elle écope le pudding qu'elle sort de sa bouche. S'adressant à moi, Paige dit : « Que s'est-il passé ? »

J'essayais de la sauver. Elle était en plein délire. Elle ne se souvient pas que je suis le messie. Je suis ici pour la sauver.

Paige se penche plus près et souffle dans ma maman. Elle se redresse. Elle souffle dans la bouche de ma maman encore une fois, et chaque fois qu'elle se redresse, il y a un peu plus de pudding qui barbouille la bouche de Paige. Plus encore de chocolat. L'odeur est dans tout ce que nous respirons.

Toujours tenant une tasse de pudding dans une main et la cuillère de l'autre, je dis : « Tout va bien.

356

Ça, je peux le faire. Tout comme avec Lazare, je dis. J'ai déjà fait ça par le passé. »

Et j'impose mes mains ouvertes sur sa poitrine qui se soulève.

Je dis : « Ida Mancini, je t'ordonne de vivre. »

Paige relève les yeux sur moi entre chaque bouffée d'air, le visage barbouillé de brun. Elle dit : « Il y a comme un léger malentendu. »

Et je dis : « Ida Mancini, tu es entière et tu vas bien. »

Paige se penche au-dessus du lit et écarte les mains à côté des miennes. Elle appuie de toutes ses forces, encore, encore et encore. Massage cardiaque.

Et je dis : « Tout cela n'est pas vraiment nécessaire. » Je dis : « Je *suis* le Christ. »

Et Paige dit : « Respirez ! Respirez, nom de Dieu ! »

Et de quelque emplacement situé plus haut sur son avant-bras, coincé quelque part dans les hauteurs de sa manche, tombe un bracelet en plastique de patient qui vient encercler la main de Paige.

Et c'est à cet instant que souffle de forge, halètements, battements de bras, sursauts et haut-le-cœur, tout, c'est à cet instant que tout s'arrête.

« Veuf » n'est pas vraiment le mot qui convienne, mais c'est le premier qui vient à l'esprit.

44.

Ma mère est morte. Ma maman est morte, et Paige Marshall est une folle. Tout ce qu'elle m'a dit, elle l'a inventé de toutes pièces. Y compris l'idée que je suis, oh, je n'arrive même pas à le dire : Lui. Y compris qu'elle m'aime.

Okay, qu'elle m'aime bien.

Y compris que je suis un individu à la bonté innée. Ce n'est pas le cas.

Et si la maternité est le nouveau Dieu, la seule chose sacrée qui nous reste, alors, j'ai tué Dieu.

C'est du *jamais vu*. Le contraire français de *déjà vu** où chaque individu est un inconnu, quelle que soit notre conviction personnelle de bien les connaître tous autant qu'ils sont.

Moi, tout ce que je peux faire, c'est aller au boulot et me traîner d'un pas chancelant dans Dunsboro la Coloniale, à revivre encore, encore et toujours, le passé en esprit. À sentir le pudding au chocolat qui me barbouille les doigts. Je suis pris au piège, sans possibilité de sortie, de l'instant où le cœur de ma

---

* En français dans le texte.

maman a cessé de pomper et où le bracelet scellé a glissé, prouvant que Paige était une pensionnaire. C'était Paige, pas ma maman, la délirante.

C'était moi le délirant.

À cet instant, Paige a levé les yeux du foutoir chocolaté qui barbouillait tout le lit. Elle m'a regardé et a dit : « Courez. Allez. Simplement, allez-vous-en. »

Voir aussi : *Le Beau Danube bleu.*

Je fixais son bracelet, c'était tout ce que j'étais capable de faire.

Paige a fait le tour du lit pour m'attraper le bras, en disant : « Laissez-leur croire que c'est moi qui ai fait ça. » Elle m'a tiré vers la porte, en disant : « Laissez-leur croire qu'elle s'est fait ça toute seule. » Elle a inspecté les deux côtés du couloir, avant de dire : « Je vais essuyer vos empreintes de la cuillère que je vais placer dans sa main. Je vais raconter que vous aviez laissé le pudding hier. »

Au passage des portes, celles-ci se verrouillent. C'est à cause de son bracelet.

Paige me désigne une sortie extérieure et dit qu'elle ne peut s'en approcher, sinon la porte refusera de s'ouvrir pour moi.

Elle dit : « Vous n'êtes pas venu ici aujourd'hui. Pigé ? »

Elle a dit des tas d'autres choses, mais rien de tout ça n'a d'importance.

Je ne suis pas aimé. Je ne suis pas une belle âme. Je ne suis pas de bonne nature, je n'ai pas le cœur sur la main. Je ne suis le sauveur de personne.

Tout ça, d'ailleurs, c'est bidon, maintenant que Paige est folle.

« Je l'ai assassinée, un point, c'est tout. »

La femme qui vient de mourir, que je viens d'étouffer sous le chocolat, elle n'était même pas ma mère.

« C'était un accident », dit Paige.

Et je dis : « Comment puis-je en être sûr ? »

Derrière moi, alors que je franchis le seuil de la porte, quelqu'un a dû découvrir le corps, parce qu'on entend l'annonce qui se répète : « Infirmière Remington, en chambre 158. Infirmière Remington, vous êtes priée de venir immédiatement à la chambre 158. »

Je ne suis même pas italien.

Je suis orphelin.

Je me traîne d'un pas chancelant dans toute Dunsboro la Coloniale en compagnie des poulets nés difformes, des citoyens drogués et des gamins en voyage de classe qui croient que tout ce foutoir a quelque chose à voir avec le vrai passé historique. Il n'existe aucun moyen de repenser le passé correctement. On peut faire semblant. On peut se leurrer soi-même, mais on ne peut pas recréer ce qui a été.

Le pilori au milieu de la place de la ville est vide. Ursula passe à côté de moi en menant une vache laitière, et l'une et l'autre sentent la fumée de came. Jusqu'aux yeux de la vache qui sont dilatés et injectés de sang.

Ici, c'est toujours la même journée, tous les jours, ce qui devrait offrir un certain réconfort. Tout pareil que ces programmes de télévision où les mêmes gens sont pris au piège sur la même île déserte, saison après saison, sans jamais vieillir ni se faire secourir, simplement le maquillage devient de plus en plus épais.

Voici le restant de votre existence.

Une meute de CM1 passe en courant au milieu des hurlements. Derrière eux viennent un homme et une femme. L'homme tient un bloc-notes à feuilles jaunes, et il dit : « Êtes-vous Victor Mancini ? »

La femme dit : « C'est lui. »

Et l'homme lève le bloc-notes en disant : « C'est à vous, ça ? »

Il s'agit de ma quatrième étape du groupe de sexooliques, l'inventaire moral, intégral et sans concessions, de moi-même. Le journal intime de ma vie sexuelle. Le compte rendu détaillé de tous mes péchés.

Et la femme dit : « Alors ? »

S'adressant à l'homme au bloc-notes, elle dit : « Arrêtez-le, ce sera déjà ça de fait. »

L'homme dit : « Connaissez-vous une résidente du centre de soins permanents de St Anthony répondant au nom de Eva Muehler ? »

Eva l'écureuille. Elle a certainement dû me voir ce matin et elle leur a raconté ce que j'avais fait. J'ai tué ma maman. Bon, d'accord, pas ma maman. Cette vieille femme.

L'homme dit : « Victor Mancini, vous êtes en état d'arrestation. Vous êtes soupçonné de viol. »

La fille au fantasme. Ça doit être elle qui a déposé plainte. La fille au couvre-lit en soie rose que j'ai bousillé. Gwen.

« Hé, dis-je. Elle voulait que je la viole. C'était son idée à elle. »

Et la femme dit : « Il ment. C'est ma mère qu'il est en train de calomnier. »

L'homme commence à psalmodier le truc de Miranda. Mes droits.

Et je dis : « Gwen est votre *mère* ? »

Rien qu'à voir sa peau, il est visible que cette femme a au moins dix ans de plus que Gwen.

Aujourd'hui, c'est le monde entier qui est délirant. Pas possible autrement.

Et la femme crie : « *Eva Muehler* est ma mère ! Et elle a dit que vous l'aviez maintenue de force en lui disant qu'il s'agissait d'un jeu secret. »

Ah, c'est ça.

« Oh, elle », je dis. Je dis : « Je croyais que vous vouliez parler de *l'autre* viol. »

L'homme s'interrompt au beau milieu de son truc de Miranda et dit : « Voulez-vous prêter attention à la lecture de vos droits, là ? »

Tout est dans le calepin jaune, je leur dis. Ce que j'ai fait. Ce n'était que moi qui acceptais la responsabilité de tous les péchés sur cette terre. « Vous comprenez, pendant un moment, j'ai vraiment cru que j'étais Jésus-Christ. »

De derrière son dos, l'homme sort une paire de menottes.

La femme dit : « Tout homme capable de violer une femme de quatre-vingt-dix ans doit être irrémédiablement cinglé. »

Je fais une méchante grimace et je lui dis : « Sans blague. »

Et elle dit alors : « Oh, ainsi donc, maintenant, vous êtes en train de me dire que ma mère n'est pas attirante ? »

Et l'homme enserre une menotte autour d'une de mes mains. Il m'oblige à me retourner et verrouille mes deux mains dans mon dos, avant de dire : « Que diriez-vous de nous trouver un petit endroit pour tirer cette chose au clair ? »

Devant tous les paumés de Dunsboro la Coloniale, devant les camés et les poulets estropiés et les gamins qui pensent qu'ils sont en train d'acquérir des connaissances et Sa Seigneurie le gouverneur de la Colonie, je suis arrêté. C'est la même chose que Denny au pilori, mais cette fois c'est pour de vrai.

Et dans un autre sens, j'ai envie de leur dire à tous de ne pas croire qu'ils sont différents.

Dans le coin, tout le monde est arrêté.

45.

La minute qui a précédé mon dernier départ de St Anthony, la minute qui a précédé ma sortie et ma fuite à toutes jambes, Paige a essayé de m'expliquer.

Oui, elle était médecin. Parlant vite, le débit précipité, dans une bousculade de mots. Oui, elle était bien une patiente enfermée ici. Cliquant et décliquant son stylo-bille, vite. Elle était réellement docteur en médecine, spécialisée en génétique, et ici elle était patiente uniquement parce qu'elle avait dit la vérité. Il n'était pas dans ses intentions de me faire du mal. Du pudding barbouillait encore le pourtour de sa bouche. Elle essayait juste de faire son boulot.

Dans le couloir, lors du dernier moment que nous avons passé ensemble, Paige a tiré sur ma manche pour m'obliger à la regarder, et elle a dit : « Il faut que vous me croyiez quand je dis ça. »

Ses yeux étaient exorbités de sorte qu'on voyait tout le blanc autour des iris, et le petit cerveau noir de ses cheveux commençait à se défaire.

Elle était médecin, a-t-elle dit, spécialisée en génétique. Elle venait de l'année 2556. Et elle avait fait ce voyage dans le temps afin de se faire féconder par un mâle caractéristique de cette période-ci de l'histoire. De manière à pouvoir préserver et analyser un échantillon génétique, a-t-elle dit. Ils avaient besoin de cet échantillon afin de guérir une épidémie. En l'an 2556. Et ce n'était pas un voyage bon marché et de tout repos. Le voyage dans le temps était l'équivalent de ce qu'est aujourd'hui le voyage dans l'espace pour les humains, a-t-elle dit. C'était un pari risqué, qui coûtait cher, et si elle n'en revenait pas fécondée, avec un fœtus intact, toutes les missions seraient annulées à l'avenir.

Ici, dans mon costume de 1734, plié en deux avec mes boyaux compactés, je n'arrive toujours pas à me défaire de son idée du *mâle caractéristique*.

« Je ne suis bouclée ici que parce que j'ai dit aux gens la vérité me concernant, dit-elle. Vous étiez le seul mâle reproducteur disponible. »

Oh, je dis, ça, ça améliore *incontestablement* les choses. Et de beaucoup. Maintenant, tout est parfaitement logique.

Elle voulait juste que je sache que, ce soir, elle devait être rappelée vers l'an 2556. Ce serait donc la toute dernière fois que nous nous verrions, et elle voulait juste que je sache qu'elle m'était reconnaissante.

« Je vous suis profondément reconnaissante, a-t-elle dit. Et c'est vrai, je vous aime. »

Et debout, là, dans le couloir, dans la lumière crue du soleil qui se levait à l'extérieur des fenêtres, j'ai pris un stylo-feutre noir de la poche de poitrine de sa blouse de laborantine.

Vu la manière dont elle se tenait, son ombre portée sur le mur derrière elle pour la dernière fois, j'ai commencé à dessiner sa silhouette.

Et Paige Marshall a dit : « C'est pour quoi faire, ça ? »

C'est ainsi que l'art a été inventé.

Et j'ai dit : « Juste au cas où. C'est juste au cas où vous ne seriez pas cinglée. »

46.

Dans la plupart des programmes de traitement en douze étapes, la quatrième exige que vous rédigiez une histoire intégrale et sans concessions de votre existence de drogué. Le moindre petit moment minable, merdique, lèche-cul de votre petite vie, vous devez vous procurer un calepin et le noter. Faire l'inventaire complet de vos crimes. De cette façon, vous l'avez toujours dans la tête. Ensuite vous devez remettre de l'ordre dans tout ça. Réparer la machine. Ceci vaut pour les alcooliques, les drogués à la dope, les obèses boulimiques, tout autant que pour les accros du sexe.

De cette façon, vous êtes à même de revenir en arrière et de passer en revue le pire de votre existence dès que vous le désirez.

Malgré tout, ceux qui se souviennent de leur passé ne sont pas nécessairement les mieux lotis.

Mon calepin jaune, à l'intérieur, il y a tout ce qui me concerne, et il a été saisi comme pièce à conviction grâce à un mandat de perquisition. Concernant Paige et Denny et Beth. Nico et Leeza et Tanya. Les inspecteurs ont tout lu dans le détail, assis à une grande table en bois en face de moi dans une pièce isolée acoustiquement. Un mur est une glace sans tain, et il est sûr qu'il y a une caméra vidéo derrière.

Et les inspecteurs me demandent : qu'est-ce que j'espère accomplir en me reconnaissant coupable des crimes d'autres personnes ?

Ils me demandent : qu'est-ce que j'essaie de faire ?

De compléter le passé. De boucler la boucle, je leur réponds.

Toute la nuit, ils ont lu mon inventaire en me demandant : mais qu'est-ce que ça veut dire ?

Nurse Flamingo. Dr Blaze. Le Beau Danube bleu.

Ce que nous disons quand nous ne pouvons pas dire la vérité. Le sens de toute chose, dorénavant, je ne le connais plus.

Les inspecteurs de police demandent si je connais l'endroit où se trouve une patiente du nom de Paige Marshall. Elle est recherchée pour être interrogée à propos de la mort, apparemment par asphyxie, d'une patiente dénommée Ida Mancini. Ma mère apparente.

Mlle Marshall a disparu la nuit dernière d'un quartier de l'hôpital pourtant bouclé. Elle s'est évadée et il n'y a pas le moindre signe d'effraction. Pas de témoins. Rien. Elle s'est tout bonnement évanouie dans les airs.

Le personnel de St Anthony entretenait son délire sans penser à mal, m'a dit la police, à savoir qu'elle était un vrai médecin. On la laissait porter une vieille blouse de laboratoire. Ce qui la rendait plus coopérative.

Le personnel dit qu'elle et moi étions plutôt copain-copain.

« Pas vraiment, je dis. Je veux dire par là, c'est vrai,

je la voyais bien dans les couloirs, mais en fait, je ne savais pas vraiment grand-chose d'elle. »

Les inspecteurs m'apprennent que je n'ai pas beaucoup d'amies chez les infirmières.

Voir aussi : Clare, infirmière diplômée.

Voir aussi : Pearl, aide-soignante.

Voir aussi : Dunsboro la Coloniale.

Voir aussi : Sexooliques.

Je ne leur demande pas s'ils ont pris la peine de vérifier l'existence de Paige Marshall en l'an 2556.

Je fouille dans ma poche, et je trouve une pièce : un *dime*, un dixième de dollar. Je l'avale, et elle descend.

Dans ma poche, je trouve un trombone. Et il descend, lui aussi.

Pendant que les inspecteurs fouillent dans le journal intime rouge de ma maman, je regarde alentour à la recherche de quelque chose de plus gros. Quelque chose de trop gros à avaler.

Il y a des années que je m'étrangle à mort. À ce stade, ça devrait être facile.

On frappe à la porte, et on apporte un plateau-repas. Un hamburger sur une assiette. Une serviette. Une bouteille de ketchup. Le blocage dans mes tripes, la bouffissure, la douleur, tout ça fait que je crève littéralement de faim, mais je ne peux pas manger.

Ils me demandent : « Qu'est-ce que c'est que tout ça, dans le journal intime ? »

J'ouvre le hamburger. J'ouvre la bouteille de ketchup. J'ai besoin de manger pour survivre, mais je suis tellement plein de ma propre merde.

C'est de l'italien, je leur dis.

Toujours lisant, les inspecteurs demandent :

« Qu'est-ce que c'est que ces machins qui ressemblent à des cartes ? Toutes ces pages de dessins ? »

C'est drôle, mais voilà des trucs que j'avais complètement oubliés. Ce sont bien des cartes. Des cartes que j'avais faites quand j'étais un petit garçon, une petite merde stupide qui avalait tout ce qu'on lui disait. Voyez-vous, ma maman m'avait dit que je pouvais réinventer le monde tout entier. Que j'avais en moi ce genre de pouvoir. Que je n'avais pas à accepter le monde tel qu'il se présentait, avec ses propriétés privées à travers tout, micro-géré tous azimuts. J'étais capable d'en faire tout ce que je désirais.

C'est vous dire à quel point elle était givrée.

Et moi, je la croyais.

Et je glisse le bouchon de la bouteille de ketchup dans ma bouche. Et j'avale.

À l'instant qui suit, mes jambes se redressent d'un coup, à une vitesse telle que ma chaise vole derrière moi. Mes mains se mettent à agripper ma gorge. Je suis debout, bouche béante, et je regarde le plafond peint, les yeux révulsés au point qu'on ne voit plus que le blanc. Mon menton s'étire devant moi comme s'il voulait se séparer de mon visage.

Déjà les inspecteurs sont à moitié levés de leur chaise.

Comme je ne respire plus, les veines de mon cou gonflent. Mon visage vire au rouge, il brûle. La sueur commence à perler à mon front. La sueur colle ma chemise par plaques dans mon dos. De mes deux mains serrées autour du cou, je tiens bon.

Parce que je ne peux sauver personne, ni comme médecin ni comme fils. Et parce que je ne peux sauver personne, je ne peux pas me sauver moi-même.

Parce que, maintenant, je suis orphelin. Je suis sans emploi et sans amour. Parce que mes tripes me font mal, et que de toute façon je suis en train de mourir, depuis le fin fond de mes intérieurs.

Parce qu'il faut toujours préparer son évasion.

Parce qu'une fois qu'on a franchi certaines limites, on se contente de continuer à les franchir.

Et il n'y a pas d'évasion possible quand on est en constante évasion. À toujours nous distraire de nous-mêmes. À éviter l'affrontement. À dépasser l'instant qui nous tient. À nous branler. Télévision. Déni de tout.

Les inspecteurs relèvent les yeux du journal intime, et l'un d'eux dit : « Ne paniquez pas. C'est tel que c'est dit ici, dans le calepin jaune. Il fait semblant, c'est tout. »

Ils se lèvent et observent le spectacle.

Mes mains autour de ma gorge, je suis incapable d'avaler la moindre goulée d'air. Ce stupide petit garçon qui criait au loup.

Tout comme cette femme avec sa gorge pleine de chocolat. La femme, pas sa maman.

Pour la première fois depuis aussi longtemps qu'il m'en souvienne, je me sens en paix. Pas heureux. Pas triste. Pas angoissé. Pas queutard. Rien que les parties supérieures de mon cerveau qui ferment boutique. Le cortex cérébral. Le cervelet. C'est là que se situe mon problème.

Je suis en train de me simplifier.

Quelque part, en équilibre parfait entre le bonheur et la tristesse.

Parce que les éponges ne savent pas ce qu'est une mauvaise journée.

47.

Un matin, l'autocar de l'école s'est rangé contre le trottoir, et tandis que sa mère d'adoption du moment restait à le saluer de la main, le stupide petit garçon est monté. Il était le seul passager, et le bus est passé comme une flèche devant l'école à cent à l'heure. Le chauffeur du bus était la Man-man.

C'était la dernière fois qu'elle venait le réclamer.

Assise derrière l'énorme volant et relevant les yeux vers le fils dans le rétroviseur, elle a dit : « Tu serais sidéré de voir combien il est facile de louer un de ces engins. »

Elle s'est engagée sur une rampe d'accès à l'autoroute et elle a dit : « Ça nous donne six bonnes heures d'avance avant que la compagnie d'autocars signale qu'on lui a volé sa charrette. »

Le bus a roulé sur l'autoroute, et la ville se déroulait à l'extérieur, et quand il n'y eut plus une maison toutes les secondes, la Man-man lui a dit de venir s'asseoir à côté d'elle. Elle a sorti un journal intime rouge d'un sac fourre-tout pour en dégager une carte, toute repliée.

D'une main, la Man-man déplia la carte en la

secouant sur le volant, et de l'autre main elle baissa sa vitre. Elle manœuvrait le volant à l'aide des genoux. Et ses yeux, rien que ses yeux, allaient et venaient entre la route et la carte.

Puis elle chiffonna la carte et l'enfourna par la fenêtre ouverte.

Et tout ce temps, le stupide garçon était là, assis, sans rien faire.

Elle dit de prendre le journal rouge.

Comme le petit garçon essayait de le lui donner, elle dit : « Non. Ouvre-le à la page suivante. »

Elle lui dit de se trouver un stylo dans la boîte à gants et vite, parce qu'on approchait d'une rivière.

La route coupait à travers tout, toutes les maisons, toutes les fermes, tous les arbres, et l'instant d'après ils étaient sur un pont franchissant une rivière qui s'éloignait jusqu'à l'infini des deux côtés du bus.

« Vite, a dit la Man-man. Dessine la rivière. »

Comme s'il venait de la découvrir, la rivière, comme s'il venait de découvrir le monde entier, elle dit de dessiner une nouvelle carte, une carte du monde rien que pour lui tout seul. Son propre monde très personnel.

« Je ne veux pas que tu acceptes le monde tel qu'il est donné », a-t-elle dit.

Elle dit : « Je veux que tu l'inventes. Je veux que tu aies ce talent. Celui de créer ta propre réalité. Ton propre ensemble de lois. Voilà ce que je veux essayer de t'enseigner. »

Le garçon avait maintenant un stylo à la main, et elle dit de dessiner la rivière dans le livre. Dessiner la rivière, et dessiner les montagnes droit devant. Et leur donner un nom, a-t-elle dit. Pas avec les mots qu'il connaissait déjà, mais inventer de nouveaux mots qui ne signifiaient pas déjà tout un tas d'autres choses.

De créer ses propres symboles.

Le petit garçon a réfléchi, le stylo dans la bouche et le livre ouvert sur les genoux, et après un petit moment il a tout dessiné.

Et le plus stupide, c'est que le petit garçon a oublié tout ça. Il a fallu attendre des années plus tard que la police retrouve cette carte. Et que lui se souvienne d'avoir fait ça. Qu'il était capable de faire ça. Ce pouvoir-là, il l'avait.

Et la Man-man a regardé sa carte dans le rétroviseur et a dit : « Parfait. »

Elle a consulté sa montre, et son pied a écrasé le champignon, et ils sont allés plus vite, et elle a dit : « Et maintenant écris-le dans le livre. Dessine la rivière sur notre nouvelle carte. Et prépare-toi, parce qu'il y a des tas d'autres trucs en attente de nom qui vont apparaître bientôt. »

Elle a dit : « Parce que la seule frontière qui reste, c'est le monde des intangibles, les idées, les histoires, la musique, l'art. »

Elle a dit : « Parce que rien n'est aussi parfait que ce que tu peux en imaginer. »

Elle a dit : « Parce que je ne serai pas toujours là pour t'asticoter. »

Mais en vérité le gamin ne voulait pas être responsable de lui-même, de son monde à lui. En vérité le petit merdeux stupide avait déjà le projet de faire une scène dans le prochain restaurant, afin de faire arrêter la Man-man, qu'elle sorte de son existence une bonne fois pour toutes. Parce qu'il était fatigué de l'aventure, et qu'il croyait que sa précieuse petite vie stupide et ennuyeuse allait se poursuivre sans fin, à tout jamais.

Il était déjà en train de choisir entre sécurité, sûreté, satisfaction, et elle.

Conduisant le bus avec ses genoux, la Man-man a tendu la main et lui a serré l'épaule en disant : « Qu'est-ce qui te ferait plaisir pour déjeuner ? »

Et comme si ce n'était là qu'une réponse innocente, le petit garçon a dit : « Des hot dogs au pain de maïs. »

48.

Encore une minute, et les bras viennent m'encercler par-derrière. Un inspecteur de police me tient bien serré tout contre lui, les deux poings noués sous ma cage thoracique, en train de me souffler dans l'oreille : « Respirez ! Respirez, nom de Dieu ! »

En train de me souffler dans l'oreille : « Tout va bien. »

Deux bras me pressent, me décollent du sol, et un inconnu murmure : « Tout ira bien. »

Pression péri-abdominale.

Quelqu'un me tape dans le dos à la manière dont un médecin tape un nouveau-né, et je laisse filer le bouchon de bouteille. Mes intestins explosent et se libèrent dans mon pantalon en compagnie des deux boules en caoutchouc et de toute la merde qui s'est entassée derrière elles.

Ma vie tout entière rendue publique.

Reste plus rien à cacher.

Le singe et les châtaignes.

Dans la seconde qui suit, je gis en tas, effondré, par terre. Je sanglote pendant que quelqu'un m'explique que tout va bien. Je suis vivant. Ils m'ont sauvé. J'ai failli mourir. Ils me tiennent la tête contre leur poitrine, ils me bercent en disant : « Décontractez-vous, c'est tout. »

Ils portent un verre d'eau à mes lèvres et disent : « Chut. »

Ils disent que c'est fini.

49.

À l'entour du château de Dennis s'entasse une populace d'un millier d'individus dont je ne me souviens pas, mais qui ne m'oublieront jamais.

Il est presque minuit. Empuanti et orphelin, sans emploi et sans amour, je me fraie un chemin dans la foule jusqu'à ce que j'atteigne Denny, debout au beau milieu, et je dis : « Coco. »

Et Denny y va de son : « Coco. » Sans quitter des yeux la populace, des pierres dans les mains.

Il dit : « Une chose est sûre, ce n'est pas ici que tu devrais te trouver en ce moment. »

Après qu'on est passés à la télé, toute la journée, dit Denny, y a tous ces gens souriants qui ont débarqué avec des pierres. De belles pierres. Des pierres à ne pas en croire ses yeux. Du granit de carrière et du basalte équarri. Des blocs réguliers, aux arêtes parfaites, de grès et de calcaire. Ils arrivent un à un, ils apportent du mortier, des pelles, des truelles.

Tous, ils demandent, ça ne rate pas : « Où est Victor ? »

Ça fait tellement de gens qu'ils occupent entièrement le terrain de sorte que personne ne peut plus bosser. Tous voulaient me donner leur pierre en personne. Tous ces hommes, toutes ces femmes, ils n'arrêtent pas de demander à Denny et à Beth si je vais bien.

Ils disent que j'avais vraiment une allure abominable à la télé.

Il suffira juste qu'un seul individu décide de se vanter d'être un héros. D'être un sauveur, vu la manière dont il a sauvé la vie de Victor dans un restaurant.

Sauvé ma vie, *à moi*.

Le terme de « poudrière » décrit assez justement ce qu'il en est.

Là-bas, au loin, encore à l'extérieur des choses, il y a un quelconque héros qui a déclenché le processus : et ça parle, ça parle, ça parle. Même dans l'obscurité, on voit la révélation qui se répand en vagues à travers la foule. C'est la frontière invisible qui sépare les gens qui sont encore tout sourire de ceux qui ne le sont plus.

Tous ceux qui sont encore des héros des gens qui connaissent la vérité.

Et tous ces gens, qui se retrouvent dépouillés de leur grand moment de fierté, se mettent à regarder alentour. Tous ces gens réduits de l'état de sauveur suprême à celui d'imbécile en l'espace d'un instant, ils se mettent à péter un peu les plombs.

« Faut que tu te casses, Coco », dit Denny.

La foule est tellement dense qu'on ne voit plus rien du travail de Denny, les colonnes et les murs, les statues et les escaliers. Et quelqu'un crie : « Où est Victor ? »

Et quelqu'un d'autre crie : « Donnez-nous Victor Mancini ! »

Et, aucun doute là-dessus, ça, je le mérite. Un peloton d'exécution. Ma famille hypertrophiée tout entière rassemblée.

Quelqu'un allume les phares d'une voiture, et me voilà épinglé sous le feu des projecteurs contre un mur.

Et mon ombre menaçante qui grandit, horrible, au-dessus de nous tous.

Moi, le pauvre petit merdaillon dans son délire, qui croyais qu'on pouvait toujours apprendre suffisamment, savoir suffisamment, posséder suffisamment, courir suffisamment vite, se cacher suffisamment bien. Baiser suffisamment.

Entre moi et les phares, il y a les contours d'un millier de gens sans visage. Tous les gens qui croyaient qu'ils m'aimaient. Qui croyaient qu'ils m'avaient redonné la vie. Moi, la légende de leur existence, évaporée. Puis une main se lève, garnie d'une pierre, et je ferme les yeux.

Comme je ne respire plus, les veines de mon cou gonflent. Mon visage vire au rouge, il brûle.

Quelque chose tombe à mes pieds avec un bruit sourd. Une pierre. Une autre pierre, un autre bruit sourd. Puis une douzaine. Puis une centaine. Les pierres s'écrasent et le sol tremble. Les pierres s'éboulent contre les pierres autour de moi et tout le monde est en train de crier.

C'est le martyre de saint Moi.

Les yeux fermés, les yeux qui mouillent, les phares qui brillent rouges au travers de mes paupières, au travers de ma propre chair et de mon propre sang. Mon jus d'yeux.

Nouveaux chocs sourds contre la terre. Le sol vibre et trémule, les gens hurlent sous l'effort. Encore des tremblements, encore des fracas. Encore des jurons. Et puis tout devient silence.

À Denny, je dis : « Coco. »

Toujours les yeux fermés, je renifle et je dis : « Dis-moi ce qui se passe. »

Et quelque chose de doux et cotonneux et qui sent pas vraiment le propre se referme sur mon nez, et Denny dit : « Souffle, Coco. »

Et puis il n'y a plus personne. Ils sont tous partis. Presque tous.

Le château de Denny, ses murs sont démolis, les pierres descellées ont roulé loin sous la violence de leur chute. Les colonnes sont effondrées. Les colonnades. Les piédestaux renversés. Les statues écrasées. Pierres et mortier explosés, leurs gravats emplissent les cours, emplissent les fontaines. Même les arbres sont écrabouillés, complètement raplatis sous les pierres tombées. Les escaliers déchiquetés ne mènent nulle part.

Beth est assise sur une pierre, regardant une statue démolie. Une statue que Denny avait faite d'elle. Non pas à son exacte ressemblance dans la réalité, mais à l'image de celle qu'elle était pour lui. Aussi belle qu'il la pense belle. Parfaite. Et maintenant, démolie.

Je demande : tremblement de terre ?

Et Denny dit : « Tu brûles, mais ç'a été un acte divin, d'une variété particulière. »

Il n'y avait plus deux pierres l'une sur l'autre.

Denny renifle et dit : « Tu sens la merde, Coco. »

Je ne suis pas censé quitter la ville jusqu'à plus ample informé, je lui dis. La police m'a demandé.

Sa silhouette dessinée par l'éclat des phares, ne reste plus qu'une seule et dernière personne. Rien qu'une petite silhouette noire toute repliée sur elle-même, jusqu'à ce que les phares changent de direction, la voiture garée s'en va.

Au clair de lune, nous regardons, Denny, Beth et moi, pour voir qui reste encore dans les parages.

C'est Paige Marshall. Sa blouse blanche de laborantine toute barbouillée, les manches remontées. Le bracelet en plastique autour de son poignet. Ses chaussures bateaux sont mouillées et font des bruits d'éponge qu'on presse.

Denny s'avance et lui dit : « Je suis désolé, mais il y a eu un affreux monstrueux malentendu. »

Et je lui dis : non, tout baigne. Ce n'est pas ce qu'il croit.

Paige s'approche et dit : « Eh bien, je suis toujours là. »

Sa chevelure noire est tout défaite, le petit cerveau noir de son chignon. Ses yeux sont tout bouffis et rouges à leur pourtour, elle renifle, elle hausse les épaules et dit : « Je crois que ça signifie que je suis folle à lier. »

Nous baissons tous les yeux sur les pierres éparpillées, des pierres, rien que des pierres, rien que de petits tas bruns de rien de spécial.

Une de mes jambes de pantalon est mouillée par la merde et l'intérieur me colle à la peau, et je dis : « Eh bien. »

Je dis : « Je crois que je ne suis le sauveur de personne.

— Ouais, ben. »

Paige lève la main et dit : « Vous croyez que vous allez pouvoir m'ôter ce bracelet ? »

Je dis : ouais. On peut essayer.

Denny chasse les pierres tombées, les pierres qui roulent, du bout du pied, puis il se baisse pour en ramasser une. Beth s'en va l'aider.

Paige et moi nous contentons de nous regarder, en nous interrogeant de savoir qui l'autre est pour de vrai. Pour la première fois.

Nous pouvons passer notre existence entière à laisser le monde nous dire qui nous sommes. Sains d'esprit ou fous à lier. Saints ou drogués du sexe. Héros ou victimes. À laisser l'histoire nous dire combien nous sommes bons ou mauvais.

À laisser notre passé décider de notre avenir.

Ou alors, nous pouvons décider pour nous-mêmes.

Et peut-être est-ce notre travail d'inventer quelque chose de meilleur.

Dans les arbres, une colombe plaintive appelle. Il doit être minuit.

Et Denny dit : « Hé, on aurait bien besoin d'un coup de main par ici ! »

Paige y va, et j'y vais. Tous les quatre, nous creusons de nos mains sous les arêtes d'une pierre. Dans le noir, la sensation au bout de nos doigts, c'est du froid et du rugueux, et ça dure, et ça dure, une éternité, et tous les quatre, tous ensemble, nous bataillons pour simplement mettre une pierre sur l'autre.

« Vous êtes au courant pour cette fille de l'antiquité grecque ? » dit Paige.

Qui a dessiné la silhouette de son amant perdu ? Je dis : ouais.

Et elle dit : « Vous savez qu'au bout du compte, elle l'a simplement oublié pour inventer le papier peint. »

Ça fiche la chair de poule, mais nous voici, les Pèlerins, les fêlés de notre temps, qui essayons d'établir notre propre réalité de rechange. De bâtir un monde à partir de pierres et de chaos.

Ce que ça va être, je ne sais pas.

Même après toutes ces allées et venues, à cavaler partout, là où nous avons abouti, c'est au milieu de nulle part au beau milieu de la nuit.

Et peut-être que savoir n'est pas ce qui importe.

Là où nous nous tenons, en cet instant précis, dans les ruines dans le noir, ce que nous bâtissons pourrait être n'importe quoi.

DU MÊME AUTEUR

Aux Éditions Gallimard

Dans la collection La Noire

JOURNAL INTIME, 2005.

BERCEUSE, 2004.

MONSTRES INVISIBLES, 2003.

SURVIVANT, 2001 (Folio Policier n° 327).

FIGHT CLUB, 1999 (Folio Science-Fiction n° 95).

Aux Éditions Denoël

CHOKE, 2002 (Folio Policier n° 370).

FESTIVAL DE LA COUILLE ET AUTRES HISTOIRES
    VRAIES, 2005.

Composition IGS
Impression Novoprint
à Barcelone, le 4 avril 2005
Dépôt légal : avril 2005

ISBN 2-07-030552-X/Imprimé en Espagne.

132601